Res

Tu cuerpo es un jardín está lleno ~~~ sabiduría sobre la salud integral. Es un ganador.

Christiane Northrup, MD, médico obstetra/ginecólogo y autor de los "bestsellers" del New York Times: *Las Diosas Nunca Envejecen: La Receta secreta de Luminosidad Vitalidad y Bienestar, Cuerpo de las mujeres, Sabiduría de las mujeres, y Sabiduría de la menopausia.*

Los médicos están capacitados para tratar el resultado y no la causa. Sin embargo, las personas no son objetos mecánicos y necesitan ser tratados de una manera holística que integra mente, cuerpo y espíritu.

Tu cuerpo es un jardín nos ofrece la guía y la penetración en este patrón integrado de auto cuidado y atención médica. Todos necesitamos apoyo en nuestras vidas cuando nos encontramos con problemas, y la sabiduría del Dr. Arrondo puede ser su guía para una mejor salud y vida.

Bernie Siegel, MD, autor de *Amor, Medicina y Milagros y el Arte de Curar;* **Profesor Clínico Asistente de Cirujía General y Pediátrica, Universidad de Yale, retirado.**

Dr. Arrondo ofrece una riqueza de información sobre la salud con el apoyo de más de 800 citas de investigaciones científicas.Es una amplia discusión sobre el bienestar que ofrece mucho alimento para el pensamiento y la acción . En general, es un valioso resumen de la salud integral.

Crítica de Kirkus

El Dr. Arrondo ofrece una rigurosa y profunda discusión de nosotros, inmersa en la asistencia médica moderna. La práctica de la atención médica es acerca de la evolución y *Tu cuerpo es un jardín* ofrece los suficientes conocimientos básicos para escoger mejores opciones en esa evolución . *Tu cuerpo es un jardín* es una buena lectura tanto para los médicos como para los consumidores.

Steve Cohen, MD, PA-C, Profesor Asociado, Universidad Internacional de Florida , Miami, FL

El Dr. Arrondo, reflexivo y crítico, nos plantea soluciones científicas de una manera extraordinaria, en este libro que trascenderá. Aborda cada concepto y situación médica con gran claridad y los ilustra con analogías didácticas y su valiosa experiencia clínica-humanística.

Susana Alcázar, MD, Directora y fundadora del Instituto de Investigaciones Científicas Hans Selye, A.C. Directora y fundadora de la Escuela de Gerontología Heberto Alcázar Montenegro, S.C.

En nuestro "mundo moderno" existe una necesidad urgente de reconsiderar la forma en que pensamos y actuamos sobre la salud y el bienestar. *Tu cuerpo es un jardin* es un excelente manual, que le provee la información esencial que necesita saber sobre cómo mejorar su salud, escrito por un doctor de gran experiencia.

Kerry Bone, Director de Investigación y Desarrollo – MediHerb, Profesor Adjunto - Escuela de Applied Clinical Nutrition, New York Chiropractic College - EE.UU.

Como ex representante de ventas de productos farmacéuticos para compañías farmacéuticas Fortune 500, puedo atestiguar que *Tu cuerpo es un jardín* ofrece un regalo que no se encuentra en la mayoría de los libros de salud natural: Un enfoque interesante y expansivo a la sanación que integra los niveles más profundos de nuestras vidas. El Dr. Arrondo ha escrito una ayuda inestimable de curación.

Gerald Roliz, CNC, Autor de *El Mito Farmacéutico*

El Dr. Arrondo ofrece a sus lectores una mirada perspicaz en cómo manejar los desafíos de la atención moderna de la salud. Acertadamente, presenta a los lectores consejos prácticos sobre cómo lograr una vida más saludable y más feliz por medio de la comprensión y el uso de estas delicadas interconexiones físicas, mentales y espirituales en nuestro beneficio. En un universo médico en constante formación cada vez más subespecializado, el libro del Dr. Arrondo nos recuerda la importancia de este enfoque holístico de la medicina moderna.

Michael C. Kuo, MD

Finalmente, un nuevo enfoque, basado en evidencias para abordar las verdaderas causas de tanto dolor y sufrimiento. Más importante aún, un verdadero enfoque basado en el paciente. Gracias, Dr. Arrondo por este trabajo basado en la evidencia y en el paciente, para educar al público acerca de las decisiones de gran alcance que pueden determinar sus niveles de salud, enfermedad y vida útil.

Edward Cremata, RN, DC, FRCP (US), Profesor, Palmer College of Chiropractic West, USA

El Dr. Arrondo ha escrito un excelente libro que les ayudará a todos a aprender a cuidar mejor de su salud. Su bien investigado libro ayuda a mostrar las muchas conexiones entre los diferentes sistemas de nuestro cuerpo y ofrece consejos prácticos al final de cada capítulo. Lea este libro y aprenderá a pensar en su salud de una manera más integral.

Richard Chen, MD, FAAFP, IFMCP

Estoy muy emocionado de tener un libro como éste para recomendar a mis pacientes. *Tu cuerpo es un jardín* es un libro maravilloso sobre el restablecimiento y mantenimiento de la salud en un mundo post –milenio.

Erich Goetzel, MD, MA, Lac

Tu cuerpo es un jardín trata la importancia de nuestras interconexiones, no sólo de los sistemas biológicos en nosotros, sino de los sistemas sociales, culturales y tecnológicos que nos rodean y nos hacen enteros y completos. El Dr. Arrondo explica que cuando no estamos alineados con el propósito de nuestra vida o nuestra vida de alguna manera está fuera de equilibrio, la enfermedad y la disfunción pueden a menudo resultar como un llamado para conseguir nuestra atención y hacer los cambios necesarios en nuestra vida y estilo de vida. El ofrece sugerencias sobre cómo hacer estos cambios y encontrar respuestas cuando nos descubrimos con una mala salud que parece no podemos cambiar. Le recomiendo este libro como una guía para todos los que buscan salud y curación óptima.

Deanna M. Cherrone, MD

Esta fue una explicación maravillosa de la conexión mente - cuerpo. El Dr. Arrondo devuelve el poder al paciente a través de la enseñanza sobre la autosuficiencia y la autonomía. No es que los médicos no sean importantes, pero escuchar a nuestro propio cuerpo es muy importante. Gracias por mostrarnos toda la cantidad de energía que tenemos sobre nuestra propia salud.

Susan Rhodes, RN, MS, LMFT, PsyD

¡El Dr. Arrondor te ha dado la clave para prevenir la enfermedad y la base para recuperarse de las enfermedades de la civilización!

C. Norman Shealy, MD, PhD

El Dr. Arrondo ha fusionado la ciencia y su sabiduría para ayudar a todos a navegar por un mundo cada vez más confuso de "opciones saludables". *Tu cuerpo es un jardín* es una lectura obligada para grandes y chicos. La información contenida en este libro puede traer el pragmatismo y la simplificación para el complejo tema de la vida sana. Lea, disfrute y siga al Dr. Arrondo en un viaje hacia una salud óptima.

Dr. Louis D'Amico DC, BS Farmacéutico, R.Ph.

Lobos, Jardines, y Chocolate está bien pensado, bien investigado y bien presentado. En el, el Dr. Arrondo presenta un enfoque basado en la ciencia para el cuidado de la salud que envuelve y capacita al paciente que está tratando de aprender y de mejorar su salud. La rica información científica está ingeniosamente y hábilmente entretejida con prácticas tradicionales, culturales, culinarias y curativas que se remontan a la antigüedad.

Basado en la premisa de que nuestro cuerpo es uno, con muchas partes , en el que las partes trabajan juntas como un ecosistema completo, la información fluye sin problemas de un capítulo a otro y de una enfermedad a otra, poniendo de relieve que la lesión de una parte afecta a otras partes y a todo el cuerpo. Esto lo hace una lectura fácil. Yo recomendaría este libro a mis pacientes y colegas interesados.

Emmanuel Quaye, MD

Si desea obtener más información sobre cómo cuidarse mejor a sí mismo, escoja este libro.

Carol Lee Hilewick, PhD

En este excelente libro, el Dr. Luis Arrondo se basa en sus experiencias clínicas y en una extensa investigación en la literatura científica para revelar conexiones importantes para cualquier persona que desee tener una mejor salud.

Jorge Rivera-Díaz, MD, certificado en Medicina Interna

El Dr. Arrondo integra su experiencia clínica y la investigación a fondo para proporcionar un conocimiento profundo de las interconexiones de las funciones corporales, la mente y el espíritu, ya que juegan un papel crítico en el mantenimiento y la mejora de la salud. Cada capítulo ofrece sugerencias prácticas para maximizar la salud a través del cuidado de uno mismo y, cuando sea necesario, trabajar eficazmente con los proveedores de cuidado de la salud. Para cualquier persona que desee mantener una salud óptima, esto es un recurso extremadamente valioso. Estoy muy agradecida por la sabiduría que comparte.

Carol Ames, MS

Tu cuerpo es un jardín proporciona una visión atractiva sobre las fascinantes conexiones dentro del cuerpo , fomentando la autonomía y la orientación en el camino hacia el bienestar. Este libro está escrito de una manera muy accesible y ofrece sugerencias prácticas que son útiles tanto para los profesionales como para los individuos. Muchas gracias por condensar una gran cantidad de investigaciones de este tipo en esta sorprendente guía para la salud. Yo he recomendado *Tu cuerpo es un jardín* a un número de pacientes. Ha sido una síntesis maravillosa de muchos de los elementos con los que trabajo con los pacientes de mi clínica, y ha ayudado a revitalizar mi enfoque a algunas de las condiciones que trato con regularidad.

Rain Delvin EAMP, MAOM, LMP

Ya sea que usted quiere hacerle frente a un problema de salud o mantener una salud óptima, encontrará soluciones en *Tu cuerpo es un jardín.*

Peg Stirn, RN, BCB

Sobre el autor

Nacido en La Habana, Cuba, el Doctor Luis Arrondo, DC, CABNN, es un escritor reconocido y premiado durante sus estudios. Terminó sus primeros cuatro años de estudios universitarios en Miami, Florida con calificaciones destacadas. Después cursó cuatro años más, en la *Parker University* en Dallas, Texas, graduándose con honores como Doctor en Quiropráctica. Desarrolló su extenso y multidisciplinario punto de vista acerca de la salud y la capacidad innata del cuerpo para sanarse, mientras viajaba y ejercía en los Estados Unidos e Italia. Tiene una certificación en Neuroquímica y Nutrición por el *American College of Functional Neurology*, ha prestado servicios como Médico Examinador Certificado y Calificado por el Estado de California, ha sido miembro de la Academia de Consultores Quiroprácticos Forenses e Industriales, y ha sido certificado en la *Técnica Neuro-Emocional*. El doctor Arrondo ha vivido en cinco países y ejerce en su clínica en San José, California. Doctorluisarrondo.com

Una versión compacta de este libro en inglés se titula: *Wolves, Gardens, and Chocolate: The Little-known Connections to Vibrant Health, Ideal Weight, and Boundless Energy.*

Tu cuerpo es un jardín

Cómo tu cuerpo **realmente** funciona

Conexiones escondidas para mejorar tu salud, peso y energía

Incluye más de 800 citas de estudios científicos

Doctor Luis Arrondo
D.C., C.A.B.N.N.

WOLF RIVER
PUBLISHING
SAN JOSE, CA

*Tu cuerpo es un jardín: Cómo tu cuerpo **realmente** funciona*

Wolf River Publishing
1101 S. Winchester Blvd. Suite J-210
San Jose, California, 95128.

Printed in the United States of America.

Design by Chris Molé
Editing by Elissa Rabellino
Author photograph by David Turner Photography
First printing 2016

Ordering Information:

Quantity sales: Special discounts are available on quantity purchases by corporations, associations, and others. For details, contact the publisher's address above.

Arrondo, Luis.

   Tu cuerpo es un jardín: Cómo tu cuerpo realmente funciona. Conexiones escondidas para mejorar tu salud, peso y energía. Incluye más de 800 citas de estudios científicos / Doctor Luis Arrondo, D.C., C.A.B.N.N.

   pages cm

   ISBN 978-0-9966065-2-3 printed book

   ISBN 978-0-9966065-3-0 eBook

   Includes bibliographical references and index.

1. Integrative medicine. 2. Holistic medicine. 3. Alternative medicine. 4. Health. 5. Mind and body. 6. Nutrition. I. Title.

RA776.5 .A77 2015

613 --dc23   2015916647

Para Mindy, con todo mi amor

Descargo de responsabilidad y advertencias

Límite de responsabilidad/descargo de responsabilidad de garantía:

El contenido de este libro es presentado como una fuente de información para ser tomada en cuenta por los lectores y sus doctores. No debe ser usado para dar diagnósticos o tratamiento. El contenido no pretende crear una relación entre paciente y doctor. No debe ser usado como sustituto de tratamiento o diagnóstico profesional, ya sea físico, mental o de otro tipo. El contenido de este libro es presentado con la intención de dar a conocer información nutricional importante, así como otro tipo de información, incluyendo sugerencias y protocolos que los lectores pueden discutir con sus doctores de cabecera.

La información sobre el uso de suplementos nutricionales y otros enfoques naturales no es provista con el fin de remplazar las perspectivas médicas establecidas. En vez de eso, este libro sirve para presentar tópicos de discusión entre pacientes y doctores. El contenido de este libro, incluyendo las perspectivas nutricionales, no es sustituto del consejo de un profesional de la salud y no debe ser interpretado como un intento de ofrecer o proporcionar una opinión médica u otra cosa relacionada con la práctica de la medicina. No pretende, ni debe ser usado para diagnosticar, tratar, curar o prevenir enfermedades. El autor no puede ser responsable por ninguna información, omisión o error, olvido o cualquier otra cosa contenida aquí. El usuario de esta información tiene la responsabilidad única de determinar si la información provista en el libro es apropiada. Se recomienda que el usuario consulte un doctor autorizado en un ámbito de práctica apropiado para tomar esta determinación. No se ofrecen servicios profesionales, clínicos o legales.

Por favor, consulte con su proveedor de salud antes de tomar cualquier decisión relacionada con el cuidado de la salud o para guía sobre alguna condición específica. El autor y editor de este libro expresamente rechazan cualquier responsabilidad y no serán responsables por pérdida, lesión o daño, ya sea consecuente, fortuito o especial, o de cualquier otro tipo, como resultado de su confianza en la información contenida en este libro o su uso. Este libro proporciona información, pero no respalda específicamente ningún examen, tratamiento o procedimiento mencionado. La información contenida es provista sin ningún tipo de representación o garantía, expresa o implícita.

El doctor Arrondo es el único autor de este libro, y lo ha escrito en su totalidad.

Contenido

Demasiadas prescripciones afectan tu salud • El
sistema de salud se enfoca en las crisis • Problemas
grandes con los antibióticos • Más problemas con
nuestro sistema de salud • Partos por cesárea:
Presiones y riesgos para los hijos • Un recurso para
tener más información sobre qué hacer en caso de
dudas.

Tu cuerpo es un jardín

¡Los antiácidos pueden causarte más problemas!

¿Tienes barreras escondidas que estorban tu buena
salud? • Tu digestión y tu cerebro se afectan el uno al
otro • Tus síntomas son consecuencias • Ayudas
naturales para la depresión • Gluten y sus efectos

Tus sueños: una ayuda importante para mejorar tu salud

"Cuando uno tira de una sola cosa en la naturaleza, se encuentra que está unida al resto del mundo".

—John Muir, naturalista, 1838–1914

"El doctor es un servidor de la naturaleza, no su amo. Por ende, al doctor le corresponde cumplir con la voluntad de la naturaleza".

—Paracelso, doctor, 1493–1541

Prefacio

Durante más de 20 años he ayudado a personas enfermas a recuperarse de padecimientos crónicos, a menudo en poco tiempo.

He descubierto que compartir observaciones acerca de las funciones corporales, que aparentemente no se relacionan entre sí, tiene un profundo efecto sobre la capacidad de mis pacientes para curarse. Se trata de conexiones que afectan, para bien o para mal, a la capacidad de recuperación del paciente para sentirse mejor y tener más salud y energía.

Ayudé a mis pacientes a entender estas conexiones entre sus enfermedades y el funcionamiento del resto de su cuerpo: puentes que podían mejorar o empeorar sus oportunidades de aliviarse. En consecuencia, empezaron a ver que si abordábamos el funcionamiento de otros importantes sistemas corporales, su salud podía mejorar y el dolor disminuir.

Descubrí lo útil que es revelarles estas conexiones ocultas; se trataba de una red vital de oportunidades de curación a la que podían recurrir si llegaban a conocerla.

En *Tu cuerpo es un jardín* explicaré la naturaleza de esta red. Para aquellos que tengan un interés más profundo sobre las investigaciones, he incluido notas a pie de página, al final del texto, con más de 800 citas científicas, organizadas por capítulos.

Mi libro le ayudará a dar pasos fáciles y lógicos para mejorar su salud de formas que no había imaginado. Como verá en los ejemplos, entender el amplio panorama de su cuerpo y expandir su visión hasta abarcar un sentido integral de su verdadero funcionamiento, es el secreto más importante de todos.

Si su salud no es muy buena, *Tu cuerpo es un jardín* puede ayudarle a tener más energía, una mejor salud y finalmente llegar a su peso ideal sin pasar hambre. Después de todo, si desea obtener resultados diferentes, necesita pensar y actuar de manera diferente. La grata sorpresa que veo en muchos pacientes, cuando sus problemas de salud finalmente empiezan a resolverse después de años de frustración y dolor, puede también formar parte de su experiencia.

Al escribir estas páginas, en el transcurso de cuatro años, generalmente en las noches después de regresar a casa de mi consultorio y durante los fines de semana, me surgían preocupaciones y frustraciones: ¿supondrá mi libro alguna diferencia habiendo ya tantos libros acerca de la salud?

Creo profundamente que así será; permítame compartir con usted, querido lector, el porqué.

En la última década, la investigación ha tomado una dirección que las artes de la curación de las culturas antiguas ya conocían: básicamente que, con el fin de curar un padecimiento a nivel profundo, se necesita la ayuda de todos sus órganos, glándulas, tejidos y, en ocasiones, hasta de una elevada percepción de sí mismo y de su propósito en la vida.

La ciencia y hasta nuestro modelo actual de cuidados de la salud han ido adquiriendo una conciencia cada vez mayor de estas conexiones ocultas. Este libro le mostrará cómo aprender y poner en práctica cosas sencillas para mantenerlo saludable y cómo evitar debilidades en nuestro sistema de salubridad que podrían llevar a un empeoramiento de la salud.

Durante algunos años viví y ejercí en Europa. Trabajando con otros doctores tanto en Europa como en Estados Unidos, o asistiendo a seminarios de especialización, pude observar un patrón. Lo que aprendí es que los pacientes gozan de un beneficio inconmensurable si los doctores mantienen una actitud flexible hacia otros enfoques e incorporan en sus prácticas otros puntos de vista acerca de la curación.

El paradigma común del cuidado de la salud, desafortunadamente, se divide en compartimientos, como las piezas de un rompecabezas. Una actitud abierta y cordial hacia la diversidad de enfoques clínicos, algunos de los cuales tienen mucho más años que la ciencia occidental, podría ayudar a los doctores a interactuar y conectar con la amplitud y sabiduría clínica de otras culturas.

Mi naturaleza es inquisitiva y abierta; me gusta conectar los puntos singulares, aun cuando la información proviene de diferentes campos clínicos. Si escucho o leo algo acerca de algún hecho clínico, experiencia o investigación, de medicina u holístico, en mi calidad de doctor quiropráctico, me pregunto qué más he experimentado con mis pacientes o leído acerca del tema para entablar conexiones curativas que ayuden a las personas a alcanzar una salud óptima de manera más fácil y con el uso de enfoques más naturales.

Muchas personas me han preguntado sobre la educación quiropráctica en Estados Unidos. Es diferente a muchos otros países, donde con frecuencia no existen regulaciones, y usan el título de quiropráctico sin el entrenamiento riguroso que se obtiene en los Estados Unidos. Un doctor quiropráctico reconocido en los Estados Unidos tiene que cursar 8 años de estudios universitarios y numerosos exámenes antes de poder ejercer.

De acuerdo a la Asociación Estadounidense de Quiropráctica, el típico solicitante de una universidad quiropráctica ha adquirido, antes de empezar los estudios quiroprácticos, cerca de cuatro años de educación universitaria pre-médica, incluyendo cursos de biología, química orgánica e inorgánica, física, psicología y trabajo de laboratorio.

Una vez aceptado en una universidad quiropráctica acreditada, los requisitos se vuelven más demandantes; cuatro a cinco años de estudios profesionales son lo estándar. Debido a la naturaleza práctica de la quiropráctica y las técnicas involucradas, se usa una porción significativa del tiempo en educación clínica.

Los doctores de quiropráctica en los Estados Unidos – que son autorizados para ejercer en todos los cincuenta estados– llevan a cabo una educación rigurosa en las ciencias de la curación, similar a los médicos. En algunas áreas como anatomía, fisiología, rehabilitación, nutrición y salud pública, reciben una educación más intensiva que los estudiantes de medicina.

A través de mis viajes, a menudo me encontraba en seminarios clínicos que me ayudaban a establecer conexiones entre lo que se enseñaba y otro tema clínico que parecía inicialmente irrelevante, pero que a fin de cuentas se relacionaba directamente.

Para mí, lo importante es: ¿qué funciona naturalmente, de raíz, y no presenta riesgos?

En última instancia, después de mucha reflexión, lo que me impulsó a continuar con este libro fue la feliz experiencia diaria de los pacientes en mi clínica, y la evidencia de que abordar la salud y la curación basado en el concepto que los cuerpos y la salud son como un jardín, ha cambiado la vida de muchos de ellos.

La aplicación de los principios de este libro supuso una gran diferencia a muchos pacientes.

Espero que a usted le sirva de igual manera.

Introducción

Mis pacientes me inspiran y me llenan de humildad a diario.

La mayoría trabajan hasta tarde y muchos tienen más de un empleo para llegar a fin de mes. Sus cuerpos les fallan de múltiples maneras, en algunos casos, durante años. Muchos se sienten frustrados, angustiados y, en ocasiones, confundidos, y se preguntan si algún día volverán a sentirse bien. A tantos de ellos se les han dicho que los resultados de sangre o de imágenes muestran que no tienen nada.

Han perdido el dulce fruto de la buena salud que tenían cuando eran más jóvenes y anhelan recuperarlo.

Yo le mostraré, como lo he hecho con muchos pacientes, que si percibe su cuerpo como un jardín y explora las conexiones curativas existentes entre la naturaleza y su salud, tendrá una mejor oportunidad de curarse.

Aprenda de qué forma *Tu cuerpo es un jardín* puede ayudarle a bajar de peso, obtener más energía y gozar de una mejor salud. Descubra cómo estas conexiones pueden ayudar a que alcance sus metas de salud más altas.

Debido a que nuestro sistema de salud, desafortunadamente refleja un punto de vista perecedero acerca de la curación, le invito a descubrir cómo puede beneficiarse de un enfoque clínico fresco. Empezará a percibir su cuerpo y su salud desde una perspectiva nueva y expandida.

Exploremos los antiguos enfoques de la curación. Recurriré a la sabiduría de antiguas civilizaciones para mostrarle cómo puede aumentar su bienestar y aprender que la enfermedad podría enseñarnos algo acerca de nosotros mismos en los niveles más profundos de su vida.

Aprenderá lo que una enfermedad puede iluminar sobre aspectos importantes de su vida. Explorará de qué modo su condición puede ser una experiencia de aprendizaje valiosa sobre su ser interno. Conocerá las culturas antiguas que trabajaron con el significado de los sueños y entenderá cómo estos sueños pueden ayudarle en su curación. Vislumbrará cómo la expresión y propósito de su vida están íntimamente conectados con su salud, o la falta de ella, y lo que puede hacer para ayudarse a sí mismo.

Espero proporcionarle más herramientas para que pueda obtener una mayor claridad con respecto de sus síntomas, de sí mismo, y quizás hasta experimentar con más claridad su propósito en esta vida.

Un espíritu inquisitivo, abierto, que amplíe su pensamiento y expanda la manera en que ve las cosas es el signo más perdurable de un creciente jardín de buena salud.

Es hora de cambiar.

El cambio empieza por usted.

CAPÍTULO 1

La frustración de Rosa

—Doctor, le cuento mi historia: Tengo treinta y nueve años, ¡pero me siento de cincuenta! En los últimos diez años he engordado diez kilos. Me duele el cuello y la espalda, no tengo mucha energía, no duermo bien y me siento hinchada después de comer. También me dan dolores de cabeza por la tarde y durante la menstruación.

«Por si fuera poco—, continuó diciendo, —mi vida sexual con mi marido no es satisfactoria y me canso en el trabajo. Uno de mis hijos ha engordado y no le va bien en la escuela. Estoy perdiendo la esperanza y me siento muy frustrada.

Moviéndose inquieta en su silla, trataba de descifrar la expresión de este nuevo doctor. Sus ojos le decían que el había escuchado esto en demasiadas ocasiones y transmitían preocupación.

—Y, antes de que me lo pregunte —continuó ella—, he seguido una innumerable serie de dietas a través de los años. En realidad, nada me ha funcionado. He tomado muchas pastillas que me han recetado, muchas han sido suplementos naturales y todavía no veo ninguno de los cambios que realmente necesito. Ya he visitado a suficientes doctores; parece que no hay solución y no puedo superar ninguno de mis problemas de salud de manera satisfactoria.

Ella bajó la mirada hacia sus manos y añadió:

—Más que nada, quiero saber qué me pasa.

Rosa había ido a ver a este doctor entre escéptica y esperanzada, más bien lo primero. Pero había oído algo acerca de él que le animaba a darse otra oportunidad.

—Bueno, Rosa —el doctor Arrondo hizo una pausa y luego respondió con consideración—, me parece que su jardín no va tan bien, ¿verdad?

—¿Mi jardín? No estoy hablando de mi jardín, doctor. ¡Me refiero a mi salud! —Ella se preguntó si, después de todo, esta sesión había sido una buena idea.

—Precisamente —respondió el doctor con tranquilidad—. Su salud y su cuerpo son como un jardín. Si lo piensa de esta manera, podrá entender el funcionamiento de su cuerpo más profundamente y podrá ayudarse a sí misma y a otras personas.

Rosa miró un pequeño jardín a través de la ventana del consultorio y dijo:— ¿Qué tiene que ver un jardín con la manera en que me siento?

Sus ojos, acentuados por unas ojeras, reflejaban cansancio.

El doctor Arrondo la observó atentamente. Su apariencia era la de una mujer de edad mediana, cansada, con sobrepeso, que se enfrentaba a más problemas que soluciones previsibles. La frustración en su rostro correspondía, pensó él, a un patrón típico que veía a menudo en su clínica: hombres y mujeres que habían pasado años con una salud quebrantada y que no parecía tener remedio a primera vista.

—Rosa —habló él con un poco más de apremio, deseando asegurarse de que ella entendiera claramente lo que estaba por decirle—, si empieza a verse de manera diferente, si empieza a ver su salud de manera diferente, podrá realizar los cambios que desembocarán en una vida más saludable. Le daré las herramientas que la ayudarán a alcanzar una mejor salud y resultados diferentes. Eso es lo que quiere, ¿verdad? ¿Resultados diferentes?

—Así es —respondió ella decididamente—. Pero de una vez le digo lo que no quiero. Estoy cansada de las prescripciones, por lo general una por cada síntoma. Ya no quiero tomarme el último producto maravilla que veo anunciado en la televisión. Estoy harta también de las nuevas dietas milagrosas de mis amistades, benditas sean. Realmente no me han servido de nada. No estoy segura de lo que pueda hacer por mí, teniendo en cuenta que nada me ha funcionado. Realmente no quiero pasarme la vida tomando este o aquel medicamento.

—Entiendo su frustración —dijo suavemente el doctor—. Sabe, mucha gente en este país está pasando por una situación similar.

Rosa reflexionó un instante. —Bueno, veamos, —dijo. Pensó en la gente que conocía.

—Ciertamente sé que la mayoría de mis amistades tienen un historial de problemas de salud porque de vez en cuando charlamos acerca de todos los medicamentos que hemos tomado en tantos años. Cuando hablo de ello me pregunto cuántas personas más han tenido el placer de ver sus nombres en el membrete de las recetas médicas.

El doctor asintió comprensivamente.

Demasiadas prescripciones afectan tu salud

—En verdad, hace poco estaba revisando esas cifras: hay aproximadamente 315 millones de personas, incluyendo niñas, niños y bebés que viven en Estados Unidos. El año pasado se expidieron cuatro mil millones de prescripciones, no remedios que se venden sin receta, ni suplementos naturales, sino recetas médicas de verdad. No es una cifra cualquiera, y sigue aumentado cada año.[1] Supone un promedio de 13 prescripciones al año por persona, incluyendo bebés, niños y niñas.

«La población de Estados Unidos representa aproximadamente el 5% del total mundial, y sin embargo damos cuenta del 75% de las prescripciones mundiales.[2] Para ponerlo en perspectiva, equivale, en promedio, a las prescripciones anuales de 57 personas en el mundo para sumar el promedio anual de prescripciones por persona en este país.

«¿Realmente estamos tan enfermos?

—¡Eso parece muchísimo! ¡Es una tonelada de medicina! ¿Y qué hay de los efectos secundarios? —indagó Rosa.

—Esas cifras también son desconcertantes, —dijo el doctor—. Se sabe que cada medicamento, por prescripción, en promedio, desencadena aproximadamente setenta efectos secundarios posibles. Multipliquemos esa cifra por trece y veremos que hay novecientos efectos secundarios posibles de los que los pacientes, y el doctor que expidió la receta, deben ser conscientes.[3]

«Muchos de los efectos secundarios aún no se conocen. A medida que las investigaciones avanzan, tomamos conciencia, por ejemplo, de una mayor cantidad de efectos secundarios provocados por los fármacos de la familia de las estatinas, que tradicionalmente se usan para controlar el colesterol y, más recientemente, para problemas cardiovasculares.

«Las personas que no tienen problemas de azúcar en la sangre y poseen una buena salud, tienen una probabilidad de volverse hasta dos y media veces más susceptibles de contraer la diabetes tipo 2 cuando se les recetan estatinas.[4] Para aquellas personas que ya son diabéticas, las investigaciones indican que el uso de las estatinas está asociado con riesgos muy altos de complicaciones.

«Piense en lo siguiente: cada año, en Estados Unidos, se tratan más de dos millones de casos en las salas de urgencias debido al uso de medicamentos por prescripción, tomados según las indicaciones. El mes pasado, casi la mitad de los norteamericanos tomaron por lo menos un medicamento por prescripción. Y el número de norteamericanos que toman cinco o más medicamentos por prescripción se ha duplicado en los últimos diez años.[5]

Rosa trató de recordar todas las prescripciones médicas que le habían recetado. El hecho de que no pudiera acordarse de todas la hizo estremecerse un poco.

—Aproximadamente, 100.000 personas mueren al año en este país como consecuencia de las reacciones adversas a los medicamentos.[6,7]

«Exploremos algunas de las razones de ello, y sus implicaciones, si está tomando o si tomase medicamentos por prescripción.

«La manera en que un medicamento por prescripción le afectará puede ser distinta de la manera en que le afecte a otra persona. La misma dosis puede afectarle de manera diferente en diferentes ocasiones. ¿Por qué? Los medicamentos, en general, funcionan por la activación de receptores en sus células, esto se conoce como la acción medicamentosa. La manera en que su cuerpo responde a ello se conoce como el efecto medicamentoso, que puede variar.

«Básicamente, todos los medicamentos pasan por cuatro etapas, o procesos, denominados farmacocinética. Los medicamentos, en primer lugar, son absorbidos, luego distribuidos en el cuerpo, metabolizados y finalmente eliminados.

«Sin embargo, no todos las etapas funcionan de la misma manera en todas las personas, ni siempre de la misma forma para la misma persona. Unos sistemas digestivos pueden absorber los nutrientes y medicamentos mejor que otros. Cuando se distribuyen medicamentos en su cuerpo, si padece de edema, en ocasiones, quizás necesite una mayor dosis, o menor si está deshidratada. Si padece de obesidad, se debe tener en cuenta que algunos medicamentos no podrán distribuirse adecuadamente en los tejidos demasiado grasos.

«En cuanto al metabolismo, la mayoría de los medicamentos son metabolizados por el hígado. A las personas que sufren un mal funcionamiento del hígado, quizás se les deba recetar una dosis diferente. Otras personas metabolizan los medicamentos muy rápidamente, así que los pacientes son clasificados con base en su velocidad para metabolizar los medicamentos. Este factor determina la dosis que ha de recomendarse y puede resultar en una toxicidad medicamentosa.

«La eliminación del medicamento se procesa de diferentes maneras. Sus riñones hacen casi todo el trabajo. Aquellas personas que tienen riñones delicados, quizás no puedan deshacerse de los metabolitos en medicamentos como otras personas, lo cual puede generar una toxicidad medicamentosa.

«También existen otros factores para evaluar la reacción de una persona a un medicamento; la edad es uno de ellos. Las personas mayores, en general, tienen menos masa muscular, y sus riñones no funcionan tan bien como lo hacían cuando eran de mediana edad o más jóvenes. Normalmente necesitaban dosis menores o tenían un riesgo menor de toxicidad medicamentosa.

«Los problemas digestivos y las dietas pueden desembocar en deficiencia nutricional, lo cual puede afectar al número de proteínas en la sangre que están disponibles para enlazarse con los medicamentos, lo cual afecta la manera en que el cuerpo los utiliza.

«Las variaciones genéticas, como el polimorfismo, estudiado en el creciente campo de la farmacogenética, también pueden afectar la manera en que se responde al medicamento, especialmente cuando se encuentran variaciones respecto a las proteínas llamadas isoenzimas citocrómicas. Aproximadamente un tercio de todos los medicamentos es metabolizado por el sistema citocromo P450.

«Obviamente, los medicamentos por prescripción desempeñan un papel importante, salvando y prolongando vidas cuando es necesario. Me alegra que los tengamos. Sin embargo, pueden ser peligrosos. Lo que usted quiere, en relación a su salud, es recurrir a ellos lo menos posible.

—Entonces, ¿por qué está aumentando el uso de prescripciones? —exclamó ella—. Me pregunto: ¿Será que el aumento en el uso de medicamentos prescritos se debe a un mayor porcentaje de adultos mayores?

Él asintió con la cabeza y le dijo:

—Aunque eso lo explica en parte, también ha habido un aumento en el número de prescripciones para las generaciones más jóvenes.

«Hay muchas razones al respecto, pero uno de los retos tiene que ver con el enfoque clínico común de la enfermedad. Una de las metas más importantes de los doctores es emitir un diagnóstico. Este es otro modo de decir que le están dando un nombre a la condición o enfermedad, una patología.

«En general, el siguiente paso es encontrar un medicamento o combinación de medicamentos, o quizás hasta un tipo de cirugía, que sirva como la mejor solución al diagnóstico, a esos signos y síntomas. Así es como los doctores han sido entrenados. Es un enfoque que tiene su lugar, pero las condiciones de salud crónicas a menudo son el resultado de procesos complejos del cuerpo que no están funcionando bien y están afectando otras partes o funciones del mismo. Esto crea una red de disfunciones y no es que una o dos cosas específicas sean la causa única.

«La mayoría de las veces, antes de que se diagnostique una enfermedad, nuestros cuerpos no han estado funcionando bien por un largo periodo de tiempo. Quizás se trata de algo sutil e imperceptible, pero complica la habilidad del cuerpo para curarse a sí mismo.

—Lo entiendo —dijo Rosa—. Es como un tanque de gasolina que presenta una pequeña fuga, de tal manera que en algún momento el nivel de la gasolina cae hasta que se enciende la luz roja o, peor aún, te quedas parado en la autopista.

El sistema de salud se enfoca en las crisis

—Se trata de una buena analogía—, respondió el doctor—. Nuestro sistema de cuidado de la salud es realmente bueno cuando se trata de gestionar una crisis. Es, entonces, cuando la luz roja se apaga, pero es lento a la hora de reconocer las señales que indican la existencia de un problema con el tanque de gasolina antes de que uno se quede varado por ahí.

—Y en el momento en que se enciende la luz roja, casi siempre le empiezan a recetar medicamentos, ¿verdad?— preguntó ella.

—Ciertamente. —Respondió el doctor—. Ahora considere lo siguiente: nuestros cuerpos son tan complejos y están tan interconectados que el funcionamiento adecuado de una de sus partes depende de que todo lo demás esté funcionando bien. Como una familia, donde si alguien está en crisis los otros familiares también se sienten mal. Esto significa que habrá pacientes que presenten un conjunto similar de síntomas, pero por diferentes causas.

—Así que, doctor —intervino Rosa—, lo que me está diciendo es que recetar medicamentos, simplemente considerando el diagnóstico, tiene sus limitaciones, pero que en general esa es la manera en que se hace, ¿verdad?

—Sí — prosiguió el doctor Arrondo—, tiene sus limitaciones, así como sus beneficios. Sin embargo, algunos sectores de la medicina moderna están empezando a reconocer la existencia de esta red más profunda de causas y efectos en el cuerpo. Ahora estamos explorando las conexiones existentes entre múltiples sistemas, que nos causan enfermedad y sufrimiento.

«Un ejemplo es el campo emergente de la biología de sistemas de red y farmacología de sistemas de red — continuó diciendo él—.[8,9] Estos nuevos campos de la ciencia están surgiendo a partir de que se ha descubierto que el atenerse al enfoque de un medicamento por cada enfermedad es algo que debemos superar.

«Nuestro sistema de cuidados de la salud está dispuesto de tal manera que va a ver al doctor cuando no se siente bien. Los doctores están entrenados para buscar una patología o enfermedades y recomendar un curso a seguir, normalmente farmacológico, ¿verdad?

—Sí, pero no le veo nada de malo —le respondió Rosa, preguntándose adónde quería llegar el doctor Arrondo con eso.

—Yo tampoco —le respondió—. Puede salvar una vida. Sin embargo, nuestra habilidad para recibir los mejores cuidados de salud posibles, se ve afectada cuando el enfoque normal se basa en la enfermedad. Lo que estamos recibiendo en general no son cuidados de la salud, sino cuidados para la enfermedad.

—¿Qué me quiere decir? —le preguntó Rosa.

—Permítame hacerle una pregunta —le pidió el doctor—. ¿Piense, cuándo va la gente al hospital?

—Cuando está enferma, desde luego, —le respondió irritada.

—¿Y además? —le preguntó él.

—Nada más —dijo Rosa—. Van porque tienen alguna enfermedad o porque sospechan que tienen una enfermedad grave.

—A eso me refiero. Esperamos hasta que nos enfermamos para ir a algún lugar en donde puedan mejorar nuestra salud. Solo tenemos hospitales para enfermedades. Esto es parte de un paradigma de cuidados de la salud que se beneficiaría con un cambio.

Rosa miró al doctor con sospecha

—Pero es la única opción que tenemos. ¿Cómo podríamos cambiar el sistema?

—El primer paso es cambiar nuestro punto de vista—, le respondió—. Voy a ilustrarlo de la manera siguiente:

¿Qué pasaría si tuviéramos hospitales enfocados en el bienestar y centros de curación? La gente sana, o aparentemente sana, podría ir ahí para mejorar su nivel de salud en vez de ir, cuando ya está enferma, a hospitales enfocados en las enfermedades.

Él se inclinó y continuó diciendo:

—Nuestra sociedad piensa que la salud es la ausencia de enfermedad. En realidad, el funcionamiento de nuestros cuerpos no es simplemente algo totalmente blanco o totalmente negro. Nuestras condiciones de salud son fluidas, dinámicas y fluyen a lo largo de un espectro.

«Entre más se acerque al extremo de salud en el espectro, menor será la probabilidad de que tenga una enfermedad y mayor será la probabilidad de que experimente y goce de la plenitud de la vida, de la cuna a la tumba.

—Sabe, eso tiene sentido, creo yo, —asintió ella—. Es como con mi automóvil. ¿Por qué esperar a que salga humo o se enciendan las luces rojas del tablero antes de llevarlo al mecánico? ¿Verdad?

—Cierto —dijo el doctor—. Y se empieza por ver las cosas de manera diferente. Desde un ángulo distinto podríamos ver una mayor variedad de opciones que nos ayudarían a darle a nuestra salud un cuidado de mayor calidad. Ello también nos ayudaría a abordar algunos de los retos que enfrenta nuestro sistema de salud.

—¿A qué tipos de retos se refiere? ¿Me afectan directamente? —preguntó ella.

—Es probable que en algún momento le hayan afectado o le afecten en un futuro, incluyendo a su familia —respondió el doctor.

Rosa alzó la mirada al oír que se mencionaba a su familia.

—Casi al empezar mi práctica me di cuenta de que proporcionarle información a mis pacientes era una parte muy importante e integral del tratamiento. Con el conocimiento correcto, ellos podían esquivar algunas áreas débiles de nuestro sistema de salud, beneficiarse de sus fortalezas y asegurarse de seguir tan bien informados como fuese posible, —añadió él.

Rosa se relajó un poco y dijo: —¡Me gusta escuchar eso, doctor!, pero ¿cómo es que estar mejor informada me puede ayudar?

El doctor Arrondo le respondió:

—Posteriormente abordaremos este tema con mayor detalle. Si es usted más consciente de los patrones y tendencias de nuestro sistema de salud, podrá eludir mejor las debilidades del sistema y hacer uso de lo que más le ayude a usted y a su familia.

«Siempre tenga presente que al ir viendo esta información juntos, estos hechos ponen de relieve las deficiencias sistémicas más que las individuales. Cada rama del reverendo árbol de la curación está llena de profesionales, hombres y mujeres que luchan seriamente para proporcionarnos el mejor cuidado clínico posible, considerando las circunstancias. Es el sistema el que es lento para adaptarse y cambiar.

Problemas grandes con los antibióticos

—Permítame empezar haciéndole una pregunta: ¿Qué sabe acerca de los antibióticos?

—No mucho —respondió Rosa—, sólo que se usan para tratar infecciones. ¿También son malos los antibióticos?

—No en un nivel absoluto, los antibióticos tienen su utilidad —dijo el Dr. Arrondo—. Pero según lo que se ha investigado, se están empleando demasiado. Por ejemplo, existen aproximadamente 260 millones de antibióticos que pueden obtenerse sin prescripción en Estados Unidos. Estas cifras representan aproximadamente una prescripción por año por cada adulto. Según el *New England Journal of Medicine* [Revista médica de Nueva Inglaterra], el 50% de esas prescripciones son innecesarias.[10]

—¿Cuál 50%? —preguntó Rosa alarmada, pensando en el número de veces en que ella había tomado antibióticos, desde niña. Luego pensó en la frecuencia en que se los habían recetado a sus hijos para atacar resfriados y gargantas irritadas.

—Hay que analizar caso por caso —dijo el doctor—, y siempre hay excepciones, pero en términos generales, muchos de los antibióticos que se recetan para la bronquitis, infecciones agudas de oído y casos típicos de garganta irritada, pueden clasificarse dentro de la categoría de 'innecesario'.

«He aquí un ejemplo —continuó—, para una bronquitis aguda, un estudio reveló que mientras que el uso correcto de los antibióticos debería estar cerca del 0%, la tasa nacional de antibióticos prescritos era de 73%.[11] En el caso de gargantas irritadas, los antibióticos por prescripción generalmente se requieren en un 10% de los casos, en particular cuando se detectan estreptococos. Sin embargo, la tasa promedio de prescripciones a nivel nacional es de 60%.[12]

«El abuso de los antibióticos podría estar sumándose al dramático aumento de los casos de obesidad, alergias, diabetes y procesos inflamatorios del intestino.[13,14]

Rosa se quedó pensativa un momento. La irritó la idea de que a sus hijos les estaban recetando demasiados antibióticos.

—Doctor, ¿qué hay de la noticia que leí acerca de las bacterias resistentes a los antibióticos? ¿Se relaciona este asunto con el exceso de antibióticos prescritos?

—Desafortunadamente así es —le respondió preocupado—. Eso contribuye a lo que se ha llamado la era del 'post-antibiótico'. Cada año aproximadamente dos millones de personas en Estados Unidos padecen infecciones de bacterias que son resistentes a los antibióticos.[15] De hecho, el *Center for Disease Control* [Centro para el control de enfermedades] está realizando una campaña activa para ayudar a los doctores a prescribir antibióticos correctamente.[16]

«Hay estudios que muestran una relación entre el uso de antibióticos y el riesgo de desarrollar diabetes. Mientras más veces se usan, más alta será la incidencia de diabetes tipo 2.

«Exploremos un tema que nadie usualmente pensaría a preguntarse: ¿Habrá alguna conexión entre la obesidad y los antibióticos? ¿Puede el aumento en el uso de antibióticos contribuir a que el estadounidense promedio pese doce kilos más hoy que hace tres décadas?[17]

«Se han empleado antibióticos para ayudar a que el ganado aumente significativamente de peso.

El doctor continuó.

—Por medio de la investigación, se ha demostrado que darle antibióticos a la gente también aumenta su peso, incluso cuando consuma la misma cantidad de calorías; incluyendo menores y adultos. En el caso de las mujeres, puede resultar particularmente dramático.

«Cuando los investigadores estudiaron ratas hembras a las que se les suministraban antibióticos, hubo un incremento en el porcentaje de aumento de grasa en comparación con los machos. Pero el peso de ambos géneros aumentó en comparación con el resto de las ratas que habían comido la misma cantidad de alimento, pero sin antibióticos.[18]

El doctor prosiguió hablando sobre un interesante estudio hecho sobre ratas, antibióticos, y el peso.

—Los ratones jóvenes, a los que se les suministraron antibióticos, tenían una mayor probabilidad de padecer obesidad de adultos, lo cual reveló que los antibióticos tienen el potencial para cambiar la población de bacterias intestinales de tal manera que la tasa metabólica disminuye.[19]

«La mayoría de los antibióticos producidos en Estados Unidos se emplea para el ganado, casi 15 millones de kilos al año concretamente. Esta cifra contribuye al aumento de organismos resistentes a los antibióticos.

«Es necesario —afirmó—, investigar más al respecto con el fin de obtener respuestas definitivas. Además, sería difícil aislar a grupos de control de humanos que nunca hayan ingerido antibióticos por medio de la cadena alimenticia a largo plazo. Mi argumento es que los pacientes recibirán un mejor servicio si mantienen los ojos abiertos, si preguntan y están dispuestos a mirar lo usual de manera diferente.

Más problemas con nuestro sistema de salud

—Estamos trabajando dentro de un sistema de salud que cuenta con maravillosos doctores, enfermeras y profesionales de la medicina de todo tipo. Sin embargo, el sistema muestra patrones muy preocupantes. En consecuencia, los pacientes y nosotros mismos debemos ser conscientes de las fortalezas y debilidades de dicho sistema. En resumidas cuentas, el paciente es el responsable de su propia salud.

«A menudo, los doctores se sienten presionados por los pacientes para que les receten prescripciones en exceso. Existe otro enfoque, que fue puesto a prueba mediante un pequeño estudio en el que los doctores prometían por escrito no prescribir antibióticos que pudieran causar más daños que alivio. Esa promesa fue exhibida en las paredes para que los pacientes la pudieran ver. Muchos de ellos, por experiencia, esperan recibir antibióticos innecesarios para combatir una serie de malestares comunes. Este enfoque disminuyó modestamente la tasa de prescripciones inútiles.[20]

«Resulta que otro factor que influye en el exceso de prescripciones es geográfico. Por razones desconocidas, los investigadores descubrieron que los doctores en algunos Estados del sur prescriben el doble de antibióticos que los doctores de la Costa Oeste por cada mil pacientes, de todas las edades. No existen diferencias específicas con respecto a las enfermedades entre estas regiones que expliquen lo anterior.

«La variación abarca también otros medicamentos. Es parte de un patrón más amplio. En algunos de los Estados del sur se prescriben casi tres veces más analgésicos opiáceos por cada 100 pacientes en comparación con los Estados del oeste.[21] Los analgésicos se prescriben dos veces más a menudo por persona en Estados Unidos que en Canadá.[22]

«En Estados Unidos, en 2014, el fármaco que alcanzó el mayor número de ventas en dólares fue un antipsicótico, Abilify (*aripiprazol*), con un promedio de aproximadamente siete mil millones de dólares al año.

«Las ventas de analgésicos narcóticos (opiáceos) a hombres y mujeres se han triplicado en menos de 12 años, lo cual sería suficiente para medicar a cada adulto en Estados Unidos con una dosis típica cada cuatro horas, continuamente durante un mes.[23,24]

«Sin embargo, el riesgo de una prescripción desmedida es mayor para las mujeres. Aproximadamente el 25% de las mujeres en Estados Unidos, en un momento dado, consumen algún tipo de fármaco para la salud mental bajo prescripción médica. El porcentaje para los hombres es de casi la mitad, aproximadamente el 15%.[25]

«La próxima vez que esté haciendo fila para pagar en la caja del supermercado o para entrar al cine, mire a su alrededor y póngase a contar. Una de cada cuatro mujeres en la fila, en términos estadísticos, consume algún fármaco para la salud mental por prescripción.[26]

«En las zonas del país en donde la incidencia de diabetes es más alta, como por ejemplo 'el cinturón de la diabetes' en algunos Estados del sur, el porcentaje del uso de este tipo de prescripciones ha aumentado. Esta situación se atribuye a los mayores niveles de angustia y depresión entre los diabéticos.

«Las discrepancias no solo abarcan medicamentos— agregó el doctor Arrondo—. Las tasas de práctica de cirugía para el mismo procedimiento pueden ser hasta de cuatro veces más en una región que en otra, no porque existan más enfermedades en esa zona que requieran de algún tipo de cirugía en particular, sino que se debe a maneras distintas de enfocar el cuidado de la salud. Según los autores del estudio, la decisión de practicar una operación podría depender mucho del lugar en dónde se vive, no solo del doctor, ni de la enfermedad ni de la herida.[27]

«Por ejemplo, la probabilidad de que a los pacientes, en los hospitales para la enseñanza de procedimientos quirúrgicos en Salt Lake City, se les haga un trasplante de rodilla, es el doble que para los pacientes en Manhattan. La cirugía de espalda en Nashville es casi tres veces más frecuente que en Filadelfia y las tasas de cirugía de bypass en Baltimore son de aproximadamente el doble del promedio de Estados Unidos en los hospitales de enseñanza.

«A escala global, las tasas de cirugía de columna en Estados Unidos son cinco veces más altas que en Gran Bretaña y el doble que en Canadá y Europa.[28,29]

«A veces, el que una cirugía se lleve a cabo o no va más allá de la geografía. Puede variar dependiendo de qué tipo de médico un paciente consulte.

«En un estudio realizado durante un período de 3 años, en el estado de Washington, en 1.885 trabajadores lesionados que sufrían de dolor de espalda baja, aquellos que consultaron primero con un quiropráctico acabaron teniendo una cirugía lumbar 1.5% de las veces. Aquellos que consultaron primero con un cirujano tuvieron una cirugía de espalda 42,7% de las veces. Los investigadores manifestaron que había una notable relación entre las tasas de cirugía y el tipo de proveedor visto en primer lugar, incluso después de hacer ajustes de otras variables importantes.[30]

«La manera de practicar la medicina no es ni tan científica ni tan consistente como se pudiera imaginar —añadió él.

—¿A qué se debe entonces? —Rosa estaba preocupada por todo este asunto.

El doctor Arrondo le explicó:

—La medicina no es como las matemáticas, existen muchas áreas grises. La palabra 'medicina' viene del latín y significa 'el arte de la curación'. Es un arte que incorpora la aplicación de un proceso científico cambiante y en ocasiones contradictorio, con las experiencias y comprensiones personales de cada doctor, las cuales pueden variar.

«Aproximadamente un tercio de las investigaciones que se citan muy a menudo en revistas médicas de amplia circulación, son posteriormente refutadas o se demuestra que sus hallazgos carecían de precisión.[31]

«Los doctores lo están haciendo lo mejor que pueden, pero es el sistema lo que debe cambiar. Los autores involucrados en esos estudios también sugirieron que los pacientes hablen con sus doctores más abiertamente.

El Dr. Arrondo se inclinó hacia adelante para dar a lo que estaba por decir mayor énfasis.

—Mi punto de vista es que los pacientes obtendrán un mejor servicio si mantienen sus ojos abiertos, son inquisitivos y están dispuestos a ver con ojos nuevos lo que se conoce como la sabiduría convencional de manera diferente.

—Doctor, ¿con qué frecuencia se le prescriben medicamentos a una persona cuando visita al doctor? —preguntó Rosa—. Como está compartiendo esto conmigo, no puedo evitar pensar en las visitas médicas con mis hijos. Estoy bastante segura de que casi siempre mis hijos o yo hemos salido de la clínica con una prescripción.

—Las cifras son muy elevadas, Rosa. El 80% de las ocasiones en que los pacientes promedio en este país visitan al doctor, son recetados con medicamentos, —dijo el doctor—.[32] Es evidencia de un enfoque que en gran medida es monolítico y no satisface nuestras necesidades de la mejor manera.

«Los medicamentos por prescripción deben consumirse cuando se necesiten. Sin embargo, los medicamentos y las cirugías deberían ser el último recurso y no, necesariamente, la primera opción de tratamiento.

«Contamos con modernas herramientas de análisis, son maravillosas. Sin embargo, se ha sugerido que los doctores necesitan conectarse más con sus habilidades físicas innatas para examinar a un paciente, como lo hacían los doctores en el pasado.[33,34,35]

«Algunos estudios publicados en la *New England Journal of Medicine,* en la *American Journal of Medicine,* [Revista americana de medicina] y otras revistas científicas, muestran que desde la década de 1980, cuando la tecnología médica empezó a usarse más prominentemente, las habilidades prácticas para realizar exámenes físicos básicos directamente se fueron erosionando.[36,37,38,39,40]

«Existen investigaciones más convincentes respecto a la cuestión de dejar de depender tan fuertemente de la tecnología médica. Según el *US National Institute of Medicine* [Instituto Nacional de Medicina de Estados Unidos], un tercio del gasto en cuidados de la salud no resulta en una mejoría de los pacientes.[41,42,43]

«Por medio de la investigación se ha demostrado que hasta un 40% de todas las TAC, o tomografías computarizadas, no son necesarias.[44,45,46] Las TAC involucran altas dosis de radiación ionizante. La Agencia de Alimentos y Medicamentos de Estados Unidos ha advertido a la población acerca de la gran cantidad de personas que se someten a TAC cuyos beneficios son inciertos, debido a los riesgos de cáncer asociados a la radiación.[47]

«Hoy en día, los doctores se encuentran bajo mucha presión. Estas presiones provienen de varios sectores: el sector financiero, administrativo, las compañías de seguros y hasta los mismos pacientes. Aproximadamente una tercera parte de los doctores están dispuestos a solicitar análisis, aunque sepan que son innecesarios, pero el paciente insiste. Estas presiones ponen estrés sobre la capacidad de proporcionar un óptimo cuidado de la salud, a pesar de los esfuerzos de doctores y enfermeras que sí procuran a sus pacientes.

«A una tercera parte de los pacientes hospitalizados se les hace daño durante su estancia y alrededor de 98.000 personas mueren al año en los hospitales debido a errores médicos que hubieran podido evitarse.[48,49,50]

«Hablando de presión —continuó—, muchos doctores se han estado enfrentando a procedimientos y presiones financieras por parte de las compañías aseguradoras y administradores de hospitales para frenar los costos, pero no siempre es lo mejor para el paciente.

—¿Qué quiere decir con eso, que hay que restringir las visitas al doctor? —preguntó Rosa.

El doctor Arrondo le aclaró:

—Cada vez más, a muchos doctores se les está supervisando para que revisen minuciosamente los tipos de análisis y tratamientos que están empleando con sus grupos de pacientes. Hoy en día existe un análisis sofisticado que puede medir los niveles promedio de los resultados de los análisis de laboratorio de sus pacientes y sus costos. Las aseguradoras ofrecen una bonificación a un número de doctores que cumplen con sus objetivos.[51]

—Eso suena bien —dijo Rosa—, ¿Qué tiene de malo?

—Hay problemas, —dijo el doctor—, no todos los pacientes se benefician por igual del mismo enfoque basado en cantidades; para algunos podría ir en su contra. Los doctores que se apartan de esto podrían recibir una paga menor y ser excluidos de las listas preferenciales de los sitios de red de las aseguradoras. Se está ejerciendo presión financiera sobre los medicamentos que un doctor puede prescribir o los tratamientos que puede ofrecer.

«Para algunos doctores la elección de un cierto plan de tratamiento aprobado por la compañía aseguradora resultará en una bonificación que se paga mensualmente.[52]

—Ya veo, se ejerce presión sobre los doctores que deben elegir tratamientos y medicamento, —Rosa concluyó.

—Así es, Rosa —dijo el doctor Arrondo—. Por una parte, yo agradezco sus esfuerzos para frenar y uniformar los costos. El reto consiste en que se está empleando un enfoque grupal, pero cada persona es diferente y como tal, necesita un tratamiento personalizado.

Partos por cesárea: Presiones y riesgos para los hijos

—En ocasiones, la uniformidad en el sistema de salud podría no ser un buen síntoma. Cuando el hombre se posó en la superficie de la luna por primera vez, aproximadamente 4 de cada 100 mujeres dieron a luz por cesárea. Hoy, esa cifra ha aumentado uniformemente hasta casi a una de cada tres mujeres.[53,54,55]

—¿Y qué hay de malo en ello? —le preguntó Rosa—. Así nació mi hijo, por sugerencia del obstetra.

—Es típico que eso suceda —comentó el doctor—. Menos del 1% de las mujeres solicitan la cesárea sin una razón médica.[56] La investigación indica que el porcentaje de partos por cesárea debido únicamente a razones médicas se ubica entre el 5 y 10%.[57,58,59] Por lo tanto, desde hace 40 años, la mayor parte del aumento en las tasas de parto por cesárea no ha tenido fundamentos clínicos.

—En algunos casos, el parto por cesárea no solo es la mejor opción, sino que puede salvar una vida —añadió él—. Se trata de algo que debe considerar cuidadosamente junto con su obstetra. Ten en cuenta que existen incentivos financieros cuando se realiza una cesárea, así como presiones por conveniencia, asuntos de malas prácticas médicas y de tiempo. Hasta una cuarta parte de todas las mujeres reportaron que se han sentido presionadas para que se les haga la cesárea en vez de tener un parto natural.[60]

«Como parece que la mayoría de las cesáreas no se basan en necesidades médicas, es bueno que las mujeres embarazadas lo sepan, así como también es bueno que estén informadas acerca de cualquier beneficio del parto por cesárea y de las posibles desventajas para la salud de la madre y sus hijos, de lo cual podrían no estar del todo conscientes.

—¿Cómo qué? —inquirió Rosa. Ella no estaba pensando en tener otro bebé, pero si su esposo insistía, la cosa podría cambiar.

Esto la preocupaba. Ella también le atraía la idea de otro hijo. Pero su esposo, pensaba ella, no se daba cuenta del esfuerzo que se necesitaba hoy en día para criar más hijos. Vivía en un tren de vida que se movía a una velocidad más rápidamente que nunca. Ella se daba cuenta que el estrés la afectaba, y que su familia lo sentía. Tenía menos paciencia que antes con sus hijos, y se preguntaba, con sus problemas de salud, si podría manejar con calma los retos que vendrían con otro hijo.

El doctor continuó.

—La manera en que una criatura nace puede tener un efecto sobre la salud de la madre y el hijo. Al momento del parto vaginal, el tracto gastrointestinal del canal vaginal empieza a poblarse de flora bacteriana a nivel vagina. En el caso de un parto por cesárea la criatura no tiene esa ventaja y en lugar de ello tiene flora en sus intestinos que proviene de las bacterias que se encuentran en la piel de la madre.

—¿Pero qué implica eso para la salud de la criatura? ¿Cómo le puede afectar? —interrogó Rosa.

—La importancia de una flora intestinal saludable en una criatura es difícil de exagerar. Amamantarla es la mejor manera de introducir estas bacterias benéficas. Las criaturas a las que se amamanta tienen una probabilidad menor de sufrir de obesidad y diabetes más adelante. Se piensa que esto podría deberse al desarrollo de bacterias benéficas en el intestino.[61]

«Las bacterias de la madre afectan a la criatura más profundamente de lo que la mayoría de las personas cree. Lo que comúnmente se da por sentado es que las características de la criatura provienen del ADN de los padres. Sin embargo, recientemente se ha descubierto que las bacterias maternas también influyen en las características de sus hijos, de maneras que anteriormente se creía que solo el ADN determinaba.[62]

El doctor Arrondo le explicó—: Hoy en día, muchos niños y niñas tienen problemas de alergias y procesos inflamatorios. Los investigadores han descubierto que el parto por cesárea, al contrario del parto vaginal, modifica la manera en que el sistema inmunológico funciona en los intestinos, así como en su fisiología general.

«En consecuencia, las criaturas que nacen por cesárea pueden experimentar un mayor número de procesos inflamatorios crónicos, incluyendo inflamación del intestino grueso. Las investigaciones también apuntan a una relación entre las cesáreas y tasas más altas de diabetes tipo 1 y asma.[63,64,65,66]

«He mencionado la importancia de la comunicación frecuente con el doctor y de hacerle las preguntas correctas. Las presiones que aquí menciono también afectan a la comunicación. Menos de la mitad de los pacientes reciben una información, clara acerca de los beneficios y compensaciones, de los tratamientos de sus condiciones de salud,[67,68,69] —añadió el doctor Arrondo.

—Entonces, ¿qué podemos hacer al respecto, si no es como lo mencionó, hacerle muchas preguntas a mi doctor? —preguntó Rosa.

Un recurso para tener más información sobre qué hacer en caso de dudas

—Es un buen primer paso —le señaló el doctor—. Haga su propia investigación, lo mejor que pueda. Con la ayuda de la *American Board of Internal Medicine Foundation* [Junta directiva de la fundación de medicina interna de Estados Unidos] se creó un muy buen recurso para ayudarle a la gente a saber más acerca de los análisis, tratamientos y cirugías, por ejemplo, cuáles podrían ser los mejores para cada persona.

«Esta Junta directiva trabaja con organismos nacionales que representan a los doctores especialistas en su campo. Han ayudado a crear un sitio de red, *choosingwisely.org*, que proporciona, al público y a los doctores, información acerca de cuáles análisis, cirugías o tratamientos podrían o no ser necesarios. Los pacientes pueden hablar de esta información con sus doctores.

«Sería útil poner menos énfasis en cifras aisladas de laboratorio o resultados de imágenes y ver al paciente más de cerca y como un todo. Asimismo, se trata de uno de los mayores retos en el campo de la salud.

«Hablando de retos —narró—, hay bastantes. Recientemente, a nivel mundial se nos clasificó como el país en donde se gasta más dinero por persona en cuidados de la salud, pero quedamos en el lugar 46 en cuanto a la eficiencia de dichos cuidados.[70,71] Si el precio de los huevos en Estados Unidos aumentara como han aumentado los costos del cuidado de la salud desde 1945, el precio de una docena de huevos hoy sería de 55 dólares.[72]

Los ojos de Rosa se pusieron en blanco, como una clara de huevos.

—Eso no tiene sentido —exclamó—, deberíamos estar en los primeros lugares si gastamos tanto dinero; mis pagos mensuales del seguro ciertamente reflejan eso.

En estos últimos años, ella había visto que sus pagos del seguro habían aumentado, pero no había notado un aumento correspondiente en la cantidad de minutos que los doctores invertían en ella, o en dicho caso, teniendo una salud mejor. De hecho, había sucedido todo lo contrario.

—Cada año gastamos más y más en medicamentos y cuidado de la salud, pero en comparación nuestros resultados muchas veces están empeorando —dijo el doctor Arrondo—, por eso hay que hacer algo. Todos nos beneficiaremos si cambiamos la manera en que nuestra sociedad considera el cuidado de la salud.

«Lo digo porque nuestro modelo de salud es un reflejo de nuestra sociedad. La cultura dirige la estructura— añadió.

—Doctor, la manera en que se refirió a los medicamentos por prescripción hizo que recordara a algunas de las personas de mi trabajo. Quizás solo sea mi personalidad (en ocasiones puedo ser franca y muy insistente) pero algunas personas son como las prescripciones. Simplemente no quiero estar cerca de ellas más de lo necesario —Rosa frunció el ceño mientras jugueteaba con su brazalete de plata. El doctor se rió y le dijo:

—Quizás eso sea un poco directo, pero creo que ha entendido la idea.

Sonriendo, ella respondió—: Quizás la clave consista en ver mis problemas de salud de manera diferente, no lo sé. — Ella miró al doctor, titubeó y luego se inclinó un poco para adelante y expresó—: Sabe, como le dije, estoy aquí porque realmente necesito ayuda. Agradezco todo lo que me ha dicho, pero honestamente, ¿cómo me ayuda todo esto? ¿Me puede de verdad ayudar?

CAPÍTULO 2

El maestro jardinero

—Entiendo sus frustraciones, Rosa —respondió el doctor Arrondo—. Puedo imaginar lo difícil que ha sido para usted lidiar con su salud. Sus expedientes cuentan sólo una parte de su historia y es importante que exprese sus preocupaciones. Me gustaría que me dijera ¿por qué vino a verme?

El doctor se reclinó en el cuero negro de su silla y preparó su pluma.

Ella tosió y luego dijo: —Al principio, dudé en venir aquí, pero mi hermana María me lo recomendó. He notado su mejoría después de haberlo consultado. Ella me dijo que ahora tenía más energía; sé que es verdad porque puedo notarlo. Hemos tenido una relación muy cercana desde niñas y hacía mucho tiempo que no se sentía tan bien. Imagínese, caramba. ¡Cómo me hubiera gustado haberlo conocido cuando éramos adolescentes!, porque normalmente ella no me ayudaba con el lavado de la ropa diciéndole a mi madre que no se sentía bien. Ella, al igual que yo, vino a verle por recomendación de uno de sus pacientes —sonrió con nostalgia—, supongo que esto quiere decir que somos hermanas.

Él dejó de escribir y se rió entre dientes, recordando su niñez.

Ella continuó: —María me contó que ha estado durmiendo más profundamente, su digestión ha mejorado y ha bajado dos tallas desde que lo vio por primera vez. Eso sin pasar hambre y con más energía, que me sorprendió. Así que eso me ha dado alguna esperanza, aunque una parte de mí se pregunta si después de tantos fracasos... —hizo una breve pausa y, con voz entrecortada, concluyó— Ese podría ser mi caso también.

El sonido de un llanto suave provocó que el doctor Arrondo alcanzara su caja de pañuelos de papel y se la ofreciera a Rosa. Ella tomó uno y sonrió suavemente. «*En ocasiones*», pensó él, «*el tratamiento más importante es un acto de bondad*».

—Más que nada, yo me quiero sentir mejor —continuó diciendo ella—, quiero tener más energía y deshacerme de algunos de estos síntomas que he tenido durante años. Me gustaría pensar que no necesitaré tomar medicamentos de por vida; también quiero bajar un poco de peso. He intentado varias cosas, pero nada resulta, excepto la gordura, desde luego.

Ella miró su pañuelo humedecido antes de continuar.

—Y si eso significa que tengo que escucharle hablar de jardines, creo que lo haré.

Molesta, hizo una pausa.

—Lo siento, no es mi intención ofender a nadie, de verdad. Es que me he dado cuenta de que últimamente me he vuelto más ansiosa y un poco más irritable.

El doctor negó con la cabeza.

—No se preocupe —dijo él sonriendo compasivamente—, la mayoría de los pacientes que atiendo han probado varios tratamientos a través de los años y se han sentido tan frustrados como usted; si les hubieran funcionado, no estarían aquí.

Ella limpió sus últimas lágrimas y asintió. Él prosiguió.

—Siento mucho que se sienta tan frustrada, Rosa. Si está de acuerdo, quisiera volver sobre la idea de que su cuerpo es como un jardín. Pienso que hacerlo podría ayudarte a entender lo que es una buena salud.

Ella no estaba convencida, pero quería intentarlo por la recomendación de María; por lo menos oiría los argumentos del doctor.

—Bueno —dijo ella con poco entusiasmo.

—¿Le gusta la jardinería? —le preguntó él.

No tardó en darle una respuesta. Antes de que ella y José tuvieran hijos y la vida se volviera un torbellino, ella y su abuelo cultivaban una huerta de frutos y vegetales. Recordó, con cariño, las zanahorias de un naranja vivo, los tonos púrpura oscuro de las coles, los verdes y rojos de sus pimientos favoritos; casi podía olerlos al acordarse de aquel jardín. Su mente flotó hacia su niñez; una cálida sonrisa le iluminó el rostro.

Se dijo que simplemente ya no tenía suficiente tiempo para cuidar de su jardín. Si bien esto era cierto, la mayor parte de su resistencia se debía a que se sentía cansada al finalizar el día. Tampoco no ayudaban mucho los dolores y molestias que sentía cuando se arrodillaba e inclinaba.

—Amo la jardinería —dijo—, o al menos solía amarla. Mi abuelo me enseñó cuando era niña y también le enseñó a mi padre.

Recordó la satisfacción que sentían, ella, su hermana y su abuelo, cuando veían sus plantas florecidas.

—Fue un hombre amable —añadió ella.

El cáncer se lo llevó muchos años atrás. Ella lo extrañaba y a menudo pensaba en él, especialmente cuando estaba por tomar alguna decisión precipitada. En esos momentos podía oír su voz jocosa y suave: «*¡Rosa, querida mía! ¡Primero piensa y luego salta, porque normalmente lo haces al revés!*»

Su abuelo había sido carpintero y trabajaba hasta muy tarde, pero siempre se daba tiempo para contarle historias acerca de cómo era la vida en los viejos tiempos.

—¿Alguna vez ha conocido a un buen jardinero? —le preguntó el doctor Arrondo.

—Sí, mi abuelo —le contestó rápidamente—. Justo estaba pensando en él. Podía cultivar casi cualquier cosa; siempre parecía saber qué hacer para tener un jardín espléndido, aun cuando sus vecinos tuvieran problemas con sus propios jardines. Todo el mundo venía a preguntarle qué hacer cuando sus jardines se ponían amarillos en vez de verdes o no crecían bien las cosas.

—¿Lo consideraría una especie de maestro jardinero? —le preguntó el doctor.

—Sí, me gusta como usted lo llama —le respondió—. Era un maestro en lo que hacía. Aprendí mucho de él y de muchas maneras, tanto de jardinería como de la vida. Él me decía: «Rosa, puedes conocer mucho acerca de la gente por la manera en que cultiva su jardín.»

Los preciados recuerdos que guardaba de su abuelo y sus experiencias en el jardín familiar, despertaron su entusiasmo. Le gustaba hablar de cualquier cosa que le recordase la presencia sabia y amorosa de su abuelo.

Tu cuerpo es un jardín

—Fíjese —dijo el doctor—, su salud y un jardín son uno y lo mismo. El modo en que un maestro jardinero cuida de su jardín es muy similar al modo en que necesitamos cuidar de nuestra salud y de nuestra vida.

—Eso suena bonito y estoy segura de que es verdad — dijo ella cortésmente, sin sonar convencida del todo—. Pero, ¿puede darme un ejemplo práctico?

Sin esperar su respuesta, Rosa se abalanzó diciendo:

—Déjeme decirle lo que me sucede a menudo: después de comer empiezo a sentir una acidez en el estómago que me sube hasta la garganta. No me gusta. ¿Cómo se relacionaría eso con la jardinería?

—Mucha gente tiene ese tipo de síntomas —relató el doctor—. Examinemos esta relación con el jardín y veamos qué nos puede enseñar. ¿Lista?

Después de dudarlo un poco, ella asintió con la cabeza.

—Quiero que vea estos síntomas, así como algunos otros que presenta, como si fueran las hojas amarillas de las plantas en su jardín. Ahora dígame, ¿qué hace un maestro jardinero cuando ve un jardín por primera vez?

—¿A qué se refiere? —le preguntó Rosa.

—Bueno, ¿cree que un maestro jardinero, como su abuelo, le aplicaría una sustancia a cada una de esas hojas amarillas para forzarlas a que se pusieran verdes, aunque fuese un compuesto natural? —le preguntó el doctor.

Rosa lo pensó unos instantes. Este no era el tipo de conversación que esperaba tener con un doctor. Se preguntaba, con curiosidad, dónde iba a parar la conversación, y estaba dispuesta a seguirla por el momento.

—Para nada. Yo crecí observándolo —dijo ella—. Me encantaba estar con él, así que cuando trabajaba en el jardín, yo lo seguía adonde quiera que fuera. Me enseñó a valorar el cultivo de las cosas, ya fueran los vegetales o a mis propios hijos.

—Parece que tenía una relación cercana con él —le hizo notar el doctor.

—Así era. Todavía recuerdo su gran sombrero café y su camisa blanca como si fuera ayer, y el pañuelo que siempre llevaba en su bolsillo en caso de que mi nariz o la de mi hermana empezaran a chorrear —dijo Rosa sonriendo, inmersa en su recuerdo—. Sin embargo, lo que más recuerdo es la determinación con la que abordaba el jardín. Lo primero que hacía antes de tomar alguna acción era observar todo cuidadosamente. Por lo general, después tocaba y sentía la tierra.

—¿Siempre hacía lo mismo cuando trabajaba el jardín? —le preguntó el doctor.

—No. Dependía de la situación. Recuerdo una ocasión, cuando yo tenía 15 años, mi hermana y yo estábamos sentadas bajo un roble y el abuelo nos estaba diciendo que lo más importante, antes de arreglar un jardín, era observar lo que pareciera estar en armonía, y lo que no.

—Continúe —le dijo el doctor con apremio.

—Recuerdo que estábamos comiendo unas deliciosas manzanas rojas, mi fruta favorita, en una pequeña banca de madera. El viento cálido soplaba un poco más fuerte de lo usual para esa época del año. Lo recuerdo porque en dos ocasiones, mi sombrerito amarillo, que mi hermana solía esconder, salió volando de mi cabeza —dijo Rosa riéndose.

—Recuerdo que él me miró fijamente y me dijo: «Rosa, nunca des nada por sentado y siempre recuerda que cuando cultives una planta o un jardín, pueden enfermarse por muchas razones.» También decía que lo que le ayuda a una planta podría ser nocivo para otra, aunque estuviesen en condiciones similares. Decía que siempre había que buscar los problemas primarios, que todo estaba conectado y que situaciones similares podían tener diferentes causas.

El doctor Arrondo asintió con la cabeza y dijo: —Lo que quiere decir es que en ocasiones una hoja amarilla puede ser el resultado de poca agua, pero ¿también de demasiada agua?

—Sí —contestó Rosa—. Como también de otras cosas, como las condiciones de la tierra. Sé que mi abuelo siempre trataba de reducir los problemas a su elemento común más simple. Recuerdo que me decía: «Rosa, siempre observa las raíces; son esenciales para la salud de cualquier jardín.»

—Su abuelo hubiera sido un muy buen doctor —le dijo Arrondo.

El doctor continuó hablando, esta vez mirando el jardín a través de los paneles de cristal de su consultorio.

—Un jardín está compuesto de suelo sólido, sin embargo, sobre él, son esenciales el aire, la lluvia, el viento y el sol. De manera paralela, la causa de muchos de nuestros problemas de salud yace más allá de los tejidos de nuestro cuerpo. Puede ser muy revelador y curativo, explorar las conexiones entre salud, curación, enfermedad y nuestras percepciones del mundo, las emociones, los recuerdos y los pensamientos.

«Rosa, tenga en cuenta que aunque los doctores ponen un énfasis en cómo están funcionando los procesos físicos en nuestros cuerpos, la salud en el sentido pleno involucra los aspectos espirituales, mentales y emocionales. Estas dinámicas conducen a una salud mejor, al igual que una vida vivida con mayor realización.

«Después de todo —dijo él sonriendo—, un jardinero maestro también mira hacia arriba.

—Pero, ¿qué tiene que ver esto con mi acidez estomacal? —le preguntó Rosa, con su carácter práctico e impaciente.

—Si me lo permite, Rosa —le dijo el doctor—, seguiré usando la metáfora del jardín durante algún tiempo, pues así quisiera mostrarle una perspectiva más amplia de la salud. ¿Le parece?

—-Bueno, siempre y cuando tenga que ver con mi tratamiento —Rosa se mostró un poco menos reticente a las metáforas del doctor.

—Antes de que nos veamos la próxima semana —dijo el doctor—, piense en lo siguiente: ¿qué tiene que ver su acidez estomacal, o cualquier otro problema corporal, digamos, con un melón amargo?

CAPÍTULO 3

Cuando más y más no te ayuda

—¿Alguna vez se puso a cultivar melones con su abuelo? —le preguntó el doctor Arrondo, abordando el tema al ir finalizando su segunda sesión.

—Sí —contestó ella—, y aún lo hago con mi marido. No he dejado de hacerlo. A nuestra familia le gusta mucho comerlos en el verano, cuando hace tanto calor. Pero, ¿qué tiene que ver el melón con mi estómago?

—Juguemos un poco con nuestra imaginación, Rosa —le dijo el doctor, sonriéndole apaciblemente mientras se reacomodaba en su silla—. Si estuviera cenando en casa de una amistad y le sirvieran rebanadas de melón que no supieran bien, ¿cómo se lo explicaría?

—Bueno, suponiendo que el melón no estuviera simple y sencillamente pasado de maduro, yo sé que habría problemas si lo cultivaron con poca o con demasiada agua. Lo mismo aplica si la temperatura era demasiado baja o no había suficiente sol o buen drenaje, o si la tierra era demasiado ácida. En ocasiones, los insectos también pueden ser un factor. Cualquiera de estas cosas pudo haber afectado el sabor del melón —le contestó ella.

—Muy bien —le dijo el doctor. —Ahora piense que el mal sabor de una rebanada de melón es un síntoma. Puesto que hemos estado empleando este ejemplo, quizás ese síntoma sea una consecuencia de uno o más factores, ¿correcto?

—Sí —acordó ella—, es verdad, de vez en cuando hemos tenido algunos melones malos en nuestro jardín y se ha debido a uno o más de esos factores. Yo odio eso. Después de haberle dedicado tanto tiempo y energía al jardín, casi siempre sobre mis adoloridas rodillas, y no ser capaz de poner sabrosas rebanadas de melón sobre la mesa para los niños, evitando así que pidan postre.

—¿Algo parecido a sus problemas de salud? —inquirió el doctor.

—Pues sí, es verdad —aceptó Rosa.

—Así que el mal sabor del melón es realmente una consecuencia, un síntoma, si está de acuerdo, de una o más causas diferentes, que pueden variar de un melón a otro—, le planteó el doctor Arrondo.

—¿Me está diciendo que mis quejas digestivas son realmente una consecuencia de una o más causas? —le preguntó ella.

—Los síntomas son consecuencias —le aclaró él—. Y al igual que las causas de los problemas con los melones, que pueden variar de un jardín a otro, tenemos que examinar los factores que provocaron tanto su malestar estomacal como otros síntomas o condiciones.

El doctor se reclinó en su asiento.

—Su abuelo le enseñó a no dar nada por hecho. Le enseñó que podrían existir diferentes razones detrás de un mismo problema, así que no necesariamente suponga que el ácido que su estómago produce es la causa de su acidez estomacal. Podría ser una consecuencia de uno o más procesos que no le están funcionando bien.

—¿Cómo qué? —interrogó Rosa.

—Al ir envejeciendo —empezó a explicarle el doctor—, muchas personas presentan los mismos síntomas, normalmente cuando envejecemos nuestro estómago produce menos y no más ácido estomacal.[1,2,3,4]

«La producción de los niveles correctos de este ácido desempeña un papel importante en una serie de funciones digestivas e inmunológicas. Su estómago requiere de niveles de acidez altos para protegerla contra los parásitos y ayudarla a digerir mejor las enzimas. Estas enzimas pueden desactivarse si los niveles de acidez son demasiado bajos.

«Cuando ingiere alimentos, como por ejemplo pescado o carne roja, que requieren de la producción de una cierta cantidad de ácido clorhídrico en su estómago, quizás su estómago no pueda producir el ácido suficiente, lo cual podría desembocar en problemas digestivos.

Rosa lo interrumpió:

—Pero yo siento como si ahí hubiera ácido. Después de comer, tengo a menudo la sensación de que me estoy quemando casi hasta la punta del cuello.

—Sí —continuó el doctor—, hay ácido ahí, pero cuando los niveles de ácido que su estómago produce son demasiado bajos, ciertos alimentos, en especial las carnes y pescados, no se descomponen de manera adecuada en su estómago. Cuando esto sucede, el alimento empieza a descomponerse de tal manera que puede soltar ácidos orgánicos que provienen del alimento mismo, y no del ácido que el estómago produce.

«Como puede ver, el problema no es un exceso de ácido estomacal, sino más bien que su estómago no puede producirlo en cantidades suficientes.

—¡Qué interesante! —exclamó Rosa—. ¡Siempre creí que era al revés!

—Tenga en cuenta —le advirtió el doctor— que este tipo de problema puede deberse a otras razones. Pero por ahora, concentremos nuestra atención en esta dinámica, porque es muy común, y con base en los resultados de sus análisis previos y los síntomas que ha presentado, es muy probable que este sea su problema.

«Algunos de los síntomas que regularmente veo en los pacientes que no están produciendo los niveles normales de ácido estomacal incluyen una resistencia a comer carne, eructar después de haber ingerido alimento y sentirse hinchados durante algunas horas después de haber comido.

«Desafortunadamente, los síntomas de la insuficiencia o del exceso de ácido estomacal pueden ser los mismos, así que no siempre es fácil distinguirlos. Tenga en cuenta que si los niveles de ácido estomacal son bajos, el alimento se mueve en su estómago con mayor rapidez.

—¿Y eso qué tiene de malo? ¿Qué no quiero una digestión más rápida? —interrumpió Rosa.

El doctor precisó:

—El ácido en su estómago no solo ayuda a digerir el alimento, sino que también actúa como centinela contra bacterias y otros agentes patógenos. Así que cuando el alimento se mueve por su estómago con una rapidez mayor a la normal, el ácido que se encuentra ahí tiene menos tiempo para protegerla contra parásitos o preparar a su cuerpo para que tenga una mejor digestión.

—¿Qué hay de la gente que produce demasiado ácido estomacal? —le preguntó Rosa.

—Las personas con mayores niveles de acidez estomacal tienen un tiempo de tránsito mucho más lento para que el alimento atraviese el estómago. Por consiguiente, unas horas después de haber ingerido un alimento, se sienten llenos aunque coman poco o ni siquiera sienten hambre —le respondió él.

—Yo tengo muchos de esos síntomas de baja acidez, pero tomo antiácidos —se quejó Rosa.

—Hace años me recetaban un medicamento para disminuir la acidez. Un doctor me explicó cómo funcionaba, me dijo que se inhibía el bombeo de protones. Ahora lo puedo comprar en el supermercado. Me siento mejor del estómago cuando me lo tomo, pero lo tengo que tomar a menudo.

Los antiácidos pueden causarte más problemas

—No es usted la única que lo hace —le dijo el doctor Arrondo—. De hecho, son más de 100 millones de prescripciones que se recetan cada año para medicamentos supresores del ácido estomacal. Eso tiene sentido cuando es realmente necesario, pero también puede causar más problemas.[5,6]

—Aquel doctor —empezó Rosa—, me dijo que si tomaba algo que bajara el ya de por sí reducido nivel de acidez estomacal, otras funciones del estómago podrían verse perjudicadas, como por ejemplo la eliminación de bacterias. ¿No aumentaría esto la frecuencia con que las personas contraen infecciones bacterianas?

—Sí —le contestó el doctor—. De hecho, el gobierno ha expedido una advertencia con respecto al uso de este tipo de medicamento antiácido, porque los bajos niveles de acidez estomacal permiten la existencia de bacterias dañinas. También puede causar diarrea.[7,8]

«El uso prolongado de estos productos puede ser dañino. La próxima vez que vea un comercial de estos antiácidos, que ahora se pueden comprar sin receta, presione el botón de su control remoto para grabarlo. Cuando vea la grabación de ese comercial, lea cuidadosamente lo que viene en letra pequeña o escuche las rápidas advertencias que dan: es fácil pasarlas por alto. En general, son advertencias en contra de su uso por más de catorce días sin supervisión médica.

Rosa conocía los avisos de responsabilidad para estos medicamentos, pero nunca se los tomó en serio, se quedó pensando que en adelante debería prestarles más atención.

—Los antiácidos pueden aumentar su riesgo con respecto a las alergias alimentarias[9] —añadió el doctor —y afectan las habilidades de su cuerpo para descomponer y absorber minerales tales como el hierro, el calcio y el magnesio, así como ciertas vitaminas. Esto es perjudicial por varias razones. Por ejemplo: una anemia por deficiencia de hierro puede deberse a problemas digestivos del estómago.[10,11,12] También hablaremos de cómo estos efectos pueden influir en el funcionamiento de su cerebro.

«Estoy seguro de que sabe lo importante que es tener una buena absorción de calcio para tener huesos sanos y para muchos otros procesos del cuerpo. La producción apropiada de secreciones estomacales es importante para una debida digestión; una absorción correcta a nivel intestino. El estómago le ayuda a su intestino a permanecer saludable, lo cual es necesario para la absorción de los nutrientes que se encuentran en los alimentos.

Un pensamiento pasó por la cabeza de Rosa: «*Todo eso está muy bien, doctor, pero si no tomo antiácidos, ¿qué puedo hacer?*» Ella aún quería algo que aliviara sus síntomas.

El doctor Arrondo continuó:

—A muchas personas les han ayudado los digestivos que contienen un ácido que el estómago debería producir en cantidades normales. Se sorprendería del alivio inmediato que sienten las personas con este tipo de malestar, experimentando una digestión mucho mejor: nada de eructos después de la comida y nada de reflujo.

—¡Me da una docena de esos, por favor! —dijo Rosa, riéndose.

El doctor se sonrió y dijo:

—El hidrocloruro de betaína y la pepsina, junto con hojas de menta, ayudan a muchas personas con ese problema. Pequeñas dosis de calcio también ayudan a estimular la producción de ácido estomacal y pueden tomarse antes de los alimentos.[13,14,15]

«Hasta podría considerar la genciana, que es una raíz amarga, excelente para ayudar a la digestión. Desafortunadamente, nuestra sociedad ya no consume alimentos amargos. En las últimas décadas, nuestras dietas se han inclinado por lo dulce.

—Tiene razón, doctor —acordó Rosa—, mis hijos se resisten muchísimo a comer cualquier cosa que no contenga azúcar, y no los culpo. Una gran cantidad de alimentos que compro en el supermercado están repletos de azúcar, aún cuando en la caja diga que son saludables.

—Sí, se trata de un problema serio —respondió él—, muchas de las raíces y hierbas amargas no sólo ayudan el sistema digestivo, también son útiles para el sistema nervioso, el sistema cardiovascular y el sistema inmunológico.[16,17,18,19,20,21]

«Muchas de las enfermedades, como la artritis, la diabetes, la enfermedad de Alzheimer, la osteoporosis, las enfermedades del corazón y otras, parecen diferentes, pero a menudo empiezan con los mismos cambios celulares. Estos cambios pueden mitigarse usando hierbas y especias que son amargas al paladar. Pueden usarse como auxiliares para alentar o detener el avance de muchas enfermedades y mejorar el nivel de salud de muchas personas, aún antes de que se les diagnostique.[22,23,24,25,26,27,28,29]

—Ya veo —comentó Rosa—, es una solución tan simple y, sin embargo, nuestra sociedad prefiere tomar medicamentos repletos de efectos secundarios.

El doctor asintió con la cabeza y continuó.

—Hay que tomarlos cuando son necesarios. Si considera, como lo hemos mencionado, el número promedio, casi 70, de efectos secundarios por cada medicamento, es necesario asegurarse de que lo que uno se tome sea lo que realmente necesita. Un buen primer paso es tomar la iniciativa de hablar con su doctor abiertamente y hacerle las preguntas pertinentes.

—Eso tiene sentido, pero ¿puede un estómago maltrecho realmente tener todos esos efectos sobre mi salud? —Rosa se quedó pensativa.

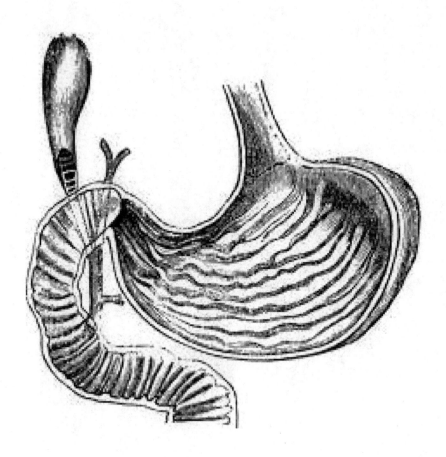

CAPÍTULO 4

¡No lo puedo digerir!

—La respuesta inmediata, Rosa, es sí —le explicó el doctor Arrondo—. Pero para entender por qué, primero exploremos cómo es el tratamiento típico para algo como la acidez estomacal, que es muy común. También encaja en el panorama más amplio que quiero que visualice con respecto a su salud.

«¿Ha notado cuántas veces usted, o alguien que conoce, ha visitado el doctor y ha salido con una prescripción? En ocasiones se le ha dicho que no tiene nada, que todo está bien, porque los análisis se ven bien. Sin embargo no se siente bien, sabe que algo anda mal.

—Sí, desde luego, eso me ha sucedido a mí, a mi familia y a mis amistades —respondió ella.

—Un poco más adelante hablaremos de eso —le dijo el doctor—. Primero hablemos de cómo percibimos nuestra salud. Es importante hacerlo de esta manera para centrarnos en nuestros retos de salud.

«Por lo general, en nuestra cultura, creemos que nuestros cuerpos son como máquinas. Los sistemas ortodoxos de tratamiento reflejan la visión de la sociedad. Clínicamente, a los pacientes se les trata como si sus cuerpos estuvieran compuestos de partes básicamente aisladas. Tómese una pastilla para esto, tómese una pastilla para aquello.

«Cuando alguien presenta un síntoma, se supone que alguna parte de la máquina no está funcionando correctamente. Entonces, se le da una píldora al paciente, suponiendo que le ayudará a regularizar esa parte específica. Generalmente se tiene la intención de que la píldora o el medicamento haga que alguna parte de la máquina funcione más rápidamente o más lentamente.

—¿Quiere decir que es como una receta para combatir la acidez gastrointestinal reduciendo la acidez estomacal? —pregunto ella.

—Exactamente. También tome en cuenta que en los casos en donde realmente hay un exceso de producción de ácido clorhídrico, que es menos común de lo que se imagina, podría ser un buen comienzo, o para otros problemas. Sin embargo, aun así, lo que quiere averiguar es por qué está sucediendo eso.

—Es decir, ¿ver cuáles son las causas de raíz? —preguntó Rosa.

—Así es —le respondió el doctor—. Pregúntese: ¿Por qué se están comprometiendo las habilidades de su cuerpo para auto-regularse y curarse; busque y trabaje sobre esas causas. También dese el descanso necesario mientras su cuerpo empieza a sanar.

—Muy bien, entonces ¿por qué las personas como yo producen niveles de ácido estomacal bajos? —preguntó ella.

—Es algo muy parecido a lo que su abuelo dijo acerca de un jardín —detalló él—. Hay múltiples razones y para cada individuo puede haber más de una. Los doctores tienen que alejarse un poco para ver las enfermedades a cierta distancia y así poder emitir un juicio acerca de lo que no sólo eliminaría el síntoma sino que también ayudaría a sanar las causas, de raíz.

—¿Quiere decir que es como lo que hacía mi abuelo cuando se enfrentaba a un problema con su jardín? —preguntó Rosa, dando golpecitos impacientes con el pie.

—¿Recuerda que me había dicho que no dormía bien? Es durante el sueño que las paredes estomacales hacen una gran cantidad de regeneraciones.[1,2]

—Ya veo —dijo Rosa asintiendo con la cabeza—, así que los problemas para dormir que he sufrido en el pasado pueden contribuir a los malestares estomacales.

—Sí —le dijo el doctor—, pero tenga en cuenta que otras condiciones pueden afectar al estómago. Algunas incluyen desórdenes inmunológicos, hernias que abarcan el estómago, infecciones bacterianas, cáncer, anemia, deficiencias nutricionales, disfunciones cerebrales, cuestiones genéticas y emocionales. Hay más de una causa en la mayoría de las enfermedades crónicas.

—Así que el doctor astuto actúa como una especie de investigador, buscando las posibles causas para encontrar quién es el malvado —observó Rosa.

—Tiene razón —le respondió el doctor Arrondo—. Tenemos que investigar cada conexión, cada asociación para poder ayudar en un asunto de salud. Tenemos a nuestros sospechosos de siempre, pero muchas veces los culpables pueden ser los que uno menos se espera.

«Cuando una de las partes de nuestro cuerpo necesita mejorar o sanar, el resto del cuerpo tiene una gran importancia, y mucha gente no se da cuenta de ello. Por ejemplo, hablemos de la conexión entre la depresión y la digestión. Se ha demostrado que el aumento de bacterias benéficas en el intestino ayuda a combatir la depresión. Un intestino saludable puede, de hecho, ayudar a que el cerebro funcione mejor.[3,4,5]

«Se ha visto que la ingestión de bacterias benéficas, como las que se encuentran en los alimentos fermentados, ayuda a disminuir la presión sanguínea alta y el colesterol. Asimismo, ayuda a mantener a las bacterias dañinas y otros organismos bajo control, de la misma manera que los microbios intestinales perjudiciales pueden estimular el crecimiento del cáncer de colon.[6,7,8,9]

«El alimento fermentado contiene vitamina K, que ayuda a optimizar la salud vascular y ósea.[10,11,12] Además, la vitamina K, en particular la K2, ayuda no sólo a combatir la osteoporosis sino también problemas de azúcar. La vitamina K2 estimula la producción de osteocalcina, que a su vez ayuda a fortalecer los huesos y estimula la producción de insulina, mejorando la sensibilidad a la misma.[13,14,15]

«Así, tenemos otro ejemplo de esta matriz de interconexión en nuestros cuerpos: huesos que ayudan a nuestro páncreas y a los receptores de insulina a funcionar mejor.

—Entonces creo que debo obligarme a comer alimentos fermentados —suspiró Rosa—. ¿Sabe de algunos que sepan bien? —preguntó estremeciéndose un poco. Ya había tenido suficientes de esas insípidas experiencias alimenticias «que son por tu bien» y que le durarían hasta la próxima vez que el equipo de béisbol favorito de su esposo, los Cubs, ganaran una Serie Mundial.

—De hecho, algunos son bastante placenteros —respondió el doctor—. Todos conocemos el yogurt, pero tenga cuidado porque mucho del yogurt que se vende en las tiendas contiene azúcar añadida. Además, para cuando uno los come, a muchos de los yogurts comerciales ya casi no les quedan bacterias vivas.

«Los suplementos son una manera rápida de obtener bacterias buenas, pero los alimentos naturales son siempre lo mejor. La sopa de miso, la salsa de soya, el kéfir, el chucrut y los pepinillos son buenos ejemplos.

No está mal», pensó ella. Casi todos podrían formar parte de sus hábitos alimenticios fácilmente.

Él añadió:

—Los doctores podrían satisfacer mejor las necesidades de sus pacientes si primero abordaran los motivos subyacentes que bloquean el proceso de curación, antes de prescribir cualquier medicamento. Al mismo tiempo, los doctores podrían abordar esos síntomas proporcionándole alivio al paciente.

¿Tienes barreras escondidas que estorban tu buena salud?

—De hecho ese ha sido el tema principal de nuestra conversación de hoy. No solo hablaremos de cómo tratar sus síntomas; más bien vamos a enfocarnos en las barreras subyacentes que no le permiten a los sistemas de nuestros cuerpos a auto-regularse. Esto es lo que lleva a la curación.

«Mencioné que hay una serie de razones por las que una persona podría estar experimentando malestar estomacal. Los problemas con la secreción de enzimas digestivas, tales como el ácido clorhídrico y otras del páncreas, pueden ser el resultado de un cerebro que no está funcionando apropiadamente.

—¿Qué quiere decir con eso? —le preguntó Rosa.

—Ilustraré un ejemplo —dijo el doctor—. Muchas veces, a la gente se le receta un antiácido o toman suplementos naturales que les ayuden con la digestión, pero la causa puede provenir de áreas del cerebro que no están regulando la función digestiva apropiadamente.

—¿Cómo funciona eso? —indagó Rosa.

—Va así —empezó el doctor a explicarle—. El buen funcionamiento de unas áreas del cerebro depende de otras áreas que ayudan a coordinar el funcionamiento de otras áreas, y así trabajan en red unas con otras.

—Pero, ¿cómo podría eso afectar a los problemas digestivos? —Ella estaba pensando en su intestino.

—Supongamos que alguien tiene depresión, pérdida de memoria y fatiga —dijo él—. Pueden ser señales de un cerebro que no está funcionando adecuadamente, de un proceso cerebral degenerativo. Desde luego que hay muchos niveles de degeneración cerebral o degeneración neuronal puesto que las células del cerebro se conocen como neuronas.

—Bueno, doctor, eso incluye a muchas personas ¡Yo, por ejemplo! —dijo Rosa quejumbrosa.

—Sí, ¿verdad? —Dijo el doctor haciendo una mueca—. Claro que puede haber otras razones detrás de la manifestación de estos síntomas, pero a menudo los problemas digestivos vienen asociados a la disfunción cerebral, o fatiga cerebral, para usar un término común.

—Entre las razones que pueden causar que el cerebro no funcione bien se encuentran: una mala circulación a nivel cerebral, menor suministro de oxígeno, menor cantidad de combustible cerebral estable en forma de glucosa, inflamación de intestino y cerebro, problemas tiroideos, traumatismos, anemia y problemas afines.

«Puede experimentar el surgimiento de una serie de síntomas en otras partes del cuerpo que generalmente no asociaría con el cerebro, como problemas digestivos que van más allá de problemas con la producción de enzimas digestivas.

—¿Qué parte del cerebro me ayuda a digerir? —preguntó Rosa. Para ella esto era un asunto candente.

—Las partes del cerebro operan en conjunto para coordinar el funcionamiento, pero la parte posterior del cerebro, conocida como rombencéfalo, es la parte que tiene la responsabilidad más directa de ayudar a la digestión —especificó el doctor.

—¿Puede darme un ejemplo de cómo alguien con síntomas de fatiga cerebral podría terminar teniendo problemas digestivos, incluyendo la generación de enzimas digestivas y ácido estomacal? —preguntó Rosa. Quería saber cómo podía ser que parte de su cerebro le provocase acidez gastrointestinal, hinchazón y reflujo, que en su caso eran problemas recurrentes.

Tu digestión y tu cerebro se afectan el uno al otro

—Veamos un escenario probable —contestó el doctor—. Tomemos el ejemplo de alguien que se queja de problemas digestivos y también tiene dificultad para concentrarse, razonar, planificar, se siente deprimida y ha perdido la motivación para hacer cosas.

«Todo eso podría estar indicándole que la parte frontal de su cerebro, es decir, la corteza cerebral, no le está funcionando bien. Cuando la corteza frontal no está funcionando adecuadamente, y hay otras partes del cerebro involucradas, pero por ahora consideremos solo esta, se ve afectada la habilidad para modular el funcionamiento de una parte del mesencéfalo.

«Eso, a su vez, crea un desequilibrio entre la función cerebral de la parte de 'lucha o huye' de nuestro sistema nervioso, conocido como el sistema nervioso simpático, y la parte de 'descansa y digiere' de nuestro sistema nervioso, conocido como sistema parasimpático.

«El efecto es que el sistema simpático excitable funciona a niveles más fuertes, en tanto que el apacible sistema digestivo, conocido como el sistema parasimpático, no se activa como debería. Si algunas partes del cerebro no están funcionando bien, no activarán estas partes digestivas del cerebro, que se localizan en el tronco cerebral, de la manera en que deberían. El sistema entérico, que también está involucrado en la digestión, se ve afectado de manera similar.

«Bueno —prosiguió él—, cuando ciertas partes del cerebro no funcionan bien, hay una menor liberación de enzimas digestivas. No solo eso, sino que puede reducirse el flujo de sangre a los intestinos, lo cual puede causar inflamación intestinal y fugas. Se ha demostrado que la disfunción cerebral es un proceso fundamental para que se desencadene el síndrome de colon irritable.[16]

—Si la participación de estos importantes centros cerebrales, que regulan la digestión, disminuye; también pueden verse afectadas las contracciones de la vesícula biliar, lo cual puede ocasionar la formación de cálculos biliares, conocidos como piedras en la vesícula. Cuando estos sistemas del 'descanso y digestión' no funcionan como deberían, las válvulas en sus intestinos podrían verse afectadas. Esto también puede perjudicar el modo en que los músculos del intestino procesan el alimento y eliminan los desechos: estreñimiento.

—Ah, entonces, ¿me está diciendo que la disfunción cerebral puede afectar no solo a las enzimas digestivas sino también prácticamente a todo lo que tiene que ver con la digestión, incluyendo problemas con mi vesícula? —intervino Rosa, mostrando más interés.

—Definitivamente, según la ciencia —le respondió el doctor, echándose hacia atrás en su silla—. Muchas cosas pueden suceder cuando hay problemas digestivos, pero tenemos que visualizar la salud del cerebro, como un factor importante para determinar una causa raíz cuando se produce una disfunción digestiva.

«Si tiene 60 años o más, existen unas conexiones importantes que debe conocer entre la salud del estómago y el tamaño del cerebro. Estas conexiones también incluyen el grado de funcionamiento del cerebro en relación con el riesgo de desarrollar deterioros cognitivos leves y la enfermedad de Alzheimer.

«Aproximadamente a los 60 años, nuestro cerebro empieza a atrofiarse, o reducirse. Si conoce estas conexiones y actúa, podría encontrar pasos sencillos para retrasar la atrofia y darse una mejor oportunidad de tener un cerebro más saludable, con buena memoria y concentración a lo largo de su vida.

«El buen funcionamiento del estómago es uno de ellos, veamos estas conexiones.

«Al ir envejeciendo, la absorción de nutrientes sufre un deterioro. Además, como mencioné anteriormente, producimos menos ácido estomacal. Sin embargo, es necesario que nuestro cuerpo tenga los niveles de acidez apropiados, a fin de que pueda secretar lo que se conoce como factor intrínseco, que a su vez ayuda al intestino delgado a absorber la vitamina B12.

«Unos niveles bajos del factor intrínseco disminuyen nuestra habilidad para absorber esta importante vitamina. La insuficiencia de vitamina B12, la deficiencia de folato y vitamina B6, entorpecen la habilidad de su cuerpo para bajar la concentración de una sustancia conocida como homocisteína, que en algunas personas causa pérdida de materia gris en el cerebro.

«Sin embargo, unos niveles más altos de estas vitaminas disminuyen la cantidad de homocisteína y retrasan la atrofia cerebral en las personas mayores que tienen niveles altos de homocisteína y deterioro cognitivo leve.

«Eso es importante porque la atrofia cerebral acelerada se ve en personas que empiezan con un deterioro cognitivo leve y terminan con la enfermedad de Alzheimer. Unos niveles altos de homocisteína ocasionan la destrucción de materia gris en el lóbulo temporal medial, que es la parte del cerebro que se asocia con la enfermedad de Alzheimer.[17]

«Aquellas personas en riesgo de padecer la enfermedad de Alzheimer y que presentan altos niveles de homocisteína deberían considerar hacerse análisis de sangre para determinar sus niveles de estas vitaminas. En caso necesario, empezar con una terapia de vitamina B puede disminuir la atrofia de la materia gris o pérdida cerebral en un factor de siete.[18]

«La metamorfina, que es el medicamento que se receta más comúnmente para combatir la diabetes, reduce los niveles de vitamina B12 con los años, hasta llegar a niveles de B12 casi indetectables.

«Quizás no lo parezca, pero le he dado una versión simplificada de una de las maneras en que el cerebro y el intestino están conectados. Hay otras partes del cerebro que también están involucradas, y es mucho más complejo que eso: el intestino le envía señales al cerebro, afectando su función. Pero al menos le ofrece una idea de lo conectado que está el cuerpo.

«Le daré un par de ejemplos que ponen de relieve la íntima conexión entre el cerebro y el intestino: tres horas después de ocurrido un daño cerebral, pueden observarse daños intestinales.[19] Los pacientes con esclerosis múltiple tienen lesiones cerebrales; los pacientes que padecen de colon inflamado presentan las mismas lesiones cerebrales aproximadamente con la misma frecuencia.[20]

«Como puede apreciar claramente, Rosa, el tratamiento de los problemas digestivos no es solo cosa de proporcionar suplementos naturales o prescribir medicamentos. Trabajaremos juntos con el fin de que cada una de las partes de su cuerpo, incluyendo su cerebro, funcione como una red de curación.

Tus síntomas son consecuencias

—Cuando la curación no sucede, los síntomas, que son una consecuencia de la disfunción, aparecen y permanecen durante mucho tiempo: a menudo por muchos años. Durante ese tiempo, pueden variar en intensidad, irse y regresar.

«Desafortunadamente, la mayoría de los enfoques clínicos se centran básicamente en la prescripción de medicamentos que son químicamente efectivos para suprimir síntomas; eso tiene un valor importante, aunque limitado. La función de cualquier medicamento es forzar al cuerpo a que haga algo. A menudo, no se dedica el tiempo suficiente a investigar los factores causales más sutiles e interconectados.

—¿Puede darme otro ejemplo de lo anterior? —Rosa quería saber más acerca de estas conexiones, tal vez necesitaba saber alguna para ayudarse a sanar.

—Claro —le contestó el doctor—. Veamos el caso de la osteoporosis. En general, a los pacientes con esta enfermedad se les administra uno de dos tipos de medicamento. Un tipo estimula la formación de hueso, por los huesos mismos, y el otro tipo se receta para aminorar la pérdida de hueso. Pero resulta que el hígado, que funcione lo suficientemente bien para producir un aminoácido llamado taurina, también es importante para la formación de hueso.[21]

—¿Así que el hígado tiene que funcionar bien para evitar la osteoporosis? —preguntó Rosa.

—Es parte del panorama, pero es mucho más complejo que eso —respondió el doctor.

«Hemos hablado acerca de cómo el funcionamiento del estómago debe ser bueno para que le ayude al cuerpo a absorber calcio, que es necesario para la salud ósea, ¿verdad? Bueno, el estómago también tiene que estar lo suficientemente sano para que pueda absorber vitamina B12, que a su vez estimula al hígado para que haga lo necesario por tener huesos más fuertes.[22]

—Oiga, me acuerdo de esa cancioncilla en inglés —dijo Rosa sonriendo—, que va algo así como 'El hueso de la cadera está conectado a...' pero en este caso, todos los huesos sanos están conectados al hígado, que a su vez está conectado al estómago.

—Es cierto —le señaló el doctor—. Es una nueva conexión que la ciencia acaba de empezar a explorar, pero no es la última palabra. Otros estudios explorarán esa conexión y muy probablemente encontrarán muchos otros modos en que la salud de los huesos se interrelaciona.

—Básicamente —dijo Rosa riéndose—, lo que me está diciendo es: ¡que no tengo ni la menor idea acerca de cómo funciona mi cuerpo!

Él se sonrió y le describió:

—El cuerpo humano es realmente la construcción más maravillosa y complicada de todo el universo. Entre más entendamos nuestros cuerpos, más podremos hacer por nuestra salud.

—Antes de que siga —lo interrumpió ella—, puesto que estamos hablando de la digestión y mencionó el cerebro, ¿hay alguna relación con la depresión? He sufrido de ambas cosas.

«Le diré por qué se lo pregunto: recuerdo haber tomado un antidepresivo después de que naciera mi primer hijo. Se trataba de una especie de droga que debía, supuestamente, estabilizar un neurotransmisor en mi cerebro. Mi doctor dijo que era un medicamento inhibidor selectivo de la re-captación de serotonina.

El doctor asintió con la cabeza.

—Los neurotransmisores son mensajeros químicos, y cuando uno de estos mensajeros (la serotonina) no trabaja como debe, entonces se instala la depresión; esto sucede cuando el cerebro no está funcionando bien. El medicamento que su doctor le prescribió (ISRS) está diseñado para que sus niveles de serotonina se mantengan altos y así hacer que la depresión disminuya. Es uno de los antidepresivos que más comúnmente se recetan. Hay estudios recientes que apuntan hacia la posibilidad que el vínculo entre la depresión y la serotonina va más allá que simplemente los niveles de este neurotransmisor, que involucra como el cerebro absorbe la serotonina. Es posible que por esa razón, entre otras, muchas personas no sienten alivio usando los ISRS.

Ayudas naturales para la depresión

—Se ha demostrado que la estimulación por microcorrientes ayuda a disminuir la depresión, así como la angustia y el insomnio.[23,24,25,26,27,28]

«También se ha demostrado que el uso terapéutico de la luz pulsada, involucrando el arrastre audiovisual, tiene un efecto sobre los niveles de los neurotransmisores. Es efectivo para combatir la depresión, problemas de memoria y concentración, incluyendo trastornos afectivos estacionales y déficit de atención.[29,30,31,32,33,34,35,36]

«La aplicación de terapias con luz y sonido puede tener efectos poderosos sobre nuestra salud.

«Hay otras cosas que pueden ayudar a combatir la depresión. Algo tan sencillo como el ejercicio puede ayudar, junto con hierbas como la kava, la hierba de San Juan, el aceite de pescado y la vitamina B. El folato, un tipo de vitamina B, por ejemplo, puede ayudar a reducir el problema. Si padeces de deficiencia de folato, esto también puede afectar el modo en que responda a los antidepresivos que involucran un aumento de los niveles de producción de serotonina.[37]

—Muy bien, pero ¿qué tienen que ver la depresión y los niveles de serotonina con los parásitos en los intestinos? —preguntó Rosa.

—Hay una relación— señaló el doctor—. La inflamación intestinal se relaciona con una poca cantidad de bacterias benéficas en el intestino. La inflamación intestinal libera sustancias químicas que pueden causar inflamación cerebral. Cuando esto sucede, puede resultar en niveles más bajos de serotonina en el cerebro, o que resulte en problemas en cómo el cerebro usa la serotonina.

—Y los niveles más bajos de serotonina pueden aumentar los niveles de depresión —dijo Rosa—. ¡Ya entiendo! —Se le iluminó la cara con una sonrisa de satisfacción. —Así que el funcionamiento de mi intestino realmente puede afectar el funcionamiento de mi cerebro, ¿eh?

—Como dijo, el hueso de la cadera está conectado a... sólo bromeaba —El doctor Arrondo también se rió.

—Así es, y antes de que me lo pida, le daré un ejemplo al respecto: por medio de la investigación se ha demostrado que los niños y niñas que padecen malestar estomacal más a menudo, por lo general tienen niveles de depresión más altos cuando llegan a la edad adulta.[38]

Gluten y sus efectos

—Un número cada vez mayor de niños, niñas y adultos se quejan de malestar estomacal porque quizás tengan sensibilidad o intolerancia a los alimentos que contienen una proteína llamada gluten, que se encuentra en los productos que están elaborados con trigo, centeno y cebada; la avena puede estar contaminada con gluten de estos otros cereales. También se emplea gluten para hornear pan, con lo que se hace más masticable y esponjoso.

—En aproximadamente los últimos 50 años, el tema de la sensibilidad al gluten ha ido cobrando cada vez más importancia —prosiguió el doctor—. Los síntomas relacionados con ello incluyen depresión, erupciones de la piel, náusea, hinchazón y anemia, entre otros.

—¿Todo eso nada más por comer demasiado pan y pastel? —replicó ella, un poco incrédula.

—En cierto sentido, sí —le relató el doctor—. Y muchas pastas, sopas, o cereales. Se sorprendería de todo lo que contiene gluten. Pero una mejor detección de celiaca no es la única razón del agudo aumento en el número de personas que hoy sufren de esa enfermedad. Este aumento coincidió con cambios genéticos inducidos a lo que comemos. Esto, más que ninguna otra cosa, parece ser la razón del aumento en el número de pacientes con este problema.[39,40]

—Sin embargo, seguimos comiendo estos productos diariamente —comentó Rosa—, ¿cómo podemos evitar esta sensibilidad al gluten?

—Algunas personas que tienen problemas con el gluten quizás descubran que pueden volver a comer pan y otros productos elaborados con granos orgánicos, primitivos, que no han sido genéticamente alterados.

«En investigaciones con personas que padecen la enfermedad celiaca, las biopsias revelaron que el consumo de este tipo de cereales más antiguos no fue la causa de la usual inflamación de las células intestinales, ni de las respuestas inmunológicas relacionadas con esta enfermedad.[41,42,43,44,45] Para una mayor información, puede buscar cereales antiguos, concretamente 'heritage grains,' en el Internet.

«Se ha descubierto que la sensibilidad al gluten está relacionada con el cerebro. Muchos neurólogos opinan que la sensibilidad al gluten es primordialmente una enfermedad neurológica. La mayoría de las personas que la padecen no se quejan de su intestino. En general, su problema es que presentan síntomas que aparentemente no tienen nada que ver.

«¿Qué tienen que ver nuestros genes con los intestinos? Mucho se ha escrito acerca de la asociación de los genomas con los polimorfismos de nucleótido simple, conocidos como SNP, por sus siglas en inglés. Existen pruebas populares que ofrecen a los usuarios y a sus consejeros genéticos, información útil acerca de su perfil genético.

«Más allá de los SNP y del efecto sobre la expresión de los genes, existen otras dinámicas genéticas importantes, tales como las variaciones del número de copias, o CNV por sus siglas en inglés. Un SNP involucra a un nucleótido base. Un CNV, hasta millones —El doctor detalló.

«¿Qué es una CNV? En términos sencillos, piense en nuestros genes como si fueran una hoja de papel con un renglón de letras mecanografiadas que se duplica por fotocopiadora. Pero las copias son diferentes al original. En ocasiones, a la copia le faltan letras o las letras están ordenadas de manera diferente o tiene más letras.

«Cada vez que saca una copia, que no tenga las letras exactamente como se mecanografiaron en la hoja de papel original, se habrá creado una CNV, o variación del número de copia. Su cuerpo también produce una cierta cantidad de estas copias, y ese número puede variar de una parte del cuerpo a otra. También puede variar de un país a otro. Más adelante hablaré acerca de las investigaciones que demuestran cómo el número de CNV, asociado con un aspecto de su digestión, puede tener un efecto sobre su peso de hasta ocho veces.[46]

«Ahora, pasemos a ver qué tienen que ver las CNV con los problemas digestivos. La gente que tiene menos de cuatro CNV, para las células antimicrobianas en el intestino, sufrirá una mayor inflamación intestinal y susceptibilidad a la enfermedad de Crohn.[47]

«Quizás ahora esté pensando en que desea tener muchas de esas mismas CNV. Sin embargo, si el número de copias es mayor de cuatro para estos genes Beta-defensin, como se conocen, entonces cualquier lesión menor de piel resultará en una fuerte respuesta inflamatoria y en un mayor riesgo de psoriasis.[48]

«Estos son solo un par de ejemplos del efecto de las CNV sobre su salud. Como puede ver, la complejidad de nuestros cuerpos no nos permite suponer que, incluso la terapia genética, debería tener solo un enfoque básico, ya se trate de SNP, CNV o de otras variantes genéticas estructurales.

«Sin embargo, hay otro factor que puede influir en la eficacia con que su sistema digestivo maneja estos y otros tipos de granos —añadió el doctor—. El uso moderno de pesticidas, como el glifosato, ha sido relacionado con la intolerancia al gluten y problemas con las bacterias digestivas buenas.[49,50]

«Así pues, como ve, hay muchas cosas que surgen a partir de los problemas digestivos y viceversa.

—¿A qué se refiere con eso? —preguntó Rosa.

—Por ejemplo —empezó a explicarle el doctor—, un intestino saludable puede influir en su estado de ánimo. Unos investigadores estudiaron las ondas cerebrales de varios pacientes en una imagen por resonancia magnética, separando a los pacientes que tomaban probióticos (lo cual aumenta la cantidad de bacterias benéficas en el intestino) y a los que no los tomaban. Encontraron que los que tomaban probióticos mostraban un cambio en la actividad de las regiones cerebrales relacionadas con el procesamiento central de emociones y sensaciones.[51,52]

Rosa se rió entre dientes cuando un pensamiento se le pasó por la cabeza y dijo:

—¡Imagínese ir a un psiquiatra y en vez de que le pregunte acerca de su niñez, el doctor le pregunta si ha estado comiendo alimentos fermentados, tomando probióticos y si tiene una buena digestión!

«Afortunadamente no necesito ir con un psiquiatra por el momento, por lo menos no lo creo. Pero mi intestino me ha estado causando todo tipo de problemas, aunque he tomado muchos medicamentos para el malestar, una acidez que siento, ya sabe; ¿puede causarle también otros problemas a mi cuerpo?

—Vaya que sí —le contestó el doctor—. De hecho, una gran cantidad de problemas.

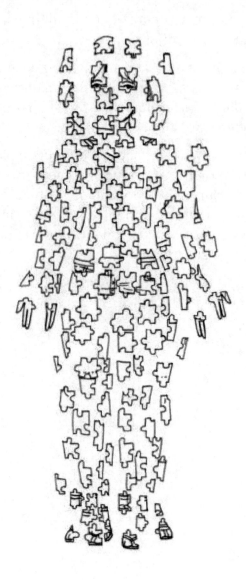

CAPÍTULO 5

Tu salud por partes

—Indicó que a menudo tomaba esas pastillas antiácidas —le recordó el doctor Arrondo—. En muchas ocasiones, a los pacientes se les da un medicamento esperando que lo tomen por años, quizás por el resto de sus días, aun cuando sea intermitentemente.

«Quizás eso sea necesario en algunos casos, pero me pregunto en cuántos. En algunos de esos medicamentos viene escrito, en letra pequeña, que sólo deben consumirse por poco tiempo. En otros se incluye, también en letra pequeña, una larga lista de efectos secundarios; algunos de estos efectos secundarios podrían ser acumulativos.

«Sin embargo, lo ideal sería que los doctores se enfocaran más en ayudar a los pacientes a desarrollar estrategias de salud a nivel de todos los sistemas del cuerpo, no solo tratar el síntoma. De esa manera la mente y el cuerpo puedan regular mejor el proceso de recuperación antes de que el problema alcance las proporciones de una franca enfermedad o patología. Hacerlo de esta manera implica que el cuerpo puede ayudar a resolver el problema por sí mismo. Yo pienso que esta debería ser la meta a largo plazo más importante para cualquier doctor, y debería ser la meta principal de nuestro sistema de salud.

—Entiendo —dijo Rosa—, tenemos que extraer las raíces antes de que la mala hierba empiece a ahorcar a las otras plantas.

—Precisamente —sonrió el doctor—, ahora hablemos un poco más acerca de cómo nuestra sociedad ve la salud. La manera en que en este país se aborda el cuidado de la salud es realmente un reflejo de cómo nuestra sociedad se siente y piensa con respecto a la salud y la enfermedad.

«Rosa, este es un tema importante. Una vez que empiece a pensar fuera de los límites normales, será más fácil construir una nueva perspectiva de su salud que la pueda ayudar a sanar.

—Eso suena bien —comentó ella—, pero no siento que yo haya captado el panorama en grande; de cualquier manera, prosigamos. Quizás la curiosidad mató al gato, pero la satisfacción lo resucitó —dijo ella con determinación.

Nuestro sistema de salud: Históricamente anticuado

—Entonces, ¡arranquemos! —exclamó él—. Empecemos por examinar cómo llegamos a considerar la salud como lo hacemos hoy en día. Mayormente, nuestro enfoque actual evolucionó a partir de la Revolución Industrial hace un par de siglos. Fue entonces que atestiguamos avances dramáticos en las máquinas, desplazándonos de una sociedad agrícola a una más basada en la industria.

«Nos fascinaron estas nuevas máquinas y lo que podían hacer; era una época en que los ingenieros eran considerados artistas. Cuando algo funcionaba mal con alguna estructura o máquina, ellos estudiaban cada componente para ver qué parte estaba defectuosa; entonces quitaban ese componente, lo arreglaban y lo volvían a poner.

—Sí, recuerdo haber estudiado la Revolución Industrial en la escuela. Pero nuestros cuerpos no son máquinas —se quejó Rosa.

Frunció el ceño mientras pensaba en su lugar de trabajo. No le gustaba que la trataran como a una máquina. Su jefe la exprimía para que fuera más productiva, añadiendo proyectos de otros empleados que habían sido despedidos, a su carga laboral.

Rosa esperaba conseguir otro empleo, pero la situación era difícil, y José, su esposo, podría quedarse sin trabajo. Simplemente no era un buen momento para buscar otro empleo.

Además, quedaba tan cansada del trabajo y de las labores del hogar, que no le quedaba mucha energía para buscar otro empleo, ni para ejercitarse; se sentía culpable por ello. No estaba usando la membresía del gimnasio que había pagado a principios del año: otro de sus propósitos de Año Nuevo que no había cumplido; su cara se tensó un poco al pensar en todo esto. La voz suave del doctor Arrondo la trajo de nuevo a la conversación:

—Tiene razón. Ese es precisamente el *quid* de la cuestión. Todavía estamos trabajando bajo un modelo de salud que en muchos aspectos tiene unos doscientos años.

«La Revolución Industrial fue una época en que la gente se hacía ilusiones con las nuevas máquinas:

representaban un gran cambio en sus vidas y en la economía.

«Pero una máquina es un sistema cerrado. Nuestros cuerpos, sin embargo, son sistemas abiertos que interactúan de manera dinámica, evolutiva con nuestro medio ambiente interno y externo. Nosotros no respondemos de manera mecánica como lo hacen las máquinas. Si así fuera, la gente no tendría tantas reacciones distintas a la misma prescripción médica.

«En algunas ocasiones, tratar al cuerpo del mismo modo que un mecánico trata a un automóvil podría ser útil para tomar medidas a corto plazo. Pero no es adecuado para satisfacer las necesidades mayores de los seres tan complejos, dinámicos e interconectados que somos.

«Incluso en el campo de la psiquiatría de esa época, la fuerza de este enfoque mecánico era tan grande que se consideraba que las enfermedades psicológicas eran ocasionadas solamente por un mal funcionamiento físico. Tal enfoque era mecánico, si podías encontrar la causa física, podías solucionar el problema psicológico.

—Es parecido a lo que hacen muchos doctores hoy en día. Eso es lo que me quiere decir, ¿verdad? —le preguntó Rosa.

—Sí —respondió el doctor—, y aún no hemos cambiado nuestro sistema de salud a uno mejor, uno que refleje la verdadera dinámica de la salud del cuerpo humano.

«Piense en el pasado, antes de que las máquinas industriales proporcionaran la energía para nuestras sociedades, para la luz de las calles y para nuestras economías. Antes del advenimiento de los más recientes avances científicos, que incluyen nuestra maravillosa tecnología médica, los doctores trabajaban de manera diferente, porque así necesitaban hacerlo.

«Trabajaban con ritmos y ciclos naturales, buscando entender el cuerpo y ayudándolo a sanar utilizando lo que se encontraba en la naturaleza. Déjeme ilustrar el punto haciéndole una pregunta —continuó—. ¿Qué cree que pasaría en un hospital si, a mediodía, se fuera la luz? ¿Cuántos diagnósticos podrían hacerse en esas condiciones, sin máquinas conectadas a las tomas de corriente eléctrica?

—No muchos, supongo —reflexionó ella.

—Antes del advenimiento de la tecnología moderna y máquinas sofisticadas, aún antes de que se dispusiera de sulfamida y penicilina, los doctores hacían visitas a domicilio y dependían mucho de sus cinco sentidos. Examinaban todo cuidadosamente, buscando pistas que les ayudaran a explicar por qué el cuerpo de su paciente no estaba funcionando como debería

«Una de las primeras cosas que muchos de ellos hacían cuando entraban en casa de sus pacientes era respirar el tufo en el aire. En varias ocasiones, obtenían algún indicio de lo que estaba sucediendo simplemente por el olor. De hecho, la ciencia moderna ahora emplea animales para que detecten, por medio de su olfato, cáncer de pulmón, tuberculosis y otras enfermedades.[1,2,3,4,5]

«Los doctores de antaño probaban la piel de sus pacientes porque eso les proporcionaba información acerca de los niveles de salinidad y del pH. Tenían el sentido del tacto altamente desarrollado, así como su habilidad para escuchar ciertos sonidos del cuerpo.

«Tenemos esas habilidades, simplemente necesitan desarrollarse. Ya sea que se trate de un doctor que escuche los sonidos del cuerpo para obtener más información acerca de su estado, o algo más exótico, como los tradicionales 'oidores de peces' en Malasia, que desde una distancia considerable, logran distinguir los sonidos que realizan los diferentes tipos de peces simplemente metiendo la cabeza en el agua, y reman sus canoas en esa dirección para pescar.

—Doctor, ¿podría darme una aplicación práctica que le sirva a la gente común y corriente? —le pidió Rosa.

—Sí —le contestó—, las madres, cuando besan a sus hijos e hijas y descubren un patrón de piel salada, querrán saber que eso podría tratarse de un indicio de fibrosis quística.[6,7]

Rosa inmediatamente pensó en sus dos hijos y a lo que sabía su piel cuando los besaba.

—Los primeros doctores prestaban atención a todo —prosiguió el doctor Arrondo—, Lo hacían porque en gran parte no tenían otra opción. Creaban un plan de tratamiento en beneficio de sus pacientes, en función de todas las conclusiones que podían obtener según su comprensión, incluyendo la observación y examen de la condición de sus pacientes usando solo sus cinco sentidos.

«Esto ayuda a darle menos importancia a los números de laboratorio aislados o a los resultados que muestran las imágenes y empezar a observar al paciente más de cerca y como un todo. Es uno de los retos más grandes dentro del campo de la salud: examinar a cada persona como un todo y utilizar la tecnología con criterio.

—Doctor —dijo Rosa—, solo para asegurarme de que estamos hablando de lo mismo, hay ocasiones en que los medicamentos, análisis y cirugías sí son necesarios, ¿verdad? —Ella quería estar segura de que el doctor no estaba minimizando su importancia.

—Definitivamente —enfatizó el doctor—, de hecho, Rosa, en su historial clínico veo que hay un par de instancias en que los medicamentos y la cirugía tal vez fueron lo que le salvaron la vida. En una de esas ocasiones los antibióticos la ayudaron a recuperarse de una infección bacteriana muy peligrosa. En la otra, se la llevaron apresuradamente a la sala de emergencias para operarla.

«Ninguna disciplina de la salud tiene todas las respuestas; así que yo utilizo aquello que tenga a la disposición para apoyar su salud naturalmente. También pienso que es grandioso que tengamos tecnología avanzada y medicamentos a nuestra disposición cuando se requieran. Mi sentir es que la mejor manera en que los profesionales de todas las disciplinas de la salud podrían ayudarles a sus pacientes sería uniéndose clínicamente y trabajando en conjunto.

Rosa recordó el día en que estaba en la sala de emergencias, a punto de someterse a una apendectomía. Fue ahí que se percató de la presencia de un hombre joven, alto, delgado, de ojos luminosos y cabello castaño rizado, que estaba parado nerviosamente bajo las luces brillantes de la sala de espera, aguardando tratamiento para su brazo roto.

Habían intercambiado dolorosas sonrisas de nervios. Afortunadamente, puesto que la espera era tan prolongada, en el transcurso él joven había podido reunir el coraje para acercarse a Rosa, a pesar del dolor tan evidente, y saludarla con timidez. Había sido como si Rosa lo hubiese estado esperando desde siempre. A partir de entonces, ella le hace bromas al respecto.

Veintidós años después, José aún era el amor de su vida, a pesar de los altibajos de la vida y de la formación de una familia.

Conexiones importantes para tu salud

—Exploremos más conexiones que son importantes, aunque pocas personas creerían que se relacionan.

«Por ejemplo, ¿podría haber alguna conexión entre la depresión y los ovarios? Las mujeres con un diagnóstico de síndrome de ovario poliquístico, PCOS por sus siglas en inglés, tienen niveles de depresión más elevados que las mujeres sanas.

«Hasta 10% de las mujeres en edad fértil tienen PCOS, muchas de ellas sin saberlo. Las mujeres con PCOS también son más susceptibles de ser hospitalizadas, padecer diabetes y tener mayores niveles de estrés, angustia y abortos involuntarios.[8]

«Resulta interesante que los hombres pueden ser portadores genéticos de PCOS, a menudo manifestándose en calvicie prematura. El PCOS parece tener un componente genético y se asocia con un desequilibrio hormonal y, a menudo, con la resistencia a la insulina, presión sanguínea alta y aumento de peso. Para aquellos que tienen PCOS y problemas de peso, bajar hasta una modesta cantidad de peso puede ayudarles a equilibrar más las hormonas.[9]

«Estaremos refiriéndonos a lo que debe considerarse para ayudar a su cuerpo a curarse, y también pondremos particular atención en las barreras subyacentes a la curación. Tales barreras pueden abarcar desde trastornos internos que no permiten que los sistemas de nuestros cuerpos se auto-regulen hasta retos ambientales. Esto es importante porque si ayudamos a que nuestro cuerpo recobre su habilidad innata para recuperarse, en todos los niveles, la curación será más profunda.

Ella volvió a prestarle atención al doctor, quien era atento y escuchaba cuidadosamente lo que ella le decía. Pero todavía se preguntaba adónde quería llegar con todo ese asunto de la jardinería. Ella solo buscaba ayuda.

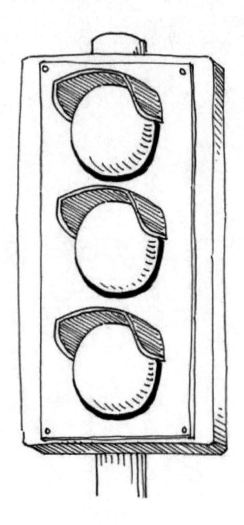

CAPÍTULO 6

¿En qué color está el semáforo de tu salud?

—Hace unos momentos mencionó algo acerca de las barreras subyacentes a la curación —dijo Rosa al finalizar su siguiente sesión— ¿qué quiso decir con eso?

—Buena pregunta —le respondió el doctor Arrondo—. Como hemos estado empleando la analogía del jardín, continuemos con la misma.

«Con los retos actuales de sequías, erosión de la tierra, pérdida de nitrógeno por escorrentía y otros problemas ambientales, el agricultor ha considerado que debe cambiar su enfoque de tal manera que se base más en el funcionamiento y curación propios de la naturaleza. ¿Qué sucedería si dejara su arado y eligiera trabajar más con la naturaleza, empleando cultivos de cobertura, abonos verdes y otros métodos para enriquecer la tierra?

«¿Cómo le iría con este enfoque? ¿Florecerían sus campos?

«Bueno, según los informes, ya está sucediendo y con resultados sorprendentes. La agricultura sin arado, en la que el granjero trabaja más de cerca con la naturaleza y sus ciclos, está aumentando la productividad de las cosechas y disminuyendo tanto la evaporación del agua como la erosión de la tierra. También hace que disminuya la pérdida de nitrógeno por escorrentía, pérdida que representa un peligro para el medio ambiente.[1]

«Este importante desplazamiento del paradigma agrícola para cambiar nuestro punto de vista acerca de cómo trabajar con la naturaleza, tiene unos paralelos significativos con respecto a cómo podemos mejorar el cuidado de nuestro jardín de la salud.

«Como sabe, una buena tierra necesita de varios componentes: físicos, químicos y biológicos; hay quienes incluirían componentes electromagnéticos y energéticos.

«Sucede lo mismo con nuestros cuerpos. Existe una cantidad de componentes, o sistemas corporales, que a primera vista no parecen estar conectados, pero a decir verdad, en conjunto necesitan funcionar bien para que nuestros cuerpos estén más saludables.

«Para que la tierra sea buena, necesitamos que todos los componentes estén presentes e interactúen adecuadamente. Es lo mismo con su cuerpo y sus sistemas de curación.

«Si estos componentes, o sistemas en nuestros cuerpos, no están funcionando y trabajando para ayudarse entre sí, pueden constituir el desafortunado fundamento de síntomas agudos o crónicos y enfermedades.

«Así que muchas de las preocupaciones acerca de la salud, que llevan a las personas a visitar al doctor, son consecuencia de que uno o más de estos sistemas de apoyo del cuerpo no estén funcionando bien. A menudo los pacientes reciben prescripciones médicas a fin de aliviar los síntomas, pero no consiguen la atención suficiente a los procesos de apoyo o causales de otras partes del cuerpo.

—Ya veo —respondió Rosa lentamente—, los doctores usualmente se enfocan más en remediar el efecto y no la causa.

—¡Ya me entendió! —dijo el doctor sonriendo—, ahora, piense, ¿cuántas enfermedades cree que hay en el mundo?

Miles de enfermedades: ¿Cuántas causas?

Ella movió la cabeza para un lado y para el otro.

—No lo sé. ¿Miles? —preguntó Rosa encogiéndose de hombros.

—Según *la Organización Mundial de la Salud,* un organismo de las Naciones Unidas, ciertamente existen miles de enfermedades y condiciones en todo el mundo —le dijo el doctor Arrondo.[2]

—Eso implicaría muchísimas píldoras por prescripción. ¡Y efectos secundarios! —exclamó ella.

—¡Correcto! Ahora, ¿sabe cuántos sistemas tiene su cuerpo? —le preguntó el doctor.

—Mmm... —comenzó Rosa, arrugando la cara pensativa—, No lo sé, pero si cuenta solamente los que me funcionan bien, pues muy pocos.

Él se rio y dijo: —Me alegra que tenga sentido del humor. ¡Eso ayuda!

«De hecho, no tenemos tantos, solo doce, dependiendo de cómo se agrupen. Le diré cuáles son: el sistema nervioso, que consta del cerebro, la médula espinal y los nervios; el sistema digestivo, del cual hemos estado hablando; el sistema cardiovascular, los sistemas óseo, muscular, de la piel y de los órganos. También tenemos el sistema linfático, que ayuda a manejar las toxinas, respiratorio, inmunológico, urinario y finalmente el reproductor.

«Mi experiencia se ha basado en que los pacientes con los síntomas más comunes, por lo general, tienen muchos problemas de suprarrenales, control del azúcar, digestivos, funcionamiento del hígado y del sistema nervioso. Esto incluye, pero no se limita a condiciones relacionadas con el estrés.

Rosa se encogió de hombros y dijo: —Bueno, ahí estarían incluidos los problemas de salud de casi todas mis amistades y de mi familia.

—Para la mayoría de las personas, así sería, ¿verdad? —Dijo el doctor sonriendo—, bueno, mi manera de ver, si se prestara más atención a la causa raíz, muchos pacientes mejorarían con mayor rapidez en varios aspectos de su vida, y se reduciría la gran cantidad de enfermedades.

«Pongamos nuestra atención en el panorama global. Cuando un doctor hace eso, puede ver los factores más amplios que contribuyen al surgimiento de estos síntomas. Hacerlo así puede ayudar a solucionar estos problemas, abordando las causas subyacentes y, en muchas ocasiones, sin la necesidad de emplear medicamento.

—Como mi abuelo con su jardín, siempre mirando todo y buscando las conexiones, ¿verdad? —dijo Rosa pensativa.

—Así es —dijo el doctor—, a menudo he visto un trastorno discreto en uno más de estos sistemas, desembocando en síntomas típicamente asociados con otros sistemas u órganos, en especial con problemas crónicos. La correlación entre un conjunto de síntomas aparentemente aislados y estos sistemas corporales puede ser sutil. Quizás no aparezca clínicamente y, como lo mencioné anteriormente, podría no aparecer en los análisis de laboratorio.

Los resultados del laboratorio son normales, pero te sientes mal

—Entrando en detalles, existen diferencias entre los rangos de patologías, o rangos de laboratorio a nivel de enfermedad, y rangos de laboratorio funcionales. En muchos de los resultados de laboratorio, tiene uno que estar lo suficientemente enfermo, encontrarse 5% más bajo de lo que se considera como un segmento normal, para que el resultado de la prueba sea considerada anormal.[3]

—Y usualmente el seguro no paga el tratamiento de una condición que no aparezca como anormal en estos resultados de laboratorio, ¿verdad? —preguntó Rosa.

—Eso sucede con frecuencia —le aclaró el doctor—, pero casi siempre los pacientes saben que no se encuentran bien, a pesar de que en los estudios o en las imágenes de laboratorio no aparezca nada malo; al menos nada que los parámetros de laboratorio señalen como problemático.

«En ocasiones, hasta los resultados de laboratorio se ven bien a nivel funcional, aunque el paciente aún tenga muchos problemas.

«Mi experiencia de trabajo con las causas subyacentes de las enfermedades es muy satisfactoria —dijo el doctor con un tono de complacencia en su voz—. Me siento gratamente sorprendido cuando escucho a mis pacientes decir que han notado una mejoría, con respecto a síntomas que yo no sabía que padecían hasta que me informaban del cambio. Los pacientes no siempre cuentan a sus doctores todo lo que les sucede.

—Eso tiene sentido, doctor —comentó Rosa— si se ayuda a sanar la raíz, las hojas amarillas del jardín de la salud empiezan a reverdecer.

—Así es —le respondió el doctor y prosiguió.— Imagínese que el estado de su salud es como un semáforo. Un semáforo tiene tres colores. A menudo, lo que sucede con los enfoques clínicos, incluyendo aquellos que usan imágenes y pruebas de sangre de laboratorio, es que no se considera que el paciente tenga algún problema o enfermedad hasta que la luz roja se enciende.

«Sin embargo, la mayoría de las personas están sufriendo en lo que yo llamo la zona de la luz amarilla. No se sienten bien, no tienen energía, el cuerpo les causa incomodidad, pero cuando van a una revisión general se les dice que no tienen nada; nada de luces rojas.

—Eso nos sucede a menudo —dijo Rosa—, viéndolo así, ¡el semáforo de mi salud ha estado en amarillo durante años!

«Cuando mencionó que los resultados de los análisis de sangre no se consideran anormales hasta que caen en el 5% más bajo, eso significa que muchos pacientes con una salud por debajo de la normal obtendrán resultados de análisis de sangre que se muestran normales, aun cuando en algo no estén bien.

El doctor asintió y dijo: —Una gran cantidad de pacientes con un estado de salud en luz amarilla se sienten mal y además frustrados durante años. Los resultados de laboratorio no reflejan su estado de salud en luz amarilla.

«Regresando al tema de los sistemas del cuerpo, no tenemos tiempo para adentrarnos en cada uno de estos sistemas, pero yo quería hacerle saber lo importante que es trabajar con estos sistemas. Son el equivalente de una tierra buena y sana para el jardín.

«A uno de los doce sistemas se le conoce como el sistema de control maestro. Ese es el sistema nervioso, que consiste del cerebro, la médula espinal y sus nervios.

«Estos nervios se conectan con cada célula de cada órgano en su cuerpo y no sólo envían información de ida y vuelta al cerebro. Estos nervios también constituyen una fuente de nutrientes para algunas células.[4,5,6,7,8,9]

—¿Los nervios pueden alimentar a las células? Pensé que hacíamos eso sólo por medio de la digestión —inquirió Rosa.

—Los nervios del cuerpo transportan factores de crecimiento hasta la fibra muscular del cuerpo, lo cual tiene lugar mediante un proceso conocido como transporte axoplásmico.[10]

«Por medio de la investigación se ha demostrado que, a medida que envejecemos, nuestros nervios dejan de comunicarse como antes con nuestros músculos y esto contribuye a la pérdida de masa muscular.[11,12] También se ha demostrado que una disminución en el porcentaje de músculo en nuestro cuerpo, junto con un aumento en el porcentaje de grasa, se asocia con una salud en decaimiento.[13,14]

—Recuerdo que mi maestro de biología decía que la espina dorsal era como una caja de fusibles, ¿es correcto? —preguntó ella.

—Sí, se trata de una gran analogía —le respondió el doctor— al final de su próxima sesión nos referiremos de nuevo a las cajas de fusibles y hablaremos acerca de la energía vital que corre por su cuerpo.

¿Puedes estar gorda y flaca al mismo tiempo?

—En los medios y visitas médicas, de manera justificada, se ha puesto demasiado énfasis en perder peso para mejorar la salud. Sin embargo, he estado resaltando la importancia de ir más allá de un enfoque unidimensional de la salud y esto incluye bajar de peso.

«Hay algunas personas que van por ahí considerando que tienen un peso normal o hasta bajo-normal; no piensan que estén gordas. Sin embargo, es posible estar flaco y gordo al mismo tiempo.

«El término para ello es 'gordura flaca'. El modo tradicional de medir lo bien que le va uno con su peso es usando un cálculo que mide su peso y altura; se llama Índice de Masa Corporal (IMC). Se considera que uno tiene un peso normal, sobrepeso u obesidad dependiendo del resultado de su IMC.

«Sin embargo, es una manera estrechamente definida de ver el peso. Con este estándar, se considera que los fisicoculturistas o la gente que está en forma y tiene una masa muscular por arriba del promedio, tiene sobrepeso. Por ejemplo, con los valores del IMC, se consideraría que casi la mitad de los jugadores de jugadores de baloncesto profesional en Estados Unidos tienen sobrepeso. Y obviamente están en excelente peso.

«Por otra parte, las personas con valores IMC que indican que se encuentran en un peso normal, pero tienen una masa muscular menor a la óptima y cargan más grasa de la que sería saludable (normalmente alrededor de la cintura) tienen una mayor incidencia de diabetes y otros problemas, incluyendo factores de riesgo cardiometabólico.[15] La grasa alrededor de los órganos, conocida como grasa visceral, es más dañina.[16] Esta grasa estimula cambios en el tipo de célula inmunológica conocida como macrófago, lo cual hace que nuestros cuerpos sean más resistentes a la insulina, lleva más fácilmente a un endurecimiento de las arterias y problemas del corazón.

«Estamos viendo la importancia de mirar más allá de cualquier sistema de medición para determinar nuestro bienestar. Ahora hablemos de la salud y la vitalidad desde una perspectiva diferente a lo que estamos acostumbrados, y aprendamos más acerca de cómo nuestro cuerpo se ayuda a sí mismo a curarse a niveles más profundos.

«Cajas de fusibles, jardines, melones y semáforos, ciertamente esto no era lo que esperaba de una visita a un doctor», reflexionó Rosa. Pero se estaba dando cuenta de que le parecía bien lo que estaba oyendo, y estos ejemplos le permitían comprender más fácilmente como su cuerpo realmente trabajaba.

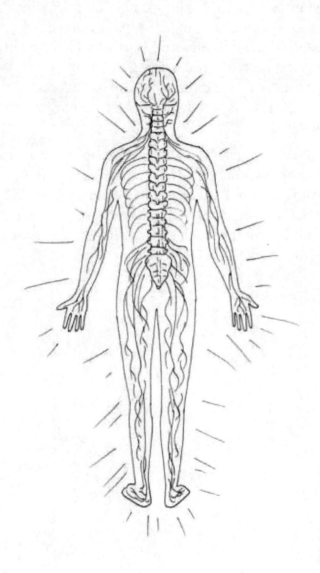

CAPÍTULO 7

El poder que te cura

—Y bien, ¿le gustaría que siguiéramos con nuestra conversación del otro día? —preguntó el doctor Arrondo a Rosa después de su siguiente sesión.

—Estoy interesada, estoy aprendiendo mucho. Creo que estábamos hablando de cajas de fusibles —respondió Rosa, con más entusiasmo que en sus visitas iniciales—, aunque tengo curiosidad de saber más cómo va a relacionarlo con mi salud —dijo en tono juguetón.

—Piense en su cuerpo como si fuera una casa —profundizó el doctor Arrondo—. Toda la electricidad que entra en la casa tiene que pasar primero por una caja de fusibles, que actúa como un distribuidor de electricidad, enviando cables a diferentes partes de su casa para darle luz a la cocina, para que el refrigerador encienda...

—Correcto —agregó ella, recordando sus experiencias con cajas de fusibles—. Todo lo que sé acerca de las cajas de fusibles lo aprendí a base de cometer errores. Hace ya algún tiempo habíamos alquilados una casa que tenía un sistema eléctrico viejo. Cuando poníamos en funcionamiento la secadora de pelo y la lavadora y secadora al mismo tiempo, esos fusibles tronaban como cohetes.

—Me alegro que cambiara de casa —respondió él—, ahora, desde la perspectiva de la quiropráctica, esta filosofía se basa en la creencia de que existe una fuerza vital que corre a través de todos nosotros y se conoce como la Inteligencia Innata; es similar al cableado eléctrico de la casa: le proporciona la energía al cuerpo para que funcione y se cure.

—Piense en su cerebro y su cuerpo como si fueran la caja de fusibles y su casa. De manera semejante a la casa, su cuerpo tiene nervios que corren prácticamente hasta cada célula de cada órgano y tejido, proporcionándoles energía vital, comunicación y curación.

—Entiendo —reconoció ella—. Así es como el cerebro controla al resto del cuerpo.

—Así es —dijo el doctor—. Sin embargo, los estresores físicos, mentales y químicos pueden causar una interferencia en este flujo, igual que cuando un fusible defectuoso crea una interferencia en el flujo de electrones en los cables de su casa.

«La eliminación de la interferencia en este flujo vital, por medio de ajustes quiroprácticos, realizados de diferentes maneras (dependiendo de las técnicas quiroprácticas empleadas) es la médula de la filosofía de la quiropráctica. Algunas de las técnicas quiroprácticas usan una buena dosis de fuerza, en tanto que otras emplean un toque muy ligero.

«Algunas perspectivas hacen énfasis principal en el funcionamiento apropiado de las articulaciones de la columna vertebral y extremidades, principalmente por medio de consideraciones biomecánicas. Otros le dan más atención al concepto de patrones mecánicos adversos de tensión en la médula espinal, enfocándose en la neurodinámica de fluidos de nuestra médula espinal, que es flexible, se estira y dobla al movernos.[1,2,3,4] Estas técnicas le ayudan al cuerpo a crear y volverse más consciente de las estrategias internas para disipar dichos patrones.

Donde te duele no siempre es la causa de tu problema

—El concepto de salud del cual hemos estado hablando impacta nuestra habilidad de recuperarnos de los retos de salud, y también abarca el enfoque terapéutico. En la quiropráctica, los doctores con experiencia a menudo encuentran áreas de disfunciones silenciosas que quizás no se localicen en la parte del cuerpo donde el paciente siente la molestia. Cuando se encuentran y tratan esas áreas ocultas, a menudo se puede restaurar el funcionamiento y aliviar el dolor de otras áreas del cuerpo.

«He aquí un ejemplo: hemos visto que en varias ocasiones, la gente que padece dolor crónico de cuello y que lleva mucho tiempo tomando antiinflamatorios y otras terapias, a menudo tienen una movilidad restringida de las articulaciones y tejidos blandos, en las vértebras torácicas superiores. El problema puede empezar ahí, pero con el tiempo, su funcionamiento restringido desembocará en que las articulaciones y tejidos blandos del cuello trabajen más de lo normal. Eso ocasiona inflamación y dolor en el cuello como consecuencia, pero la raíz de muchos de los problemas de los cuellos puede ser más abajo en la columna vertebral.

«Como doctor de quiropráctica, yo le presto una atención especial al funcionamiento apropiado del sistema nervioso, ayudando a eliminar cualquier interferencia de los nervios que pudiera afectar la Inteligencia Innata del cuerpo, esta fuerza vital que fluye por todo el cuerpo.

«Hacerlo de esta manera ayuda a la habilidad del cerebro y del cuerpo para observarse a ellos mismos, comunicarse y auto-regularse, y así mantener una mejor salud.

—Bien, pero, ¿qué sucede con los cables que provienen de fuera de la casa? —interrogó Rosa—. Usted habló de una fuerza vital que atraviesa todo nuestro cuerpo, desde la caja de fusibles de la espina dorsal a través de los nervios, algo así como la corriente eléctrica que corre a través de los cables de mi casa; pero, ¿de dónde proviene esta fuerza?

—Es una pregunta de profundas dimensiones —comentó el doctor—. La filosofía de la quiropráctica a la cual me estoy refiriendo y que data de aproximadamente un siglo, habla de una Inteligencia Innata; es la expresión de lo que la gente pudiera llamar el Creador, la Fuente o el origen de toda vida. Como quiera que lo visualice, el postulado principal de esta filosofía es que esta fuerza le proporciona a nuestra existencia un diseño inteligente.

—¿Quiere decir que es como la fuerza vital del universo, o algo parecido? —preguntó Rosa.

—Esa es una buena manera de describirlo —le respondió el doctor—. Sostiene a todo lo que constituye la vida. La filosofía de la quiropráctica se basa en la creencia de que el cerebro absorbe, transforma y transmite esta fuerza vital universal en nuestro cerebro a través del sistema nervioso; a eso le llamamos Inteligencia Innata.

—Entonces, como quiropráctico, me gustaría saber lo que opina: ¿tienen la médula espinal y sus nervios una importancia mayor que simplemente sus funciones mecánicas y bioquímicas? —inquirió Rosa.

—Sí, así es —respondió el doctor rápidamente—. Aunque no podemos vivir sin el cerebro, la médula espinal o los nervios, sin el sistema nervioso, no es necesario creer en nada de esto para obtener resultados maravillosos de los cuidados quiroprácticos. Para muchos quiroprácticos, el sistema nervioso ocupa un lugar especial porque creemos que funciona como un conducto de la fuerza vital que fluye por todo nuestro cuerpo y nos ayuda a sanar.

—He oído muchas cosas acerca de otras artes curativas que funcionan con base en un concepto semejante —comentó Rosa—, según el cual existe una especie de fuerza vital que fluye por todo nuestro cuerpo. Yo no soy muy espiritual, pero he ido a algunas sesiones de meditación y yoga y a algunas ceremonias de religiones orientales; todo es bastante interesante, pero algo exótico para mí.

—Algunas de estas artes datan de miles de años —precisó el doctor—, y por exóticas que parezcan, todas tienen una serie puntos en común. Cada una ayuda a validar y reforzar este aspecto vital de la humanidad. Se trata de una antigua creencia común que trasciende cultura y tiempo; básicamente, afirma que somos más que nuestra biología.

«Por ejemplo, la quiropráctica y los antiguos sistemas de curación de la India creen en una fuerza vital. En Japón se conoce como *Ki*. En otros países se conoce con distintos nombres, tales como *Gi* en Corea, o *Mana* en Polinesia. Los sistemas de curación de los hindúes tienen lo que se conoce como *Chakras*, que es otra palabra para los vórtices giratorios de energía en todo el cuerpo.

«Lo que nosotros en la quiropráctica llamamos Inteligencia Innata, en las prácticas curativas y religiones de los hindúes se conoce como *Prana*, la energía de la vida. Según su filosofía, el Prana activa el cuerpo y la mente, y se manifiesta en el cuerpo como cinco elementos.

«Otro vínculo común es que aquellos *Chakras* a los que se refieren los sistemas hindúes de curación, esos vórtices giratorios de energía en nuestro cuerpo, se localizan en los mismos lugares en donde hay grandes conjuntos de células nerviosas, o ganglios, que son un foco de salud en la quiropráctica.

«Rosa, usted me compartió que había practicado algo de yoga. La práctica del yoga y sus conceptos espirituales fueron principalmente introducidos en Estados Unidos en 1930 por un autor y maestro bien conocido, al que comúnmente se le llamaba Yogananda. En un capítulo intitulado *Healing Mind and Soul* [Cómo sanar la mente y el alma], él escribió: 'Por medio del ayuno, el masaje, la osteopatía, los ajustes quiroprácticos de la columna vertebral, las posturas de yoga y así sucesivamente; podemos ayudarnos a eliminar o aliviar la congestión en los nervios o vértebras y permitir que la energía vital fluya libremente.[5]

«La energía vital a la que me he estado refiriendo en la filosofía de la quiropráctica tiene muchos elementos en común con otros enfoques vitalistas de curación alrededor del mundo, y a través de los siglos. Una razón de ello pudiera ser que en distintas épocas, en muchas culturas, ha habido una creencia casi universal de que somos un ser espiritual que expresa dinámicas físicas, emocionales, mentales y espirituales, conocidas como la condición humana.

«En este contexto, muchos consideran que el sistema nervioso es un puente físico funcional entre nuestra verdadera esencia y la manera en que nos expresamos física, emocional, mental y espiritualmente. Es como si cada una de estas expresiones, o dinámicas, representara un dedo, en tanto que el sistema nervioso representara la palma y el brazo al que se conecta y expresa esa parte central de nosotros: quiénes somos.

«Me gustaría compartir una observación que viene de mi experiencia de trabajar con muchos miles de pacientes a través de los años: cuando nuestro sistema nervioso, que está compuesto por el cerebro, la médula espinal y los nervios, está más saludable y en un estado de menor tensión, hacemos más que simplemente tratar mejor los desafíos fisiológicos de la vida. También parecemos ser más capaces de ser conscientes de las cosas sutiles que se presentan en nuestras vidas, y ser capaces de responder a ellos de maneras que nos ahorren desgaste en nuestro viaje por la vida.

«La quiropráctica se enfoca principalmente en la habilidad del cuerpo para recuperar y mantener la salud con la ayuda de un buen flujo a través de los nervios, junto con un funcionamiento estructural y un tono nervioso apropiado.

«Rosa, ¿alguna vez se ha tratado con acupuntura?

—¿Agujas? —se rio ella nerviosamente—. De ninguna manera, doctor. Las cosas filosas no son lo mío, menos cuando me pinchan a mí. «Ni un pequeño respingo», pensó en ello. No le gustaba tener los lóbulos de sus orejas perforados y no podía entender cómo las personas podían soportar tatuarse.

—La acupuntura es parte del antiguo sistema de curación en China —le explicó el doctor—. Se originó hace unos 250 años, y se basó en el principio de que todo cuerpo viviente posee una fuerza vital, *Chi*, que fluye por todo el cuerpo, usando meridianos para hacerlo.

«La colocación de agujas en unos 2.000 puntos de acupuntura presenta muchos efectos benéficos para nuestra salud. Al igual que la quiropráctica, uno de sus objetivos es ayudar a eliminar cualquier cosa que pudiera estar bloqueando el libre flujo de esta fuerza vital por todo el cuerpo.

«Por medio de la investigación, se ha demostrado que uno de los principales efectos clínicos de la acupuntura, como de la quiropráctica, es la modulación del funcionamiento del sistema nervioso.[6] Como usted ve, existen similitudes básicas entre los enfoques de curación orientales y occidentales, aunque a un nivel más superficial podría parecer que no se relacionan.

—Doctor, yo siento que efectivamente, el cuerpo tiene un flujo vital, energético; algo que rebasa la bioquímica convencional. Pero, ¿se puede demostrar? —preguntó Rosa. Se estaba hablando de un tema de mucho interés para ella. De vez en cuando ella hacia memoria grata de conversaciones de filosofía y del propósito de la vida con su abuelo. Su esposo, por el contrario, no estaba abierto a ese tipo de conversación, pensó ella con un poco de tristeza.

Las tres piernas de cada terapia

—Cada rama de las artes curativas tiene tres piernas: la filosofía, la ciencia y el arte[7] —aclaró el doctor—. Puede pensar que la primera pierna (la filosofía) consta de las creencias fundamentales que no pueden demostrarse; es como creer en el amor, en Dios o en el poder de la poesía.

«La segunda pierna (el aspecto científico) básicamente es la demostración científica de la verdad o falsedad;

mientras que la tercera pierna (el arte) es la habilidad, experiencia y técnicas que un doctor aplica.

Rosa confirmó con la cabeza. Reflexionó acerca de lo que habían estado hablando desde su primera sesión y empezaba a ver que en cuestiones de salud, había mucho más que síntomas y píldoras, ya fuera algún tipo de droga o hasta suplementos naturales.

—La filosofía de la quiropráctica tiene una historia interesante que se remonta a finales del siglo XIX —le dijo el doctor explayándose sobre el tema—. Los pioneros en ese campo creían que la Inteligencia Innata, esta fuerza vital que mencioné anteriormente, se expresaba por medio de la médula espinal en la forma de lo que ellos nombraron Impulsos Mentales.

«Personalmente, yo creo en esta filosofía quiropráctica; que existe un espíritu de vida que fluye por nuestro sistema nervioso y anima a nuestros cuerpos y a sus funciones.

«Recuerde que esta filosofía quiropráctica tiene unos cien años y que la filosofía, por su propia naturaleza, no puede demostrarse. Así que son solamente creencias, y cada quien tiene el derecho de tener su propia opinión.

Rosa se rió y dijo:

—¡José ha de pensar que tengo mucho derecho, pues tengo muchas opiniones!

—Eso sí —comentó el doctor Arrondo riéndose, para luego referirse a un tema que le resultaba de profundo interés:

—Recientemente se han realizado investigaciones muy interesantes en donde se demuestra el mérito de las creencias de los primeros quiroprácticos. La ciencia no siempre acoge con entusiasmo la teoría.

«La ciencia emergente está ahora dirigiéndose en la dirección de esta conexión. Los científicos han descubierto en la médula espinal algo que se denomina "mini-cerebro" y que ayuda a procesar la manera en la que mantenemos nuestra capacidad innata de equilibrio.[8]

«Otro estudio demostró que la médula ósea procesa la información como partes de nuestro cerebro.[9]

«Existe una estructura que se localiza en nuestro cerebro y que se llama el tálamo. Funciona como centro difusor y de procesamiento, así como de regulador de la consciencia, entre otras cosas.

«Los científicos están descubriendo niveles más complejos respecto a su carácter fundamental para el funcionamiento del cerebro. Emplearon instrumentos muy sensibles para descubrir que el tálamo emite pulsaciones que viajan a todas las células del cuerpo y ayudan a regular las ondas cerebrales.[10,11,12,13,14,15,16,17,18,19,20,21] Con estas investigaciones se está demostrando que esas ondas cerebrales afectan la manera en que funcionan las células cerebrales.

«Así que puede ver que la creencia quiropráctica de siglos, con respecto a que los impulsos mentales, se originan en el cerebro y viajan a todos los nervios del cuerpo. Ahora tiene un paralelo científico.

—Lo encuentro muy interesante —notó Rosa.

El doctor Arrondo asintió con la cabeza y prosiguió.

—La persona que fundó la quiropráctica dijo que se basaba en el tono de los tejidos, y ahora se está demostrando que los grupos de células cerebrales crean patrones de resonancia, de tonalidad, que ayudan a la comunicación con otras células cerebrales. Los investigadores están notando que los procesos bioquímicos por sí solos no dan cuenta de ciertos aspectos de la comunicación a larga distancia del cerebro.[22]

«Uno de los procesos implica que las células cerebrales vibren y hagan que otras células distantes vibren también.[23]

«Adivine cómo nombraron los neurofisiólogos a este fenómeno... ¡Olas mexicanas! Porque unas células empiezan la ola y otras se unen, como en los estadios de fútbol.

«El campo de la resonancia neuronal que está emergiendo considera esta y otras dinámicas. Obviamente, es necesario realizar una mayor investigación, pues la ciencia siempre está tratando de emparejarse con la realidad.

—¿Cuál es la relación entre mi espalda, o sea, mi columna vertebral, y problemas que uno pueda tener? —preguntó Rosa.

—Uno de los objetivos centrales de nuestras pláticas es poner de relieve las conexiones entre los sistemas y los tejidos de nuestro cuerpo que afectan a la función y el estado de su salud, de las piezas que aparentemente no están relacionadas. Echemos un vistazo a algunas de las importantes conexiones entre problemas de salud y de la columna vertebral de los que tenemos investigación. Exploraremos aquellos que van más allá del habitual dolor muscular o dolor de la médula.

«Usted se sorprenderá al saber lo que algunas investigaciones han mostrado con respecto a la conexión entre la función de la columna vertebral, que es una parte de su sistema nervioso, y las enfermedades que podría considerar que no están relacionadas.

«Se requiere de mucha más investigación para sacar a la luz nuevas conexiones. Sin embargo, aquí tiene un resumen parcial de algunas investigaciones relacionadas con la disfunción y enfermedades de la médula: En un estudio en 150 casos aleatorios de trastornos del desarrollo del corazón, según una investigación publicada en una revista osteopática, más del 90% de los pacientes tenían alguna aberración torácica espinal o paravertebral en estructura y función.

«Los nervios de esa zona de la columna vertebral van al corazón. Problemas cardíacos a menudo se presentaron meses o años después de la disfunción de la médula torácica.[24]

—¡No sabía que había conexiones tan estrechas entre nuestras columnas y otras enfermedades! —exclamó ella.

—Así es, y hay más. Usando el escaneo cerebral PET, la mejora de la función cerebral, la relajación y la reducción del dolor se observaron en los sujetos después de la manipulación quiropráctica del cuello, de acuerdo con un artículo publicado en un diario de la medicina alternativa.[25]

«Un artículo publicado en una revista médica de otorrinolaringólogos, reveló que un número clínicamente significativo de personas con trastornos auditivos, causados por la disfunción de la médula del cuello (conocido como pérdida de audición de origen cervical), mejoraron o revirtieron la pérdida auditiva después de la manipulación quiropráctica de la parte superior del cuello. La audiometría y las emisiones otoacústicas se utilizaron para medir el estado previo y después de los cambios de tratamiento quiropráctico.[26]

«Otro ensayo controlado al azar reveló mejoría en el comportamiento de llanto en niños con cólicos después de una terapia quiropráctica, de acuerdo con la *Journal of Manipulative and Physiological Therapeutics*.[27]

«Un estudio de 360 pacientes con problemas de enfermedad alérgica reveló que puede haber una fuerte correlación entre deformidades vértebras torácicas y las enfermedades alérgicas. Según la investigación, publicada en un diario de la cirugía ortopédica, el tratamiento de corrección vertebral mejoró condiciones de la piel en más de la mitad de los pacientes tratados.[28]

«Para aquellos que sufren de síndrome de intestino irritable, en un estudio de 210 pacientes con SII (síndrome de intestino irritable), la mitad de ellos recibió atención de manipulación espinal, y la otra mitad se les dio medicamento recetado. En un artículo publicado en una revista de medicina tradicional china, de los 120 que recibieron ajustes de la columna, 92 reportaron una excelente mejoría en sus síntomas, y nadie informó de malos resultados. De los otros 120 que se encontraban en una receta medicamento común para el SII, 30 obtuvieron excelentes resultados, y 22 tuvieron pobres resultados.

«Los investigadores concluyeron que la función de la columna vertebral espalda media y baja fue un factor contribuyente en el SII.[29]

«Como está viendo, Rosa, hay muchas conexiones entre la columna y tu salud. El dolor abdominal superior se conecta al dolor de espalda, de acuerdo con los gastroenterólogos que examinaron a pacientes con dolor abdominal superior. Los pacientes con dolor abdominal superior eran 4 veces más propensos a quejarse de dolor de espalda. De ellos, se encontraron anomalías de la médula en el examen físico el 75% de las veces.[30] De interés adicional, se encontró que la acidez también estaba significativamente relacionada con dolor de espalda.[31]

«Al destacar sólo algunos de estos estudios, se ve cómo una función del cuerpo, (en este caso la salud de la columna) que a primera vista no parece relacionado con una serie de condiciones o enfermedades, puede jugar un papel central en la enfermedad y en la curación.

«Es otro ejemplo de esta maravillosa red interconectada de la vida que se encuentra dentro de cada uno de nosotros.

Rosa reconoció dentro de sí misma que su escepticismo iba disminuyendo mientras que su interés iba en aumento. Y se dio cuenta de que tenía que ser paciente, nada fácil para ella.

De pronto, la condición de la salud de su esposo le brincó en la mente.

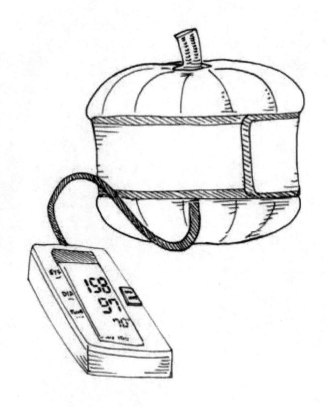

Calabazas y la presión sanguínea

—Rosa, ¿recuerda cuando le mencioné que nuestro sistema de salud refleja un modelo basado en la industria, que trata a nuestros cuerpos como si fueran máquinas? —empezó preguntándole el doctor Arrondo.

—Sí, desde luego —contestó ella—. Se refirió a que nuestros cuerpos son demasiado complejos, demasiado dinámicos para ser tratados como algo mecánico.

—Exactamente —afirmó él—. Nuestros enfoques clínicos necesitan abrazar la estructura entretejida, de respuesta inmediata, multicausal de nuestras sociedades y economías del siglo veintiuno.

—Piénselo —prosiguió—. El Internet se ha convertido en nuestro sistema nervioso global. Todo está conectado, a menudo los cambios son instantáneos y muchas cosas que suceden al otro lado del mundo ahora pueden marcar una diferencia en nuestra localidad.

«Si vemos el internet y otras herramientas modernas de comunicación desde esta perspectiva, obtenemos claves tecnológicas con respecto a cómo deberíamos ver el estado de nuestra salud. Este aspecto interconectado de internet refleja la manera en que la naturaleza funciona en realidad; de alguna manera todo está conectado y está vinculado entre sí, igual que en un jardín.

—Ya me puso a pensar, doctor —añadió Rosa—. Parece que va de la mano con lo que me ha estado diciendo, lo nuevo recibe información de lo viejo y lo viejo se reafirma con lo nuevo.

«Por ejemplo, cuando me hizo un ajuste quiropráctico, que dicho sea de paso me ha aliviado la jaqueca, hizo más que aliviarme el dolor, ¿verdad?

—Sí, ayudé a mejorar la fisiología, corrigiendo la estructura y funcionamiento de nuestros huesos y tejidos blandos, incluyendo los nervios —le explicó—. Si ayudamos a mejorar el funcionamiento y a eliminar la interferencia en la espina dorsal y nervios del cuerpo, normalmente vemos buenos cambios, independientemente del sistema de creencias del practicante o del paciente, y estos cambios pueden ser profundos. Esencialmente, entre más centrado sea el enfoque, más efectos podrá ejercer.

«Existen muchos otros maravillosos enfoques terapéuticos que ayudan a que nuestros cuerpos sanen; simplemente tenemos que encontrar el adecuado.

«Sin embargo, para muchos quiroprácticos la primera intención es ayudar a despejar el paso del flujo de esta fuerza vital en el cuerpo, de tal manera que haga lo que tenga que hacer, lo ayude a sanar.

—Bueno, como quiera que sea, después de empezar estos tratamientos, admito que estoy feliz de sentirme mejor —dijo Rosa, con alivio—. Por cierto, eso que dijo acerca de la enfermedad y el funcionamiento me recuerda las conferencias entre padres y maestros en la escuela de mi hijo. El maestro casi siempre me dice que 'Puede mejorar mucho más.' No es que esté reprobando —ella aclaró rápidamente—. Aprobará, pero sus calificaciones no son tan buenas en ninguna materia; yo sé que tiene la habilidad para mejorar, y se lo recuerdo a menudo.

—Así es como muchos de nosotros nos sentimos cuando vamos a ver al doctor y nos dice que los análisis resultaron normales. Hemos pasado la prueba, pero nuestros cuerpos no se sienten como un estudiante sobresaliente.

—Doctor, creo que se refiere a lo que decía acerca de la condición general de nuestra salud cuando nuestro semáforo está en amarillo: no tan mal como para estar en rojo, pero definitivamente no tenemos luz verde.

Luces amarillas: El gran fallo de nuestro sistema de salud

—Tal cual, Rosa —le respondió el doctor—. Como ya hemos dicho, simplemente porque no está uno enfermo en el sentido clásico del término, si no existe evidencia disponible de una enfermedad, no quiere decir que los sistemas corporales estén funcionando bien. Quizás se tengan problemas subclínicos, en otras palabras, dinámicas que los parámetros de las pruebas estándar no detectan. Y quizás existan conexiones sutiles entre los sistemas corporales disfuncionales que podrían tener un efecto acumulativo y terminen por causar un gran malestar durante periodos largos, lo cual posteriormente podría desembocar en una enfermedad.

«Aunque no aparezca nada en sus pruebas de laboratorio o estudios de imagen —añadió él—, lo sientes en tu cuerpo cuando la luz de su semáforo de la salud está en amarillo, ¿verdad?

—Desafortunadamente, así es —dijo Rosa hundiéndose un poco en su silla, mostrando su desánimo en la postura—. Es como un jardín que tiene muchas plantas amarillas —suspiró—. Aún no están muertas, pero algo no anda bien. ¡A menudo me he sentido como una hoja amarilla que se está marchitando!

Su atención se volcó hacia su marido.—Doctor—dijo—, ¿puede explicarme el uso de estos colores de los semáforos de la salud en relación con la presión sanguínea?

Hacía ya tiempo que Rosa se había estado preocupando por su esposo José, quien no había podido dejar su medicamento para la presión. De hecho, su doctor, el año pasado, le había aumentado la dosis de nuevo, y ella se preguntaba si no habría efectos secundarios desconocidos.

—Quisiera que José, en algún momento, dejara de tomar el medicamento para la presión alta, o al menos que empezaran a reducirle la dosis —dijo ella—. Le han dicho que debe cuidar su dieta y dejar la sal. No necesita hacer más ejercicio porque su trabajo implica mucha actividad física durante el día. Toma un medicamento que le ayuda a disminuir su presión sanguínea.

El doctor Arrondo le especificó:

—En general, los medicamentos se recetan para hacer que alguna de las funciones del cuerpo acelere o vaya más lenta.

«Por ejemplo, si los pacientes están demasiado deprimidos y carecen de energía, les recetan algo para ese conjunto de síntomas, y si los pacientes están demasiado angustiados, les recetan alguna otra cosa para obtener el efecto contrario.

«Es un poco como el acelerador y el freno del automóvil. La gran mayoría de los medicamentos funcionan para pisar el freno o darle al acelerador para producir un efecto deseado en el cuerpo.

—Sí, pero ¿eso qué tiene de malo? —Preguntó con curiosidad—. Después de todo, la gente necesita de los medicamentos también para sus problemas de salud.

—No tiene nada de malo —le respondió el doctor—. De hecho, deberían tomarlos según sea clínicamente apropiado. Sin embargo, lo que estamos analizando es la perspectiva más amplia. Queremos situar los asuntos de salud en un contexto más amplio, pues si lo hacemos así, tendremos una mejor oportunidad de curarnos. Estamos explorando el contexto en el que se emplea el medicamento. Una pregunta importante que debemos hacernos es pensar qué otras dinámicas en nuestros cuerpos están impidiendo que funcionen normalmente y podamos recuperar la salud.

«Yo creo que aquí es donde la metáfora del jardín se aplica muy bien, en donde todo el conjunto tiene que estar funcionando bien, ya sea su salud o una planta, para que florezca.

Ayuda natural para la presión alta

—Con respecto a la presión sanguínea de su marido, voy a compartir alguna información y después me dice qué piensa. Esto tiene particular importancia con respecto a la presión sanguínea alta, que es el primer riesgo de muerte relacionado con la salud en el mundo. De hecho, uno de cada tres adultos en Estados Unidos tiene la presión alta y también uno de cada tres padece de pre hipertensión.[1,2,3]

—¡Guau! —exclamó ella—. Eso significa que la mayoría de los adultos en Estados Unidos padece ya sea de hipertensión o de pre hipertensión, desafortunadamente, y mi esposo es uno de ellos.

—Hasta una presión ligeramente elevada puede acortar la esperanza de vida —prosiguió él—. La hipertensión es el factor de riesgo, prevenible, más importante de muerte prematura en todo el mundo.

—Doctor, noté que me iba a dar más información y a pedirme que considerara todo esto; bueno, ¡estoy lista para el reto!

Ahora estaba más entusiasmada; su propia salud la preocupaba hasta cierto punto, pero cuando se trataba de José, ella estaba dispuesta a hacer cualquier cosa.

—Maravilloso —respondió el doctor riéndose—. Empecemos por la detección y el control: ¿con qué frecuencia se revisa la presión su marido?

—Cuando va al doctor, más o menos cada seis meses. La última vez que lo visitó, su doctor le tomó la presión y le dijo que su presión sanguínea estaba alta, así que le aumentó la dosis —respondió ella, con la preocupación reflejada en su rostro.

—La presión sanguínea —empezó aclarando el doctor—, es una dinámica altamente variable en el cuerpo humano; cambia rápidamente. He visto que la presión de muchos de mis pacientes se eleva cuando están en mi clínica; se conoce como 'hipertensión de bata blanca'.

—Ya lo había oído —dijo Rosa—. Es cuando la presión sanguínea se eleva porque se está en un consultorio médico y uno se pone algo nervioso, como cuando me la tomó por primera vez.

—Así es —le contestó él—. Aunque se tomó la presión un minuto después, no sería indicativo del patrón correspondiente. Hay muchos factores que pueden afectar las lecturas de la presión sanguínea.

«La *American Heart Association* [*Asociación Americana del Corazón*] recomienda que las personas que padecen de presión alta se la monitoreen en casa para que los patrones de las lecturas puedan ser más fieles. Entonces el doctor del paciente podrá tener una información más precisa para determinar qué medicamento y en qué cantidad deberá recetar. En nuestra clínica les damos a los pacientes un buen carnet de control de la presión sanguínea para que ahí anoten las lecturas en distintos momentos del día, y le damos instrucciones en como tomárselas.

—¿Cuándo es el mejor momento para tomarse la presión, y con qué frecuencia? —Preguntó Rosa—. Cuando José tiene consulta con el doctor, entonces le toman la presión, pero las consultas son variables.

—Mediante investigaciones se ha demostrado que el control de la presión sanguínea en casa es más efectivo, para predecir el riesgo de un derrame cerebral, que la prueba que se realiza en la consulta médica —dijo el doctor—, y entre más veces durante el día se monitoree la presión, mejor es el valor predictivo. Al mismo tiempo, la mayoría de la gente trabaja durante el día, así que las lecturas en la mañana y noche serían más adecuadas.[4,5]

«De hecho, el mejor momento para controlar la presión es por la noche —añadió—. La presión sanguínea alta, conocida como hipertensión, es realmente un indicador, un marcador de la disfunción vascular, y no una enfermedad. Si un doctor estuviera muy preocupado de que la presión alta de un paciente fuera un factor de riesgo fuerte con respecto a una enfermedad cardiovascular, una de las mejores maneras de abordar eso probablemente sería utilizando un monitor ambulatorio de la presión sanguínea durante las 24 horas del día.[6] Se emplea en varios países de Europa más comúnmente que en Estados Unidos.

—¿De qué manera ayuda? —le preguntó Rosa.

—Con este método —le respondió—, los altibajos de la presión sanguínea, junto con un estudio de los patrones involucrados, pueden identificar mejor el riesgo de la presión sanguínea de un paciente en relación con una enfermedad cardiovascular.[7,8,9,10]

«Quizás José pudiera dejar el medicamento para la presión alta, o al menos bajar la dosis, luego de consultar con el doctor que está manejando su medicamento —le dijo el doctor—. Si el cuerpo empieza a sanar, él estará en condiciones de auto regular todas sus funciones, incluyendo la presión sanguínea.

—Bueno, mi esposo no nació con la presión alta, así que algo tuvo que haberle sucedido en el camino —dijo Rosa.

—Muy bien —empezó el doctor—, entonces apliquemos algunos de los principios que he mencionado (esta idea del panorama general) al problema de José con su presión alta.

«Primero demos unos pasos hacia atrás, como lo hacía su abuelo cuando había algo en el jardín que no iba bien. Digamos que si él veía que la parcela de las calabazas no estaba creciendo tan bien como debería, que los colores naranja vivo no iban mostrándose, entonces probablemente terminaría por examinar a las calabazas directamente. Pero antes de hacerlo, daría unos pasos hacia atrás y observaría si el resto del jardín le estaba sirviendo o no a la salud de las calabazas, ¿verdad?

—¡Sí! —Respondió Rosa—, pareciera que usted hubiera estado con nosotros —dijo ella riéndose—. Pero, ¿cuál es la conexión entre una calabaza y la presión alta de José? — Ella sonrió esperando que el doctor pudiera establecer una conexión que tuviera sentido, algo práctico que pudiera compartir con José cuando estuviera de regreso a casa.

El doctor Arrondo notó que Rosa había dejado de repanchigarse cuando él hablaba; en cambio ahora se inclinaba hacia adelante y escuchaba atentamente. Sentía un profundo aprecio por las pacientes como ella, que se comprometían y participaban activamente en sus procesos de curación, pero que además querían descubrir más acerca de cómo podían ayudar a sus familiares.

—¿Su esposo le presta atención cuando le habla sobre su hijo o la manera en que usted se siente?

—En verdad, doctor, desde hace algún tiempo no parece estar tan atento como antes cuando le platico acerca de mis problemas en el trabajo, de salud o de los problemas de nuestro hijo en la escuela. Sé que le importa, estoy segura, pero no es muy expresivo. —Ella se reclinó en su asiento y por un momento y se puso a pensar antes de proseguir.

—¿Me está diciendo que hay una conexión entre su presión alta y la manera en que ha reaccionado a nuestras necesidades emocionales?

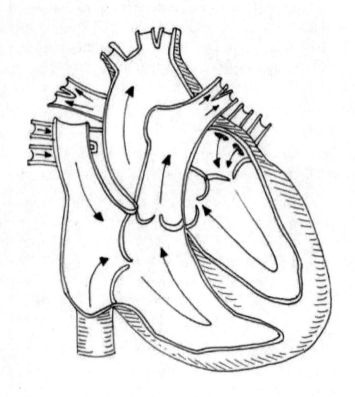

CAPÍTULO 9

¿Qué hago con la presión alta?

—Sí, la interconexión de nuestro jardín de la salud es más intrincada de lo que cualquiera podría imaginarse — dijo el doctor Arrondo—. Hablaremos más sobre estas conexiones después, pero primero veamos algunas de las cosas que la mayoría de las personas piensan que son la causa o que contribuyen a la presión sanguínea alta.

«En ocasiones, la presión alta llega gradualmente a través de los años, sin ninguna causa aparente, lo cual simplemente significa que la ciencia no ha podido determinar los mecanismos subyacentes. Esto se conoce como hipertensión esencial.

«Para muchos otros, el consumo excesivo de sodio puede elevar la presión. Por eso el doctor de José le aconsejó que redujera su consumo de sal y que se asegurara de alimentarse bien y hacer ejercicio. Sin embargo, la mitad de las personas con presión alta no experimentan un descenso en la presión sanguínea cuando reducen su consumo de sal.[1,2] Esto se conoce como presión sanguínea alta resistente a la sal. Y si estas personas reducen su consumo demasiado, si sus niveles de sodio disminuyen demasiado, pueden sufrir otras enfermedades.[3,4]

—Entonces, todo debe estar equilibrado, ¿cierto? —preguntó ella.

—Precisamente. El sodio proveniente de algunas otras fuentes que no sean la sal de mesa, como por ejemplo el bicarbonato de sodio, conocido como polvo para hornear, puede ayudar a reducir la presión alta y restaurar el funcionamiento de los riñones que han sufrido algún daño por la presión alta.[5,6,7,8,9,10,11,12,13,14]

«Es el cloruro que forma parte de la sal, y no el sodio, lo que parece constituir el problema.[15,16,17,18,19] La fruta y los vegetales también ayudan a alcalinizar el cuerpo y a bajar la presión alta.[20]

«Desde luego, existe una gran cantidad de estudios que apuntan hacia un aumento de la sal en la dieta como un factor que contribuye a la presión sanguínea alta y, para muchos, bajar su consumo de sal forma parte de un enfoque clínico adecuado. Desde un punto de vista más amplio, la sal, o sodio, no está aislada. Cada paciente se beneficia cuando está consciente del contexto en el que cada factor recibe la atención clínica apropiada y la manera particular en que le puede afectar.

«Los vegetales y frutas son, en general, buenas fuentes de potasio. La relación del sodio al potasio ha cambiado en la dieta de los estadounidenses. Hemos dejado de consumir más potasio en relación con nuestra ingesta de sodio. Quizás por este motivo las frutas y verduras pueden ayudar a disminuir una presión sanguínea elevada. Quienes padecen problemas de riñón, otras patologías o están tomando ciertos medicamentos deben chequear sus niveles de potasio regularmente, pues podrían ser excesivamente altos.

Múltiples factores ocasionan la presión alta

—Esta información que le estoy explicando es parte del tema principal que hemos estado analizando. Quisiera ofrecerle ejemplos que demuestran que la complejidad del cuerpo requiere de más que un sencillo tómese-esto-para-aquello o elimine-esto-o-aquello. Lo que estoy sugiriendo es que considerar el panorama clínico más amplio es importante para su salud y la de su familia.

—Entiendo —respondió Rosa—. La solución del asunto del sodio y la presión alta, como todo lo demás relacionado con nuestro cuerpo, requiere más que un enfoque de una sola prescripción o un solo suplemento natural por igual para todos, ¿verdad?

—Exactamente, y ahora veamos otros factores que pueden causar una presión sanguínea alta, incluyendo el estrés emocional, una de las causas de lo que se conoce como hipertensión neurogénica, lo cual quiere decir que la presión alta es causada por una disfunción en el cerebro y los nervios.

«Este tipo de hipertensión no responde bien a los diuréticos normales ni a las dietas restringidas en sal, porque el aumento en la presión sanguínea no se debe a un mayor volumen de sangre. Se debe a un aumento en la actividad receptora de las células, que constriñe los vasos sanguíneos y hace que el corazón trabaje más.[21]

«Aparte del estrés o de algunas enfermedades, la nicotina, cafeína y problemas tiroideos pueden causar este tipo de presión sanguínea alta, que también puede ser resultado del sobrepeso, lo cual hace que el corazón se esfuerce más. La falta de ejercicio también puede contribuir a la presión alta, pues el ejercicio ayuda a liberar un compuesto que posteriormente ayuda a que los músculos de las paredes de las arterias se relajen. En otros casos, el exceso de sal puede ser un problema.

«La presión sanguínea alta puede ser la consecuencia de múltiples causas. Recuerda aquellos síntomas de los que hablamos y que se asocian con la confusión, falta de capacidad para planificar bien, concentrarse, razonar, falta de motivación, etc.

—Sí, tenía algo que ver con la parte frontal del cerebro —dijo Rosa, tratando de acordarse.

—Así es, la parte frontal del cerebro, junto con otras partes de su cerebro, ayuda a regular la calidad de las señales que la parte trasera de su cerebro le envía al sistema digestivo. Si la parte frontal, conocida como corteza frontal, no está funcionando bien, la parte trasera del cerebro no enviará las señales apropiadas para que el sistema digestivo funcione adecuadamente.

—¿Me está diciendo que es lo mismo con la presión alta? —Rosa siempre pensaba en su marido cuando de presión alta se trataba; quería encontrar la manera de ayudarlo.

—Sí, esencialmente es el mismo mecanismo —le respondió el doctor Arrondo—. Si la parte frontal del cerebro no está funcionando bien, las señales nerviosas reenviadas por el cerebro pueden causar un aumento en la presión sanguínea; puede suceder algo similar. La producción de la hormona del estrés crónico, el cortisol, también aumenta la presión sanguínea.

«Se desconocen muchas de las causas de la presión alta; algunas pueden resultarles sorprendentes a muchas personas. En estudios de investigación recientes, se ha visto que la inflamación, el cerebro y los nervios desempeñan un papel más importante de lo que anteriormente se pensaba.[22,23,24]

«Hace unos años se llevó a cabo un estudio de investigación que fue publicado en el *Journal of Hypertension [Revista de hipertensión]* y en donde se demostraba que la mala alineación del primer hueso de su cuello se asocia con un aumento en la presión sanguínea. Los ajustes quiroprácticos en esa área disminuyeron la presión significativamente en pacientes que sufrían de presión alta, y después de ocho semanas, los resultados seguían mostrando lo mismo. El estudio abarcó a cincuenta pacientes, ninguno de los cuales sufría de dolor en cuello o espalda.[25]

«Entonces, supongamos que José ha seguido todas las recomendaciones del doctor, y años después todavía está tomando píldoras a diario para este padecimiento —continuó él—. Probablemente se le ha dicho que si deja de tomar las píldoras, entonces se pondrá peor.

—Así es. Y recientemente le aumentaron la dosis. Eso me angustió —dijo Rosa, evidenciando preocupación.

—Entiendo cómo se debe sentir —dijo él, tranquilizándola—. Creo que cualquiera se preocuparía.

«Así que exploremos otros factores que podrían afectar la presión sanguínea, a ver como José puede ayudarse, aparte del consumo de sal, la buena alimentación y ejercitarse. Si alguno de sus órganos, como sus glándulas suprarrenales, riñones e hígado, no están funcionando como deben, podrían también ser factores de riesgo para la presión alta de José.[26,27,28]

«Si los riñones no están produciendo la cantidad suficiente de alguna sustancia, su medicación podría aumentar su presión. En este caso, los doctores podrían considerar la realización de un análisis de sangre para checar sus niveles de rennina, lo cual podría ayudar a determinar el tipo de medicamento para la presión alta más adecuado para José.[29]

«Le harán una revisión para ver si otros medicamentos, que quizás esté tomando, podrían ser una influencia, así como alguna condición congénita de los vasos sanguíneos. Otros factores que pueden contribuir a la presión alta incluyen la diabetes, demasiado consumo de alcohol y fumar cigarrillos. Ya sabe, lo de siempre.

«La genética, depresión, angustia y hostilidad pueden también tener un efecto muy negativo sobre la presión. Lo mismo sucede con los analgésicos sin prescripción, incluyendo los antigripales.[30,31,32]

«Hablando de alcohol, se nos ha enseñado que beber poco o moderadamente es bueno para el corazón. Sin embargo, en otras investigaciones, unas recientes se ha demostrado que el alcohol podría no ser saludable ni para el corazón ni para el sistema cardiovascular.[33] Sin embargo, estoy seguro de que vienen más investigaciones y algo tendrán que decir. De seguro sabemos que el alcohol daña la integridad de la barrera cerebral sanguínea, un mecanismo protector para el cerebro.

—Caray, yo pensé que beber vino tinto era bueno — dijo Rosa. Todavía tenía algunas botellas en casa que le habían sobrado de la fiesta de la semana anterior, y se estaba bebiendo un vaso por la noche.

—Como puede apreciar, existe una serie de factores que podrían influir en la condición de su marido —le señaló el doctor Arrondo—. Y tenga en mente que casi siempre la ciencia no sabe por qué los individuos como José padecen de presión alta, simplemente es la parcela de calabazas malogradas de José, por decirlo así.

«Hablando en sentido metafórico, tendría sentido ayudarle a esta parcela de calabazas directamente. En otras palabras, que José se tome su medicina, pero que su doctor busque otros factores que podrían estar influyendo en su presión alta, con la meta en un futuro de que José no necesite más medicamentos si su cuerpo sana.

—¿Está sugiriendo que consideremos la presión alta de José como una consecuencia y empleemos un enfoque similar al del caso de un jardín? —preguntó Rosa.

Qué comer para bajar la presión alta

—Sí, de hecho hagamos eso y veamos adónde nos lleva. Detallamos que una buena tierra necesita de muchos componentes; podemos pensarlo en general como la nutrición de la tierra. Por medio de la investigación, se ha visto que hay ciertos alimentos que pueden ayudarle a muchas personas con la presión alta, así como alimentos que se asociarían con una buena salud, pero que en el caso de su esposo podrían causar un efecto negativo sobre su presión sanguínea.

—¿Cómo qué? —Preguntó Rosa—. Le dijeron que comiera más sanamente: más fruta y verdura, y que le bajara a los alimentos grasosos, junto con la sal.

—Algunas investigaciones indican que la gente que padece de presión alta podría beneficiarse de un aumento en su consumo de alimentos grasos ricos en omega-3 y de fuentes altamente asimilables de calcio, magnesio, vitamina D, betabeles y un aminoácido llamado arginina. Anteriormente, mencioné que comer más frutas y vegetales ayuda bastante.[34,35,36,37,38,39]

El doctor escribió una lista de alimentos que, en general, se clasificarían como efectivos para aumentar o disminuir la presión sanguínea alta. Luego le dijo a Rosa que José podría revisar la lista con su doctor.

—¡Gracias, doctor! —Dijo Rosa, mirando la lista antes de doblarla para ponerla en su bolso—. Entiendo lo que me quiere decir. Acerca de la tierra, por los libros de jardinería, yo sé que los diferentes tipos de cultivos crecen mejor en diferentes tipos de tierra; algunos necesitan tierra más ácida, otros más alcalina; y el contenido óptimo de minerales puede variar.

—¡Veo que ha aprendido mucho de su experiencia con la jardinería, Rosa! Un buen jardinero toma todo esto en consideración para tratar la parte del jardín que no está saludable, especialmente si hay algún problema crónico que no ha sanado con un tratamiento directo.

«Tengo una pregunta, para que la tenga en cuenta y la considere —continuó el doctor— y luego, al final de su siguiente sesión hablaremos acerca de eso. En relación con lo que hemos hablado y de lo que ahora ha usted aprendido acerca de la condición de su esposo, ¿cuáles serían enfoques sencillos, pero efectivos, para ayudarle a disminuir su presión sanguínea?

—Me encanta la idea —dijo Rosa riéndose—. ¡Jugaré a ser el doctor para variar un poco!

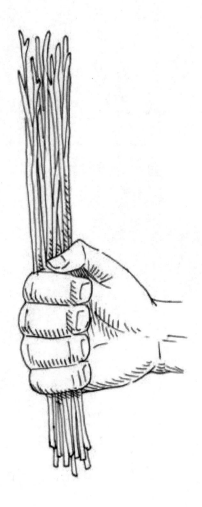

Varitas inquebrantables

—Bueno —reflexionó Rosa—, he estado pensando en lo que me preguntó la última vez que estuve aquí. Según lo que explicó, parece que yo haría lo que mi abuelo hacía con su jardín.

«Primero vería el problema de cerca y luego me alejaría para ver que todo alrededor esté en armonía para resolver el problema. También vería si no hay barreras que estuviesen evitando que esta parte del jardín sanara por sí misma. Una vez identificadas, abordaría esas áreas problemáticas específicas.

—¡Ahora usted se parece a mí, Rosa! —Exclamó el doctor Arrondo—. Desempeña bien el papel de doctora. Por favor, prosiga —la alentó.

—¡Pues voy con bata blanca! El doctor de José ha estado manejando el asunto de la presión sanguínea por medio de medicamentos, así que yo me preguntaría qué otros aspectos del jardín de la salud de José podrían apoyar su proceso de curación.

«Yo sé que está bajo mucha presión en el trabajo, debido a los recortes de personal, y realmente está sintiendo el estrés. Él es amable por naturaleza, pero últimamente ha estado llegando a casa algo enojado o simplemente no nos presta mucha atención. A menudo toma analgésicos, que se pueden comprar sin receta, para aliviar los dolores de cuerpo que el trabajo le ocasiona. Casi todos los días se toma una cerveza, a veces dos, pero no siempre.

«Así que una de las maneras en que mi esposo podría ayudarse, y yo le podría ayudar un poco también, sería ver qué podemos hacer para disminuir el estrés emocional causado por su trabajo.

El doctor se reclinó en su silla, escuchando.

«Yo sé que no puede cambiar sus condiciones de trabajo —explicó Rosa—, y que el mercado laboral no está para buscar otro empleo, pero quizás lo ayudaría que dialogáramos más acerca de sus problemas, haciéndole saber cuánto me importa, sin criticarlo, cosa que tiendo a hacer.

«Mencionó que las emociones pueden causar un aumento en la presión sanguínea. Yo podría sugerirle a José que fuéramos a cursos de relajación o de control del estrés, o podríamos hacer meditación, oración, tomar alguna terapia o hacer ejercicios de relajación que me comentó le ayudarían a manejar sus niveles de estrés.[1]

«Eso está muy bien, Rosa. ¿También sabe algo acerca del cortisol? Es una hormona que se asocia con el estrés crónico. Constriñe las arterias y hace que la presión aumente. Además puede ocasionar úlceras estomacales y cambios en los niveles de testosterona[2] —El doctor continuó.

—El estrés disminuye la tasa de natalidad de neuronas nuevas en una parte importante del cerebro que está asociada con la memoria y el aprendizaje: el hipocampo. De otra parte, el ejercicio aumenta la tasa, aún en adultos mayores.[3]

—¿Cree que José tenga un nivel alto de cortisol?

—Es posible; lo mejor es decirle a José que le pregunte a su doctor. Le podrían hacer unos estudios para determinar si sus niveles de cortisol son elevados y si están contribuyendo a que persista su presión sanguínea alta.

—Añadiré eso a mi lista de cosas para hablar con él, sé que me lo agradecerá. También he pensado en un masaje, de vez en cuando, y prepararle un baño de tina con agua caliente y sales de Epson, de magnesio, para cuando llegue del trabajo; quizás le ayude a aliviar sus dolores de cuerpo y a disminuir la cantidad de analgésicos que se toma; sé que tienen efectos secundarios.

Rosa estaba sentada más erguida que antes y su voz era más enérgica. El doctor Arrondo había observado, una y otra vez, que cuando las personas ayudaban a los demás, a pesar de lo mal que se sintieran, encontraban más energía, una chispa que venía de muy adentro.

—Veamos, yo podría ayudar en la cocina también, desde luego. Según lo que hablamos, eliminaría o disminuiría el consumo de alimentos dañinos por su condición, en tanto que aumentaría la cantidad de los alimentos favorables; también añadiría unos buenos suplementos, como el magnesio del que me platicó, para usarlo durante periodos cortos.

Rosa se detuvo a pensar por un instante. —También precisó que las bacterias benéficas, de algunos alimentos fermentados, podrían ayudar a combatir la presión sanguínea alta, así que los podría incluir en su dieta; no le disgusta la sopa de miso.

Beneficios del magnesio

—Sí, es cierto; las bacterias benéficas en alimentos fermentados, como la sopa de miso, junto con el magnesio, pueden ayudar a bajar la presión alta —añadió el doctor—. Como he mencionado el magnesio, veamos su importancia para la presión sanguínea alta y también para otras cuestiones de la salud.

«El consumo de este importante mineral, entre la población total de Estados Unidos, es menos de la mitad de la cantidad requerida. Las deficiencias de magnesio se han asociado no solo con la hipertensión, sino también con diabetes tipo 2, osteoporosis, enfermedades vasculares, migrañas y asma, entre otras.[4]

«En un estudio realizado con animales, se observó que después de un traumatismo cerebral, los niveles de magnesio, dentro de las células y la sangre, disminuyen durante varios días; entre mayor sea la disminución, peor será el pronóstico. La lesión axonal cerebral traumática en animales produjo una baja sostenida en la concentración de magnesio intracelular libre.[5,6]

«Existe otro problema asociado con los niveles de ingesta de magnesio que apunta a la necesidad de considerar que el cuerpo funciona interactivamente, como una obra de la naturaleza y no de forma aislada.

«La gente ha estado tomando más suplementos de calcio que antes; sin embargo, la mayoría no es consciente de que el cuerpo funciona mejor con una tasa equilibrada entre magnesio y calcio. Se ha asociado el consumo elevado de calcio a magnesio, en Estados Unidos en los últimos 30 años, con un incremento en los casos de diabetes tipo dos.

«Más aún, a nivel celular, un déficit de magnesio, puede crear una cascada inflamatoria hasta en ausencia de traumatismos o patógenos.[7,8] Por otra parte, añadir magnesio puede bajar los niveles de los mediadores inflamatorios, como el factor de necrosis tumoral α y el factor nuclear.[9]

«Ya hemos hablado de las limitaciones de las pruebas de sangre: los niveles de magnesio en la sangre podrían ser normales, pero menos del 2% de sus reservas de magnesio se encuentran en espacios extracelulares, como por ejemplo en la sangre; en los huesos, y dentro de las células se encuentra el 98%.

«Quizás las pruebas de sangre muestren niveles de magnesio normales en la sangre, pero los niveles en las células pueden no ser suficientes para que las mismas funcionen normalmente.[10,11] Esta misma limitación se presenta en otras pruebas de sangre con respecto a otros minerales y vitaminas. Se ha descubierto que, a muchas personas que sufren de migrañas, les resulta efectivo el magnesio para contrarrestarlas.[12]

—Doctor, ya veo que también necesito poner atención en los minerales importantes como el magnesio. Y como entiendo que la bebida le puede afectar la presión, le puedo hablar con tranquilidad al respecto, desde un punto de vista más comprensivo, ¡lo cual no siempre me resulta fácil!

«Me doy cuenta de que todos tenemos que cumplir con nuestra parte; estoy empezando a ver que la familia de una persona con una enfermedad o condición ¡también es una extensión de su jardín de la salud!

«También se me está ocurriendo, continuó ella, que igual que en un jardín, quizás no sea una sola cosa la que cause el problema. Probablemente, si trabajo al mismo tiempo en varias cosas diferentes, podré ayudarle mejor a José.

Ella hizo una pausa mientras recordaba una imagen de su niñez.

—Sabe, doctor, cuando éramos niñas, mi hermana y yo jugábamos bajo un roble. Solíamos recolectar varitas que pudiéramos partir fácilmente, una por una, con las manos; pero cuando ya teníamos suficientes, las poníamos todas juntas y ya no las podíamos seguir rompiendo.

«Me pregunto si ocurre lo mismo en este caso. Podemos hacer cosas para ayudarle a nuestra salud, pero si las hacemos aisladamente, no habrá ningún cambio; si las hacemos en conjunto, como cuando poníamos todas las varitas juntas, podemos crear una diferencia tan fuerte que podemos realmente cambiar el estado de nuestra salud.

—Felicidades, Rosa; ni yo mismo hubiera podido expresarlo mejor —le dijo sonriendo—. Cuando se trata de nuestro jardín de la salud, uno más uno es igual a más que dos. Tiene razón, se crea una sinergia; especialmente cuando se trabaja con un sistema abierto, uno que interactúe tan dinámicamente con su medio ambiente, como lo hace el cuerpo humano.

«En términos globales, ese enfoque tiene un mayor efecto sobre nuestra salud que uno basado simplemente en un síntoma, aun cuando se empleen suplementos naturales en vez de medicamentos.

«De hecho —prosiguió—, si seguimos cinco pautas de salud al mismo tiempo, podemos reducir nuestro riesgo de padecer una presión sanguínea alta como por dos tercios, lo cual es impresionante: algo así como las varitas que juntaban para jugar.

—¿Cuáles son esas cinco pautas? Espere, déjame adivinar. Partiendo de lo que hablamos, podrían incluirse reducir el consumo de alcohol, no fumar, vigilar el peso, comer vegetales y hacer ejercicio, lo cual sé que también puede ser de mucha ayuda en el manejo de las emociones y el estrés.

—Le atinó —dijo el doctor—. Hay algo muy sencillo que José podría considerar hacer y que ha tenido un maravilloso efecto en los pacientes con presión sanguínea alta.

«Tiene que ver con lo que le he venido diciendo acerca de cómo aprender de nuestro pasado; de hecho, se ha empleado por miles de años alrededor del mundo para proporcionar una mejor salud, en el sentido más amplio de la palabra: tanto espiritual como físicamente.

—¿Qué podría ser? —Ella estaba intrigada, a su marido le bastaría algo sencillo pero maravilloso.

—Una de las bajas más grandes en la presión sanguínea que jamás se haya registrado se dio en un grupo de 174 personas sometidas a una prueba clínica. Y se realizó sin medicinas, hierbas e incluso sin alimento.

—¿Qué usaron? —preguntó ella con algo de asombro.

—Agua.

Rosa inclinó su cabeza para un lado. —¿Agua? ¿Qué me quiere decir con eso?

Él confirmó con la cabeza.

Dieta de agua para la presión alta

—En una prueba clínica de ayuno supervisado, hubo una disminución promedio de 60 puntos sistólicos, en la lectura de la presión sanguínea de personas con una presión muy alta —le explicó el doctor—. Para cuando concluyó el estudio, ninguna de esas personas estaba ya tomando medicamento para la presión, incluyendo personas que empezaron la terapia con una presión sanguínea sistólica promedio mayor a ciento setenta.[13,14]

«Esto es con el fin de demostrar que existen enfoques diferentes que pueden ser efectivos para combatir la presión sanguínea alta, y no solo tomando pastillas de por vida, que muchos así lo hacen.

—¡Eso es impresionante! —Dijo Rosa—. ¿Cuánto tiempo tuvieron que ayunar para experimentar un cambio tan grande y dejar el medicamento para la presión?

—El promedio fue de alrededor de once días de ayuno supervisado, tomando solo agua. El cuerpo puede cambiar así de rápido si se le da la oportunidad. Antes de intentarlo, se debe consultar al doctor para ver si se es un buen candidato.

«Una de las razones por las que es tan importante que José controle su presión sanguínea alta es porque puede desembocar en una enfermedad cardiovascular, incluyendo derrames y aneurismas. Recuerda que, en Estados Unidos, dos de cada tres adultos padecen de hipertensión y pre hipertensión.[15] La mayoría de las personas que sufren su primer derrame o infarto padece de presión sanguínea alta.[16]

La importancia de tu ritmo cardíaco

—Sin embargo —añadió—, yo quería hablarle acerca de otra dinámica relacionada con el sistema cardiovascular, y a la que pocos le dan importancia, incluso habiéndose demostrado que se trata de un importante indicador de muerte, independientemente de la causa.

—¿Cuál es? —preguntó Rosa, preocupada, pensando en su esposo.

—Forma parte del enfoque del panorama amplio —añadió el doctor—, se trata de considerar todo lo que pudiera estar relacionado con la curación de una condición; es decir, mantener los ojos abiertos.

—Tiene que ver con la rapidez con que late su corazón, lo cual se conoce como ritmo cardíaco o pulso. Por medio de una vasta investigación, se ha demostrado que los hombres que padecen de un ritmo cardíaco superior a los sesenta latidos por minuto tienen una mortalidad más alta. Entre mayor sea el ritmo cardíaco, mayor será la mortalidad. Lo mismo se aplica a las mujeres, excepto que sus ritmos cardíacos son típicamente unos latidos más por minuto que en los hombres, así que en ese caso se ajusta la cifra base.[17,18,19,20]

—¿Se debe a que no hacen ejercicio o tienen sobrepeso o padecen de enfermedades cardiacas o presión sanguínea alta? —preguntó Rosa.

—No, la evidencia muestra que independientemente de que haga ejercicio o no, tenga sobrepeso o esté en su peso normal, independientemente de que padezca una enfermedad cardiovascular o no, o cualquier otra enfermedad, el ritmo cardíaco acelerado es un factor de riesgo de por sí. No se trata nada más de algo que esté asociado, sino que es un factor causal.[21,22,23,24]

«Por ende, se debe atender no solo la presión sanguínea alta, sino también el ritmo cardíaco, en otras palabra, cuantas veces late su corazón cada minuto —añadió él—. Cuando les damos a los pacientes un diario para que anoten su presión sanguínea, también les pedimos que anoten su ritmo cardíaco.

«Muchas especies de la naturaleza también presentan este fenómeno de ritmos cardíacos acelerados y menor tiempo de vida. Es otro ejemplo de que nuestros cuerpos funcionan como un reflejo de la naturaleza. Entre más observemos a la naturaleza, más podremos aprender acerca de nuestra salud —añadió.[25,26,27]

—Doctor, eso me recuerda lo que enfatizó acerca de los peligros de concentrarse solo en un diagnóstico a la vez. El cuerpo es más complejo y, como usted detalló, tenemos que considerar todos los factores que podrían ayudarnos a mejorar nuestra salud. —Se veía preocupada, pensando en el ritmo cardíaco de su esposo. Pensó que le mencionaría esto al doctor de José en su próxima cita.

Por un instante, su mente viajó hasta encontrarse con su hermana, jugando con las varitas bajo el roble en las calurosas tardes de verano.

—En cierta manera, yo estaría añadiendo aún más varitas de salud. Cuantas más podamos ayudar, más se fortalecerá el estado de salud de la persona; es como añadir varitas: juntas son más difíciles de quebrar.

—Rosa, ya lo está comprendiendo —dijo el doctor Arrondo sonriendo cálidamente.

—Gracias, creo que estoy empezando a ver el panorama más amplio. Sabe, ya veo que la salud puede ser como un jardín. ¡Si uno logra que todo lo demás funcione bien en el jardín, entonces cualquier cosa que crezca ahí tiene mayores probabilidades de desarrollarse sanamente!

—Sí, y eso incluye que los medicamentos, si han de tomarse, surtan un mejor efecto, pues el cuerpo está más que listo para manejar el equivalente de semillas naturales o químicas y nutrir sus efectos. El cuerpo también descompondría más eficientemente lo que ya no se necesita, como los metabolitos, que son el producto de transformaciones químicas en el cuerpo, por ejemplo, residuos de medicinas en nuestro sistema.

«Anteriormente me preguntó por qué José no reaccionaba demasiado a mis sentimientos y a los de mi hijo. Pensé que solo se trataba de presiones del trabajo; ¿cómo se relaciona esto con su presión sanguínea alta?

«Rosa, las investigaciones demuestra que las personas que padecen de presión alta pueden tener una mayor dificultad para captar las emociones reflejadas en los rostros de las personas que las rodean, incluso de sus seres queridos. Es muy probable que malinterpreten o no se den cuenta de lo que otras personas están tratando de comunicarles. [28,29,30]

—¿Así que el jardín de la salud incluye a la mente y las emociones, no solo los procesos físicos? —lo interrogó Rosa, sondeando las profundidades de este paradigma del jardín.

—Sin duda, y también incluye otros aspectos; los exploraremos en nuestra próxima sesión. Pero están relacionados y pueden afectarse entre sí de maneras sutiles y complejas.

—Entonces, si estoy entendiendo bien, ¿me está diciendo que debido a su presión alta, José probablemente no está captando las señales de aflicción de nuestro hijo?

—Así es —le aclaró él—. Sin embargo, pueden existir otros factores. Recuerde, todo está conectado de una manera u otra.

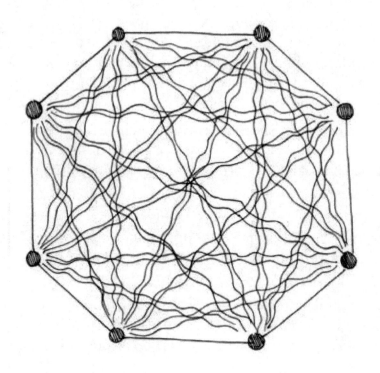

CAPÍTULO 11

Todo está conectado, todo importa

—Eso me entristece —suspiró Rosa—, pues cuando José no atiende nuestras necesidades adecuadamente, yo me veo obligada a resolver todo por mí misma. Mi energía ha bajado, lo cual no ayuda, aunque está empezando a mejorar.

Después de un breve silencio, ella añadió.

—Mi hijo necesita un padre que esté pendiente de él, en todos los sentidos.

—Tiene razón —le dijo el doctor Arrondo—. Está claro que representa mayor presión para usted, estoy seguro de que la está sintiendo, ¿quién no?

«La buena noticia —prosiguió—, es que haciendo todo lo posible, ayudándole al cuerpo a regular su propia habilidad natural de curarse, José tiene una mayor probabilidad de contar con un cuerpo que funcione como debe funcionar. Cuando así es, los niveles de su presión sanguínea tienen más posibilidades de normalizarse. Eso puede ayudarle a estar más atento a las necesidades emocionales de su familia.

—Doctor, sé que hemos estado hablando del jardín de la salud como una metáfora respecto al cuerpo humano, pero cuando dos jardines se tocan, pueden ayudarse a sanar o no. Esta es una de las razones por las que quiero mejorar mi salud, porque sé que si tengo una mejor salud y más energía, podré compartir el regalo de esa energía y salud con mi familia.

—Se trata de una magnífica razón para desear que la salud de uno mejore, Rosa —dijo el doctor con una gran sonrisa.

«Hablemos un poco más acerca de la conexión mente-cuerpo —prosiguió—. El campo de la medicina biopsicosocial es relativamente nuevo. No hace mucho unos investigadores descubrieron que los neurotransmisores y los mensajeros químicos asociados con las emociones se encuentran no solo en el cerebro, sino en todo el cuerpo.[1] Sin embargo, los principios de una conexión mente-cuerpo, de un todo unificado se remontan a la antigüedad, y esos principios comprenden el funcionamiento de la naturaleza.

Rosa reflexionó por un momento. Sabía que José tenía algunos problemas propios que le preocupaban, pero igual que el marido de su hermana, no se cuidaba. A menos que estuviera sangrando o sufriera mucho dolor, siempre decía que se sentía bien. La mayoría de los hombres que ella conocía eran así.

—Bien pues, la sociedad ha dado un nuevo giro en las últimas décadas —él continuó—. En el último siglo, la práctica médica se ha guiado, en gran medida, por la mecánica; su enfoque ha sido microscópico y su inspiración molecular.

«Pero si lo piensas, nuestra cultura, la manera en que interactuamos con los demás, está dejando atrás a ese paradigma mecanicista. Hoy en día, se trata de conexiones de largo alcance, inmediaciones, comunicación, complejidad y la creciente consciencia de que lo distante afecta lo local.

«No es una coincidencia que la naturaleza y nuestros cuerpos funcionen de esta manera —le explicó—. Nuestros avances en tecnología y comunicación también constituyen una reafirmación y reconexión con las dinámicas de la naturaleza y la salud.

«Si nuestros enfoques clínicos empiezan a emparejarse con la manera en que nuestra sociedad funciona actualmente, estaríamos dando unos pasos enormes en cuanto a la comprensión del funcionamiento de nuestros cuerpos y de cómo ayudarlos a curarse.

—Cuánta verdad; hace treinta años no teníamos computadoras en nuestros hogares ni teléfonos celulares y ahora pareciera que no podemos vivir sin esos aparatos. Pero, ¿qué tiene que ver esto con mi salud y con los jardines? —preguntó Rosa.

Cambias tu punto de vista y cambia tu salud y tu vida

—Buena pregunta —comentó él—. Anteriormente hablamos de ver las cosas de manera diferente, desde el punto de vista más elevado posible con el objeto de obtener nuevas comprensiones y conexiones.

«En un sentido estamos empezando, a la fuerza, en realidad, a ir más allá de los antibióticos como una cura virtual general. Al entrar en la era post-antibiótica del cuidado de la salud, los cuidados médicos se han visto presionados para ver más de cerca la manera en que nuestros sistemas corporales se relacionan unos con otros, con el medio ambiente y con nuestra alimentación.

—Pareciera que se trata de una vuelta a los conceptos del pasado —replicó ella, inmersa en sus pensamientos—. Yo he pasado por algunos de esos cambios, pero ¿qué tiene que ver esto con, digamos, mi peso?

—No se preocupe, hay cosas prácticas que podemos hacer —la tranquilizó el doctor Arrondo.

—Simplemente quería darle primero una perspectiva más amplia, pues le puede ayudar en sus decisiones con respecto a usted y a su familia en los próximos años, con o sin el consejo de un profesional de la salud.

«Un panorama amplio o un enfoque orientado por una visión —continuó—, le dará los más altos dividendos en salud. Es una guía para tomar decisiones mejores con respecto a su salud.

—Estoy de acuerdo en eso —dijo Rosa—. Pienso que puedo ver lo útil que resulta, aunque no veo la perspectiva más amplia, pero ya me voy acercando.

—Eso es excelente, Rosa. Me impresiona lo mucho que ha logrado en tan poco tiempo. Pero recapitulemos sobre algunos de los principales puntos a los que nos hemos referido hasta ahora, antes de avanzar más, pues en el tiempo que llevamos hemos cubierto mucho terreno.

—Muy bien —respondió Rosa pensando en su primera cita—, recuerdo que empezó hablando del aumento en el uso de medicamentos por prescripción médica para jóvenes y adultos.

—Bien. Luego empleamos un jardín como ejemplo de cómo funciona el cuerpo, y hablamos acerca de los síntomas a consecuencia de un cuerpo que está encontrándose con barreras para curarse —dijo él.

—Me acuerdo —añadió Rosa—. También habló acerca de la conexión entre la digestión y la depresión.

—Y hablamos acerca de que hemos tratado a nuestra salud como si fuéramos máquinas, reflejando el paradigma de la Revolución Industrial. Al hacerlo, nos hemos alejado de un enfoque de la salud más natural y que abarque la totalidad —precisó el doctor.

—Recuerde que también cubrimos los doce sistemas del cuerpo y el concepto de que el estatus de su salud es como un semáforo: ya sea en verde, amarillo o rojo.

—Y yo le dije que mi semáforo ha estado en amarillo ¡Caray! Un brillante amarillo canario durante mucho tiempo —Rosa se rió entre dientes— ¡Caramba, cómo quisiera cambiar eso!

—Tiene una muy buena oportunidad para hacerlo —le señaló el doctor Arrondo—. Ya ha visto algunos cambios. Comprender el panorama de la salud y aplicarlo con paciencia y disciplina, le permitirán estar en esa luz verde de la salud.

«Luego exploramos la quiropráctica, otras filosofías vitalistas y lo que tenían en común: el hombre más allá de la biología. Yo iba a referirme al efecto de la glándula tiroidea sobre la digestión, cuando me pidió que abordara los problemas de su marido con su presión sanguínea crónicamente alta.

El doctor continuó: —Ya abordaré ese tema, pero a fin de poner su salud en contexto, creo que es importante revisar primero algunos de estos temas más amplios.

—¿Por dónde empezamos? —preguntó Rosa.

—Esa es la respuesta —respondió el doctor con aire de misterio—, haciendo una pregunta.

Rosa arqueó una ceja.

—A lo que me refiero, Rosa, es que cuando empezamos a explorar un enfoque orientado a una visión, en este caso el gran panorama clínico del que he hablado, me parece muy interesante concluir que el reto más grande, en general, consiste en formular el tipo correcto de preguntas.

«La próxima vez que hablemos, me gustaría contarle una historia que escuché cuando estaba en la escuela. Se la oí al doctor implicado en la historia.

Rosa se sonrió. Ya empezaba a cogerle el hilo a estas inusuales conversaciones y se daba cuenta de que las anhelaba cada vez más.

—Claro que sí —respondió—, y déjeme adivinar: ¡Tiene que ver con hacer preguntas!

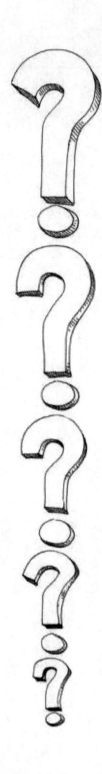

CAPÍTULO 12

Empieza con una pregunta

Al terminar su siguiente sesión, Rosa le preguntó al doctor Arrondo acerca de la historia que le había prometido.

—Me iba a contar una historia que tiene que ver con hacer preguntas, ¿Lo recuerda?

—De hecho, así es. Durante un corto período, estudié con un doctor que había viajado a un pueblo remoto de la India para trabajar con otro doctor. Este doctor era famoso por sus conocimientos de una antigua disciplina de diagnóstico y curación: la lectura del pulso.

«Cuando este joven doctor llegó a ese pueblo remoto, después de su largo viaje, se le instruyó que debía levantarse temprano en la mañana y caminar por un pequeño y sinuoso sendero en el bosque. Ahí, en un pequeño conjunto de chozas, conocería a su nuevo maestro.

«A la mañana siguiente se levantó, se le ofreció el desayuno, que consistía en *paratha* (un tipo de pan aplanado sin levadura, relleno de vegetales, y té). Él estaba muy ansioso por comenzar, y rápidamente acudió a la humilde morada de su maestro, listo para iniciar sus lecciones.

«En cuanto llegó, su nuevo mentor lo recibió amablemente, le ofreció té y un asiento. Después de una conversación gentil, el doctor le preguntó al viajero si tenía alguna pregunta. Con una sonrisa luminosa, el joven le respondió que no había pensado en ninguna, declarando simplemente que estaba ahí para aprender a los pies de su docto maestro.

«Atribulado, el sabio mentor le sonrió al joven doctor, quien había viajado miles de kilómetros para visitarlo, y amablemente le pidió que se fuera y que no regresara a menos que hubiera pensado en algunas preguntas.

«El joven doctor, decepcionado y confundido, se puso de pie y lentamente se fue por el largo y polvoriento camino de regreso al pueblo, con mucho en qué pensar. Reflexionó acerca de la sabiduría que encerraba este enfoque, y regresó temprano a la mañana siguiente, con sus preguntas listas. Durante su entrenamiento con este maestro, se le instruía solo después de haber formulado una pregunta.

—Así que la moraleja de esta historia es... ¿qué? —preguntó Rosa algo frustrada—. No entiendo. Esta persona viaja hasta la India sólo para que le digan que tiene que hacer una pregunta antes de que se le enseñe nada, ¿por qué?

—Podría decir que formular el tipo correcto de preguntas puede ser más importante que la respuesta misma —explicó el doctor Arrondo—. Si no se está preparado para hacer la pregunta, la respuesta tendrá una menor utilidad o quizás ninguna. El maestro lo sabía y quería asegurarse de que le enseñaría a su alumno lo que estaba listo para entender y aprender.

—¿Así que por eso ha estado compartiendo conmigo todas estas cosas? —Le interrogó Rosa—. ¿Para que yo pueda entender más los fundamentos implícitos, formular preguntas mejores y dar mejores pasos para ayudarme a mí misma?

Definición de la palabra doctor

—Le responderé con una pregunta: ¿Sabe cuál es la definición en latín de la palabra 'doctor'?

—¿Sanador?

—Significa 'enseñante.' Esa es la raíz latina de la palabra. Irónicamente, el conocimiento que proviene del hecho de enseñar, a menudo, es la ayuda más grande para la curación, más que los medicamentos o los procedimientos quirúrgicos.

—Sí, ya veo; creo que he estado buscando cosas que me ayuden a sentirme mejor, pero sin poner atención suficiente en los fundamentos de la salud y la curación.

El doctor la miró con una sonrisa.

—Creo que el darnos cuenta de que nos beneficiaremos de la aplicación de los principios de la naturaleza y de la vida, en el cuidado de nuestra salud, es simplemente una cuestión de tiempo. Para que una sociedad cambie se necesita tiempo. Mientras tanto, estar conscientes ayuda a acelerar el proceso y le ayudará a su salud y a la de su familia.

«Recuerde —añadió—, los modelos del cuidado de la salud siguen a los modelos económicos, aunque en una sociedad que cambia rápidamente, por lo general existe una etapa rezagada de tiempo hasta que ambos estén en la misma página. Creo que eso es lo que nos está pasando actualmente. Mientras esperamos y animamos a los demás para que se pongan al corriente, hagamos lo que podamos para beneficiarnos de este desplazamiento individual.

«Desde mi punto de vista —empezó a explicar el doctor—, la tecnología emergente nos ha hecho ser más conscientes de que nuestro planeta y nuestras economías vinculadas dependen unas de otras y se afectan entre sí, incluso estando geográficamente alejadas.

«La ironía, entre muchas otras, es que la ciencia moderna, al adentrarse más en la tecnología atómica y subatómica, nos está ayudando a estar más conscientes de la estrecha relación que existe entre todas las cosas y nuestro planeta, incluyendo lo pequeño y distante. Eso, a su vez, se asemeja a la sabiduría de las culturas antiguas y tribales acerca de cómo funciona nuestro cuerpo.

«Por ejemplo, somos mucho más conscientes de la manera en que las condiciones ambientales en un lugar lejano de nuestro planeta nos pueden afectar aquí. Sin embargo, para nuestros cuerpos, esto no es nada nuevo, pues ellos han funcionado así naturalmente, ya sea que estemos o no conscientes de ello.

—No será nada nuevo para otros cuerpos, doctor —dijo Rosa con amargura—, pero el mío no ha funcionado bien, ¡consciente o no!

—La próxima vez que nos veamos —le dijo el doctor en un tono jovial—, hablemos acerca del cerebro y de aldeas.

CAPÍTULO 13

Se necesita una aldea

Rosa asistió a su siguiente cita preguntándose cuál sería la conexión entre aldeas y su cerebro. Al finalizar el tratamiento, el doctor Arrondo siguió con la conversación como si hubieran estado hablando acerca de ello hacía solo unos minutos.

—He mencionado que nuestros cerebros son multimodales, lo cual quiere decir que las células cerebrales, o neuronas, trabajan como una comunidad y dependen de la comunicación de otros grupos de células cerebrales para mantenerse activas; igual que una aldea.

«Cada parte del cerebro necesita interactuar con otras partes del cerebro para desarrollarse normalmente y para que todas sus partes funcionen bien.[1,2,3]

—Igual que un jardín —comentó ella.

—Y que su salud —replicó el doctor Arrondo—. Por cada célula cerebral que tenemos, o neuronas, existen aproximadamente diez células de apoyo que le ayudan a desempeñar su función.

Ella lo pensó y se rió—. En efecto, se requiere de una aldea neural.

—Así es —le dijo—, nuestro cerebro también necesita comunicarse, coordinarse y poseer un sentido de comunidad funcional de las otras partes del cuerpo para que pueda funcionar debidamente.

—En otras palabras —empezó Rosa—, ¿me está diciendo que los sistemas corporales ayudan a otros sistemas corporales a que funcionen mejor, igual que el cerebro?

—Precisamente.

—¿Podría darme un ejemplo relacionado conmigo y mis problemas? —preguntó ella—. Como le mencioné, mi memoria no es tan buena como antes y tengo dificultades para concentrarme, así que ¿cómo se relaciona eso con el resto de mi cuerpo? Pensé que mi cerebro estaba cansado, simple y sencillamente, o que no estaba funcionando bien.

—Quizás su cerebro no esté funcionando bien por distintas razones, que pueden estar fuera de él.

—Entonces, dígame, ¿cómo es que el problema de mi cerebro se relaciona con algo que no está funcionando bien en otra parte? —preguntó con apremio.

La tiroides controla muchas funciones

—Un problema común, especialmente en el caso de las mujeres, tiene que ver con las hormonas tiroideas y su cuerpo. Verá, la disfunción tiroidea puede afectar la salud de varias maneras, incluyendo el funcionamiento del cerebro.

«La tiroides es una glándula del cuello, cuyo nombre proviene de la palabra griega que significa escudo, pues tiene esa forma.

«Su tiroides libera hormonas por todo el cuerpo que afectan a muchas otras funciones, incluyendo la regulación de la temperatura corporal, el metabolismo y el desarrollo del cerebro durante la infancia. Ayuda a controlar la sensibilidad del cuerpo a otras hormonas, entre otras muchas cosas importantes. En breve nos referiremos a algunas de estas cosas.

—Exactamente, ¿qué hacen las hormonas? —le preguntó Rosa.

—Piense en las hormonas como si fueran mensajeras, como si fueran un telegrama. Son moléculas que emiten señales bioquímicas que les informan a las células lo que hay que hacer; lo realizan adhiriéndose a receptores celulares.

«Piense en ello como si se tratara de una serie de cerraduras en la puerta de entrada de su casa. Cada cerradura representa el receptor de una hormona celular específica. Esa estructura bioquímica, de esa hormona en particular, funciona como una llave que entra en esa cerradura o receptor. Es más complejo que eso, pero nos servirá para ilustrar el caso. Los receptores de las hormonas tiroideas ayudan a dar inicio a una cadena de procesos dentro de la célula, para producir el tipo correcto de respuesta celular, como por ejemplo la producción necesaria de proteínas.

«Y, como existen receptores tiroideos en las células de su cerebro, la disfunción tiroidea puede afectar la memoria y el funcionamiento del cerebro, cuando los receptores tiroideos del cerebro no reciben el estímulo necesario.[4,5,6]

—Pues yo creía que el cerebro controlaba todo —dijo Rosa reconsiderando el funcionamiento de su cuerpo—.

Pero, ¿puede un problema en mi tiroides afectar a mi cerebro, como por ejemplo mi memoria y atención?

—Sí, pero de nuevo, la cosa no es así de sencilla. Estamos trabajando con la complejidad de la naturaleza. Puede tener los síntomas, digamos de una tiroides con una actividad baja, y sin embargo los resultados de las pruebas de laboratorio de las hormonas tiroideas pueden salir normales; lo veo en mi clínica a menudo cuando realizo chequeos. Lo más importante es donde se ubican las hormonas activas tiroideas; tener niveles normales en la sangre no significa que tenga niveles normales adentro de las células de su cuerpo, donde las hormonas tienen su efecto. No hay exámenes de laboratorio que nos dicen eso.

Síntomas de tiroides— pero resultados de laboratorios normales

—¿Usted recuerda de cuando hablamos acerca de las personas que se sienten mal pero cuyas pruebas de sangre resultan normales? —preguntó el doctor.

—Sí, siempre pensé que si los resultados de las pruebas de laboratorio salían normales, significaba que no había problema, aun cuando siguiera sintiéndome mal. De hecho, eso era lo que solía oír cuando revisaba mis resultados con el doctor. Ahora sé que puede tratarse de una luz amarilla, ¡como lo hablamos! —dijo Rosa.

—Rosa, ¿cuántas veces ha ido con su familia a ver al doctor porque había una serie de cosas que les estaban afectando, pero cuando efectuaban análisis de sangre, lo único que encontraban era quizás un nivel de colesterol o de concentración de azúcar en la sangre ligeramente altos?

—Mi madre se queja casi siempre de eso —se lamentó ella— Está cansada, dolorida, no tiene mucha energía, su digestión presenta problemas iguales a los míos y no duerme bien. Pero los resultados de los análisis de laboratorio son normales y los doctores le dicen que no sale nada mal. Así que le recetan un analgésico o un antiácido para sus dolores estomacales.

«Ella pregunta constantemente qué sucede y se siente frustrada. Entonces termino escuchándola durante veinte minutos cada vez que regresa del doctor. A menos que yo la lleve en auto, ¡lo cual significa que entonces tendré el placer de oírla durante todo el regreso a casa! En ocasiones me aterra llevarla a casa después de una de estas visitas, especialmente cuando es hora pico.

—Ahora puede explicarle a su madre por qué sucede esto —Notó el doctor Arrondo—. Las pruebas de laboratorio normalmente se realizan para buscar alguna enfermedad o padecimiento bien definido. Muchos doctores están altamente calificados para trabajar en patologías, pero por lo general no están bien formados, ni tienen los estudios para trabajar con asuntos más sutiles, tales como disfunciones sub-clínicas de los órganos, que quizás necesiten atenderse por medio de enfoques naturales más que con medicamentos.

«Para muchos, el reto es que no se ha realizado tanta investigación en este ramo. La investigación es costosa, y la mayoría de los estudios publicados se concentran en los enfoques farmacológicos.

«Sabe, en el caso de muchos problemas crónicos, para cuando finalmente aparezca algo anormal en las pruebas de laboratorio, la salud del paciente ya está resentida y ha estado quejándose de que algo está mal por buen tiempo.

Ella se puso a pensar en la metáfora del semáforo de la salud y sus colores. El amarillo había sido uno de sus favoritos; de hecho había pintado la pared de su cocina de un brillante amarillo caléndula. Ahora ya no estaba tan segura de que le gustara tanto. «*Quizás la próxima vez la pinte de un verde suave*» pensó.

—¿Así que no debo suponer que las pruebas de laboratorio normales son un indicador de que todo está bien? —preguntó.

—Hablaremos un poco más acerca de eso —le respondió el doctor—. Yo pienso que, en general, los resultados de las pruebas de laboratorio y la manera en que se emplean son como una radiografía a un piso de concreto.

—¿Se le puede tomar una radiografía a los pisos? Yo no lo sabía.

—Sí, pero el asunto es que yo quería demostrarle que se puede tomar una radiografía de un piso de concreto, hasta de una calle o banqueta o pasadizo, y no encontrar nada malo, para luego decir que todo está bien.

—Ya sé para dónde va con esto —dijo Rosa siguiéndole la pista a sus pensamientos—. Se le dirá a uno que todo está bien porque el concreto no tiene hendiduras, aun cuando el flujo de, digamos, transeúntes o automóviles no sea ni bueno ni óptimo; el aparato de rayos X no registra ese problema.

—Correcto —le dijo el doctor Arrondo—. A menudo, las pruebas a las que muchos pacientes se someten están diseñadas para encontrar problemas en la estructura o patología, pero en general no están diseñadas para identificar pistas más sutiles de una disfunción.

«Hasta los resultados de las imágenes por resonancia magnética podrían no proporcionar un análisis completo —prosiguió él—, aunque les proporcionan a los doctores imágenes de alta resolución del cuerpo. A menudo, los pacientes con fuerte dolor de espalda baja reciben el resultado de una resonancia magnética en donde se muestra el desgaste normal.

«En general, esas resonancias se llevan a cabo con el paciente acostado; cuando está de pie se realizan resonancias para detectar en dónde recae el peso y entonces puede aparecer alguna patología de los discos que no había salido anteriormente. Es el mismo caso de la desgarradura de meniscos de la rodilla.

—¿Puede darme un ejemplo práctico de algo que yo pueda hacer respecto a mi peso? —le preguntó Rosa poniéndolo a prueba de nuevo.

—Aquí tiene otro ejemplo: se podría hacer un análisis de sangre en donde se muestren los niveles normales de referencia de una hormona común, que se usa para medir el funcionamiento de la tiroides, la hormona que estimula a la tiroides. Sin embargo, por medio de la investigación se ha demostrado que los niveles normales altos, tanto en hombres como en mujeres, se asocian con una subida de peso.[7, 8]

«Después de su próxima sesión, hablaremos acerca de esta poderosa glándula que pesa lo mismo que una pequeña moneda, pero que afecta a casi todas las funciones de nuestro cuerpo, incluyendo nuestro peso.

Licuadoras y cervezas

Rosa no podía contener la risa; estaba tratando de hacer que María –su hermana– y Diana, una buena amiga, adivinaran a quiénes ella estaba imitando.

—¡Querido! ¿En dónde está la licuadora?

—¿A qué te refieres?

—¡Sabes exactamente a qué me refiero!

—¿De manera que ahora soy adivino? ¡Nunca sé lo que me quieres decir!

Las tres se rieron juntas, tratando de no atraer la atención de las demás personas que estaban en el restaurante. Habían decidido reunirse a comer el sábado en su lugar favorito, cerca del centro de la Ciudad de San José, no lejos del Jardín Municipal de las Rosas. Durante años habían estado yendo a ese lugar; las tres mujeres estaban de acuerdo en que el salmón y la ensalada de espinaca eran las mejores de la ciudad, pero más aún, les encantaba estar juntas las pocas veces que sus atareadas vidas lo permitían.

—¿Saben de quién estoy hablando? —les preguntó Rosa, aunque por su tono jovial las otras dos mujeres habían deducido que iban a oír otra historia acerca de la alocada relación entre Olga y Pepe. Siempre había alguna anécdota divertida cuando surgían los nombres de ese matrimonio.

—Así que dinos ¿qué fue lo que sucedió? —María y Diana le preguntaron al unísono. Se miraron la una a la otra y estallaron en risas, al darse cuenta que estaban pensando lo mismo.

—Olga se había puesto de pie para hacerse su enorme batido de vegetales y frutos, como lo había hecho cada mañana en los últimos tres meses, pero no podía encontrar su licuadora.

María y Diana ya estaban sonrientes, adelantándose a lo que seguía. Ya venía otra gran historia acerca de Olga y Pepe.

—Entonces, ¿qué hizo? —preguntó Diana.

—Aparentemente, esto es lo que Pepe le respondió, al menos esto fue lo que ella me platicó: «—Estoy harto de tener que tragarme este batidillo cada mañana. ¡Vas a hacer que el pelo se me ponga verde con tanto vegetal! —Él intentaba preparar, sin éxito, una taza de café y tostar algo de pan.

«—¡Tienes que beberlo, Pepe! —le ordenó Olga—. ¿Cómo es que todas las mañanas tengo que recordarte lo que es bueno para tu salud? Es completamente natural y saludable. Mejor que esa cerveza que bebes.

«—¡Óyeme, mi cerveza está hecha de cosas naturales también! De lúpulo, cebada, agua y algunas otras cosas — dijo Pepe, complacido con su respuesta.

«—No estoy jugando, Pepe. Ahora, ¿dónde has puesto la licuadora?

«—En su sitio —le dijo con una sonrisa traviesa—. Mira por la ventana.

Olga estiró el cuello con impaciencia para asomarse por la pequeña ventana de la cocina. Sus ojos se agrandaron.

«—¡Pepe! ¡Pusiste mi licuadora en el jardín!

«—Sí, bueno, como me seguías diciendo que todo era tan natural, se me ocurrió ponerla entre la naturaleza para ver si crecía, pero ¿adivina qué? no fue así. Te das cuenta de que Dios no puso licuadoras en los jardines, así que ¿por qué yo he de beber de una?'

Diana miró a Rosa y dijo: —Ay no, ¿qué hizo Olga?

—No te lo imaginas. Se quedó parada, en estado de shock y lo miró, roja del coraje, pero no dijo absolutamente nada.

—¿De verdad? —preguntó Diana dudando. Ella y María se miraron incrédulas.

—Es la primera vez que oigo que Pepe le gana a Olga una discusión —dijo María—. Lo queremos mucho, pero realmente, no es tan listo.

—Y que lo digas, pero esta vez parecía que se salió con la suya, empezó Rosa, soltando una carcajada de satisfacción—. Hasta que, en la tarde de ese día, cuando Pepe regresó del trabajo; era un viernes, hace un par de semanas y era un caluroso día de verano.

—¿Y luego qué pasó? —De nuevo, ambas mujeres preguntaron al mismo tiempo, pensamientos unidos.

Olga asombra a Pepe

—Bueno— Rosa les siguió contando—, Pepe llegó a casa esa tarde después de un largo y caluroso día de trabajo, dejó caer su sucio cinturón de carpintería sobre la mesa de la cocina, abrió el refrigerador y exclamó... —Rosa realizó una pausa de suspenso, juguetonamente.

—¿Qué? ¡Sigue! —la apresuraron, inclinándose.

—Él gritó:

«—Olga, ¿qué hiciste con mis cervezas? —A lo cual ella respondió:

«—Espera, ¿te refieres a tu alimento natural de lúpulo, agua y cebada? Ahora te toca a ti mirar por la ventana. — Pepe estiró apresuradamente la cabeza para mirar el jardín. Ahí, junto a los pequeños tomates rojos y la licuadora de Olga, estaban sus latas de cerveza. Pepe se quedó asombrado.

—Entonces Olga le dijo: «Supuse que si eran tan naturales, como tú dices, las tenía que poner en el jardín para ver si crecían, y adivina qué, genio, ¡no crecieron!»

«Entonces intercambiaron miradas fuertes en silencio durante un par de segundos, para luego soltar las carcajadas; terminaron abrazándose, como siempre.

—Saben —Diana comentó—, tienen sus momentos, incluyendo sus buenas peleas, pero se aman mucho. ¡Parece que no pueden vivir el uno con ni sin el otro!

—Después de un prolongado abrazo, se fueron al jardín y cada uno recogió las cosas del otro —dijo Rosa—. Me dijeron que habían aprendido una valiosa lección. Olga dijo que había aprendido a no ser tan insistente con lo que ella quería que Pepe hiciera —continuó Rosa—, y Pepe aprendió a no ser tan agresivo para expresar lo que no le gustaba.

—Así que ¿todavía se bebe la mezcla verde que ella le prepara? —preguntó María.

—Sí, pero solo cuando él quiere, y ella ya no le insiste. Él sabe que le hace bien y que Olga se siente mejor cuando ve que él se está cuidando más, así que en gran medida por eso lo toma.

—Pero dijo que el cabello se le había puesto verde, al menos para el día de San Patricio, ¡cuando se lo tiñó! —dijo Rosa riéndose entre dientes.

—Saben, simplemente no sé por qué alguien no querría beberse un gran vaso de esos batidos diariamente, son tan nutritivos —dijo Diana.

—Bueno —interrumpió María—, es gracioso que hubieras compartido esa historia acerca de Olga y su licuadora en el jardín, Rosa, pues el doctor Arrondo mencionó algo acerca de las licuadoras.

—¿De veras? —preguntó Rosa—, creo que aún no hemos llegado hasta ahí.

—Bueno —dijo María—, me dijo que los batidos y los jugos no siempre son tan saludables como pensarías. Resulta que Pepe tenía sus buenas razones para resistirse, sin saber por qué.

—Un momento —dijo Diana—. ¿Me estás diciendo que los batidos son malos? Yo tengo unas de esas licuadoras de alta velocidad de las que nada se sale, así que se quedan todos los vegetales y frutos, con todo y pulpa. ¡Tienen miles de millones de vitaminas y minerales!

—Lo sé, lo sé, y es más, muchas personas beben jugos o batidos, como locas. Yo tengo unas amistades en el trabajo que se beben medio litro cada mañana —dijo María.

—Ahora, es mucho mejor que el café con rosquillas, así que ¿cuál es el problema? —preguntó Rosa.

—Como notó el doctor Arrondo, la mayoría de las personas cree que si un vegetal o fruta les hace bien, entonces ¿por qué no una tonelada y por qué no bebérsela?

—Cierto, la mayoría hacemos eso —dijo Rosa—, ¿qué tiene de malo?

—¿Qué más dijo? —preguntó Diana. Estaba muy interesada; toda su familia había empezado a hacerse batidos por las mañanas en vez del típico desayuno de café, pan o cereal.

Por qué debes masticar tus licuados

—Dijo que la mejor manera de comerse algo era tal y como la naturaleza nos lo había dado. Que hay una razón por la que el jardín de la naturaleza no produce vegetales líquidos—, continuó María.

—Por ejemplo, cuando licuamos frutos y vegetales, no los masticamos. Pero la digestión debería empezar en la boca y no en el estómago. Me dijo que masticar estimula los centros cerebrales nerviosos que preparan al sistema digestivo y que la saliva ayuda a digerir también.

—Entonces... ¿deberíamos masticar los licuados? —preguntó Diana, un poco sorprendida.

—Sí —contestó María—, dijo que masticar ayuda. Pero también dijo que cuando usas una licuadora o un extractor de jugos estás moliendo un tipo de fibra, la llamó fibra insoluble, que es necesaria para una buena digestión y buena salud. La fibra soluble permanece si usas una licuadora, pero la fibra insoluble se queda pulverizada. La fibra insoluble puede actuar contra el estreñimiento y las hemorroides. Mencionó que demasiadas fibras solubles pueden retrasar el tránsito del alimento en los intestinos.

María prosiguió: —Pero no hay que descartar los jugos completamente. Añadió que a pesar de algunos retos, como los mencionados, los jugos tienen muchos beneficios y podrían ser la mejor opción para la gente que tiene una digestión delicada o padecimientos digestivos.

Rosa se quedó mirando las deliciosas verduras en su plato de ensalada. Se dio cuenta de cuánto disfrutaba de lo crujiente, de la textura de las verduras frescas; era lo que tanto la atraía de este restaurante. Eso y el salmón fresco de Alaska, cocinado en un maravilloso y ligero aceite de oliva frantoio, del Valle de Napa.

—¿De qué más habló? —preguntó Rosa.

—Hablamos acerca de cómo es que las fibras insolubles ayudan a evitar el estreñimiento —respondió María—. Y la fibra insoluble también ayuda a absorber menos calorías porque el alimento llega a una mayor distancia, hasta donde las bacterias del intestino pueden absorber algunas de las calorías.

«Pero perdemos algunos de los beneficios, primero porque licuamos y luego por la manera en que nos bebemos el batido —explicó—. También lo dijo porque pocas personas no damos el tiempo necesario para masticar, y puesto que se trata de un líquido, podemos fácilmente ingerir una gran cantidad de calorías que vienen en el batido de vegetales y frutas, con lo que podemos subir de peso.

—Sabes, nunca lo pensé, pero es cierto —dijo Rosa—. Nunca podría comer tantos vegetales y frutas como los que se pueden licuar y beber en menos de dos minutos.

Diana movió la cabeza en acuerdo. —Me alegra que me lo hayas dicho ahora, María. Acabo de empezar a hacer batidos para mi familia. ¿Alguna otra cosa que deba tener en cuenta?

—Sí, también mencionó que con los jugos y batidos no ingerimos mucha proteína, sino que nos estamos llenando de carbohidratos. A algunas personas les funciona, pero el doctor Arrondo recomienda comer proteína en la mañana, o añadirle al batido proteína en polvo. Dijo que a muchas personas eso les ayuda a estabilizar sus niveles de azúcar, y la fibra soluble de un batido también ayuda.

—Es bueno saberlo —comentó Rosa.

—También dijo que debemos asegurarnos de incluir grasa de la buena —continuó María—. Dijo que a la hora de licuar, podíamos añadirle una cucharada de aceite de coco orgánico al batido, o ponerle un aguacate, pues es una buena fuente de grasa saludable. También habló de los aceites para cocinar. Uno de sus favoritos es el de coco orgánico extra virgen, y no recomienda el aceite de semilla de uva.

—¿Por qué no? —Preguntó Diana—, Oí que era bueno.

—Miren —empezó María—, aquí traigo esta hojita que el doctor Arrondo me dio hace un par de días y donde dice que según estudios clínicos, el aceite de coco ayuda a mejorar el colesterol y a disminuir el riesgo de desarrollar problemas del corazón;[1] también disminuye el apetito y ayuda a quemar grasa.[2]

Suena maravilloso, ¿verdad? Pero vean, hay más: mata virus, bacterias y hongos;[3] tiene efectos terapéuticos sobre el cerebro;[4] mejora la piel y el pelo,[5] y para los hombres es bueno para la próstata.[6] Es aceite saturado, sin embargo, tiene triglicéridos de cadena media, que se encuentran en la leche materna, y ayudan a las células del intestino sanar.

«En cambio, miren lo que dice del aceite de semilla de uva: frecuentemente han usado gasolina para extraer el aceite y quedan residuos.[7] Además la grasa de esa semilla es Omega-6, que no es saludable ya que se come demasiado en la dieta moderna,[8] y cuando lo calientas para cocinar, se producen sustancias nocivas además de algo que llaman radicales libres, también dañinos.[9]

Diana había sacado un bolígrafo y estaba anotando los datos en su servilleta. Cuando alzó la mirada, vio que tanto María como Rosa la estaban mirando con una sonrisa de oreja a oreja.

—¿Qué? —preguntó Diana—, sólo quiero asegurarme de escribir toda esa información; ¡Hay mucho que aprender!

—Ah, una cosa más —interrumpió María—. El doctor también sugirió beber el jugo o batido casi inmediatamente después de preparado, porque las navajas rompen las paredes de las células que contienen los nutrientes, y algunas de las enzimas del alimento se descomponen muy rápidamente. Y una vez que esté listo, debes masticar cada bocanada al menos unas cuantas veces antes de tragarla.

—Vaya, se aprende —dijo Diana—. Voy a cambiar lo que hago con mis batidos. —Pensó que las sugerencias tenían sentido y eran fáciles de seguir.

—También voy a hacer menos porque he estado bebiendo muchas onzas en la mañana, muchas calorías, aunque sean de las saludables. Dime si estoy olvidando algo —continuó—. Me voy a asegurar de masticar el batido, añadirle o comer proteína e incluir grasas saludables o un aguacate. También me aseguraré de comer otros buenos alimentos ricos en fibra durante el día, ¡directamente del jardín, a la antigua!

—Yo también —dijo María, mirándolas con una sonrisa pícara —pero sabes lo que esto significa, ¿verdad?

—¿Qué? —se preguntaba Rosa; conocía esa expresión en el rostro de su hermana demasiado bien.

—Que la renuencia de Pepe, sin que él lo supiera, era por algo.

—¡Es verdad, pero espera! —dijo Rosa riéndose—. Si Olga se entera de que se lo dijimos a Pepe, podríamos terminar plantadas en su jardín. Y como las cervezas y licuadoras, ¡ninguna de nosotras va a florecer!

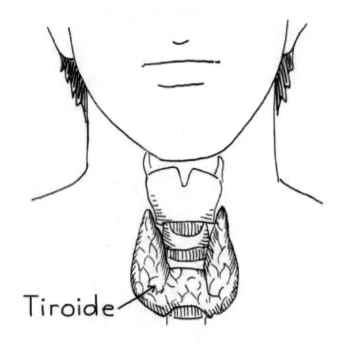

Tiroide

CAPÍTULO 15

Esa pequeña glándula, ¿para qué sirve?

—Doctor —dijo Rosa—, la última vez que nos vimos mencionó que iba a hablarme acerca de la relación entre mi tiroides y el sobrepeso que tengo; pero, ¿dónde está mi tiroides?

—La glándula tiroides se ubica en el centro de su cuello —le respondió el doctor, envolviéndose la garganta con las manos, justo por debajo de su manzana de Adán—. ¿Recuerda que le dije que el funcionamiento del cerebro puede verse afectado por problemas en la tiroides?

—Sí, lo recuerdo bien —dijo ella—, también mencionó que los resultados de las pruebas de laboratorio no siempre muestran la existencia de problemas en la tiroides, aunque se presenten síntomas. Dijo que uno de esos problemas es la subida de peso, lo cual me incumbe, obviamente, pero que hay otros síntomas que podrían ser igualmente malos.

—Por eso es tan importante. Una disfunción tiroidea también puede causar mala digestión, pérdida de pelo, somnolencia, uñas débiles, estreñimiento, pérdida de memoria, depresión y otros síntomas. Basta con que la tiroides esté debilitada para que los niveles de cortisol aumenten, lo cual a su vez puede hacer que el estrógeno aumente, provocando una subida de peso e inflamación.[1]

«Y esas son solo unas cuantas dolencias, Rosa. Los niveles anormales de hormona tiroidea también pueden afectar la absorción de calcio, lo cual puede hacer que los niveles de osteoporosis aumenten, lo cual puede provocar una mayor incidencia de fracturas óseas. También pueden reducir el nivel de las hormonas del crecimiento que su cuerpo necesita.[2]

—¡Ahora entiendo por qué es tan importante!

—Y hay más —dijo el doctor entrando en mayor detalle—. La tiroides también ayuda a controlar el ritmo del metabolismo; es decir, la cantidad de energía que el cuerpo utiliza. Usted sabe que es importante en lo que al peso se refiere. Niveles bajos de hormona tiroidea, aún niveles que se consideran normales, como le mencioné, pueden a menudo causar un aumento de peso, diabetes y presión sanguínea alta.[3]

«Hablando de diabetes, los diabéticos tienen que tener mucho cuidado con los exámenes de osteoporosis. Pueden mostrar resultados normales, pero dado a el impacto negativo de la diabetes sobre la calidad de la microarquitectura de sus huesos, son más propensos a tener fracturas.[4]

—Bueno, de acuerdo, ahora sé por qué escogió la tiroides como ejemplo. Creo que la mayoría de nosotros, especialmente las mujeres, tenemos este tipo de problemas.

—Ciertamente, y este es el corazón de lo que le he estado hablando, esta interconectividad, toda esta relación de la salud del cuerpo como un todo.

«El cerebro tiene una glándula que le envía mensajes a otra glándula, también en su cerebro, la cual a su vez le envía señales a la tiroides para que produzca hormonas, que en los análisis de sangre pueden aparecer como normales.

«Pero se trata de cómo responde el cuerpo a esas hormonas tiroideas, aunque las pruebas de laboratorio resulten normales; esto también es muy importante.

«Recuerde, Rosa, usted es única; ninguna otra persona ha tenido las mismas experiencias que ha tenido, ni posee un cuerpo idéntico al suyo. Sus experiencias con respecto a la salud son únicamente suyas.

—¡Tiene toda la razón! —dijo ella riéndose—. Yo soy diferente, y muchas personas no lo entienden. ¡Hable con mi esposo por teléfono en este mismo instante y dígaselo!

—La manera en que su cuerpo reacciona puede ser muy diferente a la manera en que reacciona el de otra persona, aunque las pruebas de laboratorio muestren los mismos niveles tiroideos en la sangre.

«Para la mayoría de las personas, los problemas de la tiroides implican que la actividad de esta glándula es baja, lo cual se conoce como hipotiroidismo.

Otros órganos afectan la función de tu tiroides

El cuerpo depende del hígado y del intestino delgado para activar a casi todas las hormonas tiroideas necesarias para que el cuerpo las use a nivel celular. Así que si tiene problemas intestinales o con el hígado, estos mismos pueden afectar la manera en que su cuerpo responde y utiliza las hormonas producidas por su tiroides.

—¿Es por eso que dice que los resultados de las pruebas de laboratorio del nivel de hormonas tiroideas pueden ser normales, pero que mi cuerpo no las está controlando debidamente, así que a fin de cuentas padezco síntomas relacionados con la tiroides pero resultados normales?

—Así es; veamos otros patrones de sistemas corporales conectados.

«Los niveles excesivos de estrógeno, por ejemplo, pueden afectar el funcionamiento de las hormonas tiroideas.[5] A propósito, puesto que hablamos de sus ansias de comer azúcar, te diré que un exceso de estrógeno también puede causar un antojo de dulce.

«¿Recuerda que hablé de la importancia de los receptores hormonales? —preguntó el doctor—. Las hormonas tiroideas activas estimulan a los receptores que se encuentran en el núcleo de nuestras células. Así que estos receptores también tienen que estar activos y funcionando bien.

«No existen pruebas de laboratorio de sangre comunes que analicen el funcionamiento de estos receptores nucleares.

—¿Alguna otra cosa afecta el buen funcionamiento de la tiroides? —preguntó Rosa con cautela; no se había dado cuenta de que la disfunción tiroidea, o la respuesta del cuerpo a las hormonas, podían afectarla de tantas maneras.

—La salud de la célula misma tiene que ser tal que pueda funcionar una vez que los receptores nucleares se hayan activado, aun cuando estos receptores tiroideos funcionen normalmente, y así la célula pueda producir el tipo y la cantidad correctos de proteína. La salud celular es un factor importante.

—A mi tía Mimí le dijeron que sufría de la tiroides, pero yo no sabía cuánto podía afectar la salud. ¿Qué más puede afectar?

—Existe una serie de factores. Le diré uno muy común: cuando uno se encuentra bajo estrés crónico, el cuerpo empieza a producir cortisol, la hormona del estrés de la que hablamos anteriormente. El cortisol puede hacer que la tiroides produzca menos hormonas.[6] También puede causar bloqueos en los receptores de la progesterona.

«Además —continuó—, unos niveles altos de cortisol dificultan la aceptación de estas hormonas tiroideas por parte del cuerpo, así que puede terminar teniendo síntomas tiroideos, aun cuando las pruebas de laboratorio muestren niveles hormonales normales. La función tiroidea también puede verse disminuida por la inflamación.

—Entonces, ¿qué otra cosa puede causar que la tiroides deje de funcionar bien? —Conocer la cantidad de síntomas que los problemas tiroideos podían causar era muy importante para ella.

—La lista es larga —le contestó el doctor—, pero incluye toxinas ambientales, disfunción renal, ciertos tipos de medicamentos por prescripción, como por ejemplo el litio, el embarazo y un historial familiar de disfunción tiroidea.

«Luego tiene que tomar en cuenta que, para algunas personas, las deficiencias nutricionales pueden ser otro factor —añadió—. Para otras, ciertos alimentos, tales como los productos que contienen gluten, que es una proteína que se encuentra en el trigo, así como otros tipos de granos, pueden afectar la función tiroidea.

—¡Doctor, no me vaya a quitar mi pan! —exclamó Rosa.

El doctor se rió de nuevo. Ella había notado, con agrado, que ella se reía más fácilmente.

—Bueno, Rosa, el punto es que hay una serie de procesos y sistemas que tienen que trabajar juntos para darle soporte a una glándula a fin de que tenga el efecto deseado sobre el cuerpo. En este caso, es la glándula tiroidea, que a su vez le da soporte al funcionamiento cerebral, que afecta a la tiroides igual que la afectan otras funciones corporales. ¡Y esa es solo una de las muchas glándulas y órganos que pueden tener este tipo de causa y efecto!

Las recetas no son suficientes

—Sí, ya le voy entendiendo a eso de la aldea, doctor. Así que pudiera no ser suficiente recetarle a un paciente medicamento para la tiroides cuando tiene bajas las hormonas tiroideas. Se tiene que considerar el cuerpo en su totalidad y ver qué cosas están causando el problema. Quizás algo esté desacelerando la habilidad del cuerpo para producir y emplear esa hormona como debiera. ¿Es así?

—Así es, existen aproximadamente 45 millones de personas, la mayoría mujeres, que padecen hipotiroidismo, y muchas ni siquiera lo saben.[7]

«Y recuerda, esto es importante: puedes tener más de una glándula o sistema disfuncional asociada a la causa de un síntoma; igual que en un jardín, cuando varias cosas andan mal.

«Así pues, como puede ver —continuó él—, se necesita de...

—Déjeme adivinar: ¡se necesita de una aldea! —Dijo ella—, completando la oración.

—Bien dicho. El cuerpo funciona de manera integral, como la naturaleza, o hasta como los miembros de una comunidad que colaboran en proyectos importantes (en algunas aldeas remotas con sociedades primitivas, por ejemplo, todos los habitantes, especialmente los mayores, ayudan a criar a niños y niñas). Lo mismo sucede con las funciones de las células y sistemas en nuestros cuerpos.

«Sócrates, filósofo de la antigüedad, advertía en contra del tratamiento de una sola parte del cuerpo y decía que a menos que todo estuviera bien, una parte nunca podría estar bien —añadió él.

Rosa pensó en ello durante algunos momentos, asimilando la información. —Señaló usted que había más mujeres que hombres con problemas tiroideos. ¿A qué se debe?

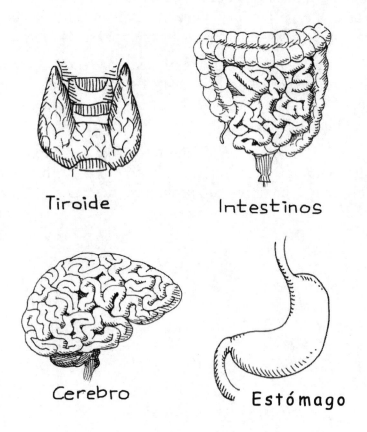

Tiroide

Intestinos

Cerebro

Estómago

CAPÍTULO 16

¿Son tus síntomas consecuencias?

—Más mujeres que hombres tienen tiroides perezosas, lo cual se conoce como hipotiroidismo. Se debe a que las mujeres producen más hormonas femeninas, como el estrógeno, que puede hacer que la tiroides produzca el mismo nivel de hormonas tiroideas tanto en hombres como en mujeres.

«Durante la ovulación —continuó el doctor—, las mujeres exhiben un aumento temporal en la actividad productiva de la tiroides, lo cual aumenta el metabolismo. Sabe que las mujeres se toman la temperatura para determinar cuándo están ovulando. Bueno, pues durante la ovulación la temperatura se eleva, lo cual se asocia con un aumento temporal en la actividad productiva de la tiroides, lo cual acelera el metabolismo.[1,2]

—Le digo —intervino Rosa, con tono fuerte—, que para los hombres esto de las hormonas es mucho más sencillo. Para colmo cuando se envejecen y su pelo se vuelve gris, se considera un signo de distinción. ¿Las mujeres?

¡Nosotras simplemente envejecemos! ¿Qué pasa con eso? Se rió.

«Lo entiendo, doctor, es lógico. Empiezo a ver cómo es que tenemos que trabajar a nivel de las causas para mejorar nuestra salud. También estoy empezando a entender cómo es que los síntomas son consecuencias.

—Precisamente. Los síntomas son consecuencias, ciertamente; es la manera en que el cuerpo expresa sus intentos por sanar. Una inflamación aguda es la saludable respuesta de su cuerpo frente a un traumatismo o lesión. Pero si no puede sanarse a sí mismo, los síntomas se vuelven crónicos porque el cuerpo no ha terminado su ciclo de curación. Ello puede desembocar en condiciones como la inflamación crónica, que es una de las principales causas de las enfermedades.

—Permítame hacerle otra pregunta, doctor, ¿por eso uno va al doctor, se queja y recibe un medicamento, que usualmente no surte efecto o que no puede dejar de tomarse sin que reaparezca el problema?

—Sí. En varias ocasiones las causas –llamadas factores contribuyentes– no se abordan.

—¡Quiere decir que se debe dar tratamiento al jardín, no solo a la hoja!

Los tratamientos para tus síntomas no bastan

—Es correcto, cuando se le da tratamiento a una persona en vez de al síntoma, se tiene una mayor oportunidad de ayudarle al cuerpo a que funcione mejor y pueda así auto regularse y sanarse.

«Rosa, no confunda el humo con el fuego. Demasiadas veces, los pacientes reciben prescripciones durante mucho tiempo, pero cuando dejan de tomar el medicamento, se ponen mal de nuevo. Esto se debe a que están tratando el humo y no el fuego, que sería la causa de los síntomas.

«La tela de nuestro cuerpo es compleja, es un patrón entretejido —añadió él—, literalmente, es el tapiz celular de la vida.

—Yo sé que tengo muchos problemas digestivos; ¿podríamos hablar un poco más de eso? —preguntó ella.

—¡Por qué no! —Dijo él con una sonrisa— Empecemos con sus intestinos.

—¿Mis intestinos? ¡Se los regalo! Estoy cansada de la hinchazón, del estreñimiento y de los gases que durante años han estado yendo y viniendo —dijo Rosa dando un leve quejido para expresar lo que quería decir.

—Me pongo peor cuando como ciertos alimentos que sé que me hacen daño, pero ¡me es tan difícil renunciar a ellos!

—Me dijo que no quería que le quitara el pan —recordó el doctor—. Hay una razón por la que las personas responden tan contundentemente a la simple idea de eliminar ciertos alimentos. La comida es más que solo un asunto de nutrición; afecta la manera en que nuestro cerebro funciona. El pan, por ejemplo, tiene derivados de la proteína que activan los receptores de morfina en el cerebro. Eso a su vez altera su funcionamiento y la manera en que se siente.

—Con razón me gusta tanto. Un pan calientito, tostadito en la mañana, hace que me sienta bien, con tan solo pensarlo... ¡desafortunadamente! —bromeó Rosa.

—La textura de los alimentos, la combinación de grasas, sales, azúcares y carbohidratos se estudian a fondo en laboratorios costosos de muchas compañías de comida rápida, para producir los tentempiés que le cuestan tanto dejar —le explicó el doctor Arrondo.

—¡Es una conspiración para que yo no pueda bajar de peso! —dijo Rosa riéndose.

—La comida, en sus varias formas, modula la manera en que nos sentimos —dijo él—. En gran medida es por ello que a muchos les cuesta tanto comer bien.

—En mi caso es un obstáculo doble —dijo Rosa suspirando y sobándose el estómago—. Tanto que me gustan; ¿sabe lo que me pasa cuando como pan o algo que me encanta? Al poco rato me siento hinchada, tanto que me siento embarazada, y después de que tuve a mi segundo hijo, que es un bólido, ¡ya me harté!

—Parece que le vendría bien un alivio —le dijo el doctor sonriendo de oreja a oreja.

—¡Ya lo creo! Yo sé que un malestar estomacal puede ponerme de malas, pero, ¿qué tiene que ver esto con mi cerebro o con que olvide dónde puse las llaves del automóvil o el par de cosas que iba a comprar al supermercado? Había dicho que estaban conectados. Mi marido siempre me está diciendo que escriba todo, que si no un día voy a olvidar dónde tengo la cabeza.

—Es un tema muy interesante. Tiene aproximadamente ocho metros de intestino. Tan solo el área de la superficie de su intestino delgado es casi del tamaño de una cancha de tenis.

—Con razón me he estado sintiendo tan mal. El malestar tiene mucho espacio adonde cundir, dijo Rosa.

Tus intestinos afectan a tu cerebro

—Es mucho el campo que debemos mantener sano. Cuando el intestino se estresa, lo cual puede ser causado por varias condiciones, las paredes pueden volverse más permeables y permitir que sustancias dañinas penetren en el intestino y en la corriente sanguínea. En algún momento estas sustancias dañinas pueden llegar hasta el cerebro[3] y pueden incluir bacterias y partículas que causan reacciones alérgicas—añadió él—.

«Lo que sucede es que estas sustancias, las proteínas, los agentes patógenos y las sustancias químicas inflamatorias pueden entrar en el torrente sanguíneo de su cerebro. En ocasiones son capaces de atravesar la barrera de la sangre-cerebro.[4,5]

—Mencionó anteriormente la barrera de la sangre-cerebro anteriormente, ¿verdad?

—Sí, es una capa protectora de vasos sanguíneos alrededor del cerebro que ayuda a protegerlo contra cosas que no deberían estar ahí.

—¿Como el foso alrededor de un castillo? —preguntó Rosa.

—Usó una buena analogía; la inflamación intestinal se asocia con una mayor probabilidad de inflamación de esta barrera protectora de sangre-cerebro. Ello, a su vez, puede causar que algunas sustancias dañinas entren en su cerebro.

—Por ejemplo —continuó—, estas sustancias pueden causar inflamación cerebral y depresión, de lo cual hablamos, así como una menor capacidad para concentrarse. También puede aumentar la posibilidad de desórdenes autoinmunes, diabetes y la enfermedad celíaca.

—Y comentó que la inflamación cerebral puede afectar la manera en que mi cerebro funciona, ¿cierto?

—Sí, y sus glándulas tiroideas pueden hacer lo mismo, como lo hemos visto, igual que sus glándulas suprarrenales. No solo ésas, sino también los sistemas digestivo, circulatorio e inmunológico, entre otros. Muchas otras partes de su cuerpo están involucradas; es una gran matriz conectada e interactiva.

«A propósito —dijo el doctor—, la presión alta que tiene José también puede hacer que esta barrera sangre-cerebro se abra más a sustancias tóxicas y agentes infecciosos que llegan a quedarse en el cerebro.[6]

—Así que ¿la presión alta también puede causar alergias alimentarias, diabetes y otros problemas de salud?

—Sí, puede; ayuda a pensar en el cuerpo como si fuera una serie circulante de cascadas conectadas, cada una influyendo sobre todas las demás. Hay un flujo de sustancias bioquímicas e información que van más allá de la circulación sanguínea. Todo se toca e interactúa con todo lo demás de maneras que la ciencia aún no conoce, pero que afectan la salud.

«Como verá, nuestros cuerpos siempre han estado haciendo lo que la sociedad ahora está reconociendo como algo vital para nuestra economía y estilo de vida; comunicándose y manteniendo una relación con otras sociedades lejanas a fin de que la economía global se mantenga sana.

«Con respecto a esta conexión —continuó él—, en un interesante estudio se demostró que existe una semejanza entre el patrón de crecimiento de las ciudades (la creación de vías y salidas de comunicación conforme las ciudades van expandiéndose) y la manera en que crecen nuestros cerebros cuando somos jóvenes.[7] Descubrieron que el crecimiento de las vías de comunicación y rampas de salida en una ciudad en expansión se asemeja al patrón de conexiones nerviosas en el cerebro de un niño en desarrollo.

«Este es un ejemplo de los patrones de la naturaleza expresándose en la sociedad y también con respecto a la manera en que funcionan nuestros cuerpos.

«La paradoja es que, conforme vamos avanzando, el futuro nos va revelando dinámicas que se asemejan cada vez más a las del pasado, a la manera en que la naturaleza siempre ha actuado.

—Eso me recuerda a mi película favorita, *Volver al futuro* —dijo Rosa. A su familia le gustaba reunirse los domingos por la noche para ver películas rentadas. A ella le fascinaban las películas románticas; no las comunes y corrientes, sino las que revelaban algo profundo acerca de las relaciones. A José le gustaban las históricas y de guerra, mientras que a los niños les gustaban todas, siempre y cuando estuvieran todos juntos en el sofá, comiendo palomitas de maíz.

El solo pensar en sentarse en su acogedor sofá la hizo pensar en su trabajo en la empresa contable, que implicaba estar sentada durante muchas horas.

—¿A qué hora puedo hacer ejercicio? —preguntó—. A diferencia del trabajo de mi esposo, el mío no implica hacer ejercicio.

Con tan poca energía para ejercitarse, ese tema era delicado. Su marido se había molestado porque ella había adquirido una membresía en un gimnasio por un año y nunca la usó. Su madre estaba casi siempre del lado de su marido, así que los reproches venían por partida doble.

195

Casi podía oír las palabras de José: «¡Te dije que ibas a asistir durante dos semanas y luego ibas a desistir! ¡Hiciste lo mismo con la escaladora que viste anunciada en la televisión, y ahora para lo único que sirve es para colgar la ropa!»

De pronto se dio cuenta de que estaba retorciéndose en su silla pensando en ello. Recordó lo molesto que había estado José cuando ella iniciaba proyectos que costaban dinero y luego los abandonaba.

Pensó para sí que él simplemente no se daba cuenta, realmente no entendía lo cansada que estaba al finalizar el día, cuando tenía que volver a casa del trabajo para cocinar y limpiar. Deseaba que él se pusiera el delantal por una semana; ella sabía que él no tenía ni la menor idea de por dónde empezar (y además lavar la ropa), sólo durante una semana para que realmente valorara el tiempo que invertía. Él le ayudaba con los quehaceres de casa cuando tenía tiempo, aceptó Rosa, pero no era lo mismo.

—De hecho, esto va más allá del ejercicio y la alimentación —le dijo el doctor Arrondo—. Lo que le estoy sugiriendo es que usemos lo último en información y avances científicos y lo combinemos con los conceptos tradicionales de la sabiduría de las antiguas sociedades que se basaban en la naturaleza, en las que todo se veía como una interrelación, incluyendo nuestra salud.

«Me gustaría usar un ejemplo en nuestra próxima cita, Rosa, acerca de la naturaleza y la vida salvaje, que nos ayudará a ilustrar estos conceptos de la salud; creo que le gustará.

Ella lo pensó por un momento, teniendo en cuenta lo que él le había estado diciendo acerca de cómo las partes del cuerpo afectaban la salud de otras partes y de qué tan profundamente conectado parecía estar todo, como en la naturaleza. Luego dijo:

—Oiga, doctor, entre más lo hablamos, más puedo ver cómo es que la salud de nuestro cuerpo se asemeja a un jardín.

—¡Bien! Dado que ilustro lo del jardín, la próxima vez también hablaremos de semillas.

—¿Semillas?

Las semillas de tu salud

—Seguimos con el concepto de considerar que el cuerpo funciona como un jardín interconectado, pues ello guarda una resonancia con las maneras antiguas, tradicionales de curarnos. Si tiene una semilla fértil, sea orgánica o transgénica, ¿tendría alguna oportunidad de desarrollarse si cayera en una superficie rocosa y seca?

—Por supuesto que no —respondió Rosa con prontitud.

—¿Qué sucedería si estas semillas, por así decirlo, fueran remedios naturales, suplementos nutricionales orgánicos, y su cuerpo fuera semejante a esa dura superficie?

—No serían de mucha ayuda —dijo ella—. ¿Así que me está diciendo que la condición de mi cuerpo, mi tierra, determina mi respuesta a lo que tomo para ayudarme?

—¿Ha notado que la mayoría de las pastillas medicinales que ha tomado, y la mayoría de sus suplementos nutricionales, para el caso, se parecen mucho a las semillas?

—Eso es interesante, no lo había considerado.

—Piense en ello: son pequeñas, redondas y se siembran de la misma manera que una semilla se siembra en la tierra, introduciéndolas por una apertura, su boca —le señaló el doctor.

—Es verdad —respondió Rosa, pensando en el paralelismo—. En el caso del jardín, uno espera que la tierra y otras condiciones sean las apropiadas. La semilla brota o no, igual que cuando uno se toma un medicamento y ve si le funciona o no.

—Exactamente, y lo mismo sucede con los suplementos o alimentos o con cualquier otra cosa que pongamos en nuestro interior. Lo sembramos en nuestro interior, como semillas o bulbos, y luego esperamos para ver si germina, por así decirlo. Posteriormente, si podemos cosechar los resultados, tendremos la experiencia de una mejor cosecha, es decir una mejor salud.

Rosa sonrió.

—Hablemos de lo que hablemos —empezó diciendo ella—, sean píldoras por prescripción, suplementos o la comida, las probabilidades de que satisfagan nuestras necesidades de salud son mayores cuando las condiciones de nuestra tierra, nuestro cuerpo, son óptimas, ¿no?

En el rostro del doctor se iluminó una sonrisa, con lo cual respondió a su pregunta sin palabras.

—Así funciona su cuerpo, Rosa. Es un ambiente de crecimiento dinámico, con una base orgánica que, cuando es saludable, puede absorber e interactuar lo que ingiera, ofreciéndole la posibilidad de tener una cosecha abundante de buena salud. ¡También puede ayudarla a protegerse contra el medio ambiente!

«Ahora, aquí es donde mucha gente se tropieza —continuó él—. Piensan que solo tiene que ver con la comida o suplementos naturales.

—¿Y no es así? ¿No se trata de que consumamos sólo cosas naturales?

—Por ahí deberíamos empezar. Si la enfermedad de una persona ha avanzado hasta el punto de que necesite medicamentos, entonces este modelo puede ayudarle a preparar su cuerpo para que hasta una fuerte semilla química, ya sea un medicamento prescrito, una aplicación de emergencia por vía intravenosa o hasta una cirugía, cumpla mejor con su propósito.

—Entonces, me está diciendo que me ayude naturalmente. Y que si esto no da resultados inmediatos, debo continuar ayudándome naturalmente, de modo que sin importar el medicamento que necesite tomar, este tendrá una mayor probabilidad de curarme.

—Así es. Lo que necesita es comprender y ayudar a su cuerpo, o sea, su jardín, a estar lo suficientemente fuerte y saludable pasar por el equivalente a una helada invernal sin que se pierdan todas sus plantas, aunque se esté recuperando de un resfriado común o enfrentándose al cáncer.

—Bueno pero, ahora ¿qué? —preguntó Rosa con curiosidad—, ¿cómo preparo a mi cuerpo, mi tierra, de tal manera que lo que haga me funcione mejor? ¿Puede explicarlo abordando algunos de mis problemas, como el de la digestión?

—Exploremos ese tema —dijo el doctor—, ¿se acuerda que su abuelo dijo que todo lo del jardín estaba conectado?

—Sí, lo recuerdo, doctor, que usted hizo un paralelo con mi estómago, que actúa como centinela, como un guardián, así como uno de los órganos de la digestión. Ayuda a eliminar gérmenes, tales como virus y bacterias, antes de que entren en otras partes de su cuerpo.

—Y he mencionado cómo es que la disfunción estomacal puede afectar la digestión y el intestino —detalló él—. Un estómago saludable prepara al hígado y al páncreas para la digestión.

«Repasemos brevemente algunas de las cosas que ya hemos mencionado: la comida que no se digiere adecuadamente y los parásitos, pueden ocasionar que tanto su intestino delgado como el grueso se esfuercen demasiado, lo cual puede causar inflamación intestinal.

«El alimento que no se digiere adecuadamente puede ocasionar que las paredes intestinales se vuelvan permeables, de tal manera que las proteínas y parásitos más grandes entren en el torrente sanguíneo y afecten otras partes del cuerpo. Eso incluye el cerebro, causando inflamación cerebral.

«A su vez, la inflamación cerebral puede ocasionar que partes del cerebro no funcionen tan bien, lo cual significa que la regulación de otras partes del cerebro se dificulte más.

—Recuerdo que precisó que cuando el cerebro no estaba funcionando adecuadamente, la presión sanguínea podría aumentar y también podría ocasionar muchos problemas digestivos —dijo Rosa.

El cerebro afecta a la artritis

—Así es, y ahí no termina todo. Un cerebro inflamado puede ocasionar dolor intestinal y de articulaciones. La gente podría pensar que solo se trata de artritis, pero a menudo los resultados de las pruebas de laboratorio y rayos X salen negativos, entonces quizás provenga de una disfunción cerebral —añadió.[1,2,3,4,5]

«Una mala digestión puede en ocasiones activar su sistema inmunológico y ocasionar alergia a ciertos alimentos.

—Ya voy digiriendo bien todos estos conceptos —rió Rosa —¿así que un estómago que no es saludable puede ocasionar muchas cosas feas?

—Vaya que sí, un estómago que no está sano puede, entre otras cosas, crear un desequilibrio en su sistema microbiano intestinal y desembocar en una disbacteriosis, que es un desequilibrio entre una serie de bacterias buenas y malas en su intestino.

«La fibra es esencial para una buena flora intestinal; sin embargo, los estadounidenses ingieren menos de la mitad de la cantidad recomendada, unos 30 gramos al día. Las personas obesas ingieren menos fibra que los individuos de peso normal o con sobrepeso. Se ha demostrado que el consumo de fibra ayuda a disminuir el apetito y bajar los niveles de azúcar en la sangre.

«Tiene aproximadamente mil diferentes tipos de bacterias en su intestino —continuó el doctor—. Por varias razones, la salud intestinal es muy importante; si uno tiene el tipo y la cantidad inadecuados de microbios, debido a la manera en que metabolizan el alimento, uno puede aumentar de peso más fácilmente. El tipo correcto puede ayudarle a protegerse contra alergias alimentarias.[6]

«Los microbios inadecuados pueden aumentar los niveles de su apetito. Además, los cambios en el contenido de los billones de parásitos que viven en nuestros cuerpos, conocidos como microbioma, pueden aumentar nuestras probabilidades de desarrollar la diabetes tipo uno.

Los problemas con los intestinos pueden incrementar el riesgo de diabetes

—Los niños y niñas que estaban predispuestos por el tipo de sus genes a la diabetes tipo 1 tuvieron una disminución de 25% en la diversidad de microbios intestinales, especialmente de los benéficos, un año antes de desarrollar la enfermedad.[7]

«Cuando se hizo una transferencia de microbios intestinales de ratones enfermos de algo equivalente a la diabetes tipo 1, que es una enfermedad auto-inmune, a ratones que no tenían esa enfermedad, estos últimos mostraron un aumento en el predominio de diabetes.[8]

«Esta evidencia nos enseña el intrincado tejido del funcionamiento de nuestro cuerpo; en este caso la inflamación intestinal que desemboca en una propensión a desarrollar diabetes tipo uno. Una y otra vez este tejido se observa en las maneras en que los sistemas de nuestro cuerpo ayudan a curar o dañar a otros sistemas.

—¡Entonces quiero que se retiren! —Dijo ella, pellizcándose juguetonamente las lonjitas—. Ya tengo suficientes retos con mi peso sin tener que pensar en que las bacterias me hacen engordar.

—Bueno, las bacterias intestinales le añaden más o menos un kilo y medio. ¡Existen aproximadamente 100 billones de esas bacterias!

—¡Qué número más desalentador! —exclamó ella, con algo de aprensión.

Ahora, Rosa, ten en mente que este desequilibrio microbiano intestinal, o disbacteriosis, puede acelerar la condición de un hígado común, volviéndolo grasoso. Esto puede ocasionar una inflamación más severa, que puede ocasionar cáncer de hígado. Y puede hacer más difícil que el hígado metabolice la grasa para quemarla.[9,10]

—Así pues, todo esto, junto con mis bajos niveles de acidez, ¿podría ser parte de la razón por la que me inflamo y tengo gases después de comer? —Ella quería saber la relación entre todo esto y sus problemas digestivos.

CAPÍTULO 18

Los lobos y el panorama más amplio

—Sí, podría serlo —prosiguió el doctor—, así como otros efectos. Se ha demostrado que este desequilibrio bacteriano aumenta los niveles de azúcar en la sangre, el colesterol y los triglicéridos, entre otras cosas.[1,2,3]

«También puede ocasionar que los niveles de vitamina B, zinc y magnesio sean bajos, lo cual, con el tiempo, puede provocar la aparición de otros síntomas.[4,5]

«Unos niveles de zinc bajos tienen importantes efectos sobre nuestra salud. El zinc es el oligoelemento más abundante en nuestro cerebro. Sin embargo, aquellos que sufren de la enfermedad de Alzheimer tienen niveles de zinc más bajos. En una investigación se demostró que consumir zinc, como suplemento, por seis meses produce beneficios significativos.[6,7] Se ha demostrado que el uso prolongado de antiácidos disminuye la absorción del zinc en la dieta.

«¿Supongo que ha oído de las cirugías de derivación gástrica? —le preguntó el doctor.

—Una de mis amistades se la hizo, disminuyen el tamaño del estómago, de modo que uno tenga menos capacidad para almacenar alimentos y coma menos —respondió Rosa—. Lo pensé, pero no estoy lista para ello. —Tiempo atrás, estaba desesperada por perder peso y sabía que otras personas se habían beneficiado de la operación, a pesar de las desventajas. Ella había decidido abstenerse, viendo qué podía hacer por su propia cuenta.

—Algo imprevisto ocurrió cuando empezaron a hacer esos tipos de cirugía —agregó el doctor Arrondo—, se dieron cuenta de que había un efecto secundario inesperado. En el caso de muchos pacientes, los niveles altos de azúcar en la sangre disminuían.

—¿Por qué? —preguntó ella.

—¿Recuerda que hablamos acerca de las ventajas de las bacterias intestinales benéficas? Pues los investigadores han encontrado una poderosa razón debido a la cual las personas bajaron de peso y no fue solo por el efecto intencional de largo plazo en cuanto a disminuir la ingesta y absorción de nutrientes en el intestino delgado. La cirugía estaba teniendo un efecto sobre ciertos receptores celulares y microbios en el intestino. Por tanto, ayudó a que las personas redujeran su peso y sus altos niveles de azúcar.[8,9]

—¿Me está diciendo que nuestro organismo intestinal tiene todo ese efecto en nosotros? —le preguntó Rosa—. Yo creía que el mayor efecto de la cirugía era la reducción de la cantidad de alimento que el estómago podía mantener —añadió maravillada.

—Interesante, ¿verdad? un sistema afecta a otro sistema, lo cual cambia el estatus de nuestra salud. Es como el cuerpo trabaja....y sana. Los profesionales de la salud están trabajando para ver si pueden lograr que los receptores y microbios intestinales cambien de esa misma manera, sin tener que llevar a cabo una cirugía para reducir la capacidad estomacal.[10]

El resto del cuerpo nos ayuda a sanar

—Este es otro ejemplo en el que la disfunción de una de las partes del cuerpo puede ocasionar cambios en otras partes del cuerpo, creando otros síntomas que en un principio no parecen estar relacionados —añadió—. También nos muestra por qué es importante mantener un ojo clínico en el estatus del funcionamiento de todo el cuerpo con el fin de poder ayudar en alguna condición específica.

«El funcionamiento del cerebro, junto con los niveles de inflamación corporal, pueden afectar el funcionamiento de la glándula tiroides —explicó—. A su vez, eso puede afectar el funcionamiento de los sistemas estomacal y digestivo, así como de otros sistemas en el cuerpo. La depresión puede afectar el funcionamiento de la tiroides, que a su vez puede causar depresión. Y esos sistemas afectarán el funcionamiento de otras partes del cuerpo, incluyendo al cerebro.

—Sabe —comentó Rosa—, me recuerda a una telaraña, en donde cada hilo se conecta con todos los demás. Si mueve uno de los hilos, toda la telaraña lo resiente.

—En todos los niveles —dijo el doctor en concordancia—, deberíamos estar mirando más de cerca las conexiones de la telaraña que menciona. Eso me hace recordar una de las citas de Albert Einstein: él dijo que había que profundizar en la naturaleza y que entonces uno entendería todo mejor.

«La vida está conectada, las cosas se relacionan y las relaciones cuentan (no solo en nuestros jardines, sino también en nuestros cuerpos) pues nuestros cuerpos se comportan como jardines —añadió—. Después de todo, así como la araña con su telaraña, nosotros somos todos parte de la naturaleza y estamos sujetos a la manera en que la naturaleza opera, seamos o no conscientes de ello.

—¿Cuál sería un ejemplo práctico de esta interconexión dentro de nuestros cuerpos? —le interrogó Rosa.

—Veamos —dijo pensándolo unos instantes—, si tuviera problemas con la vista, podría abordar el asunto como lo han hecho durante miles de años quienes practican la medicina china.

Tus ojos y tu hígado: Conexiones importantes

—Cuando los pacientes tienen problemas con la vista, a menudo se refieren al hígado, buscando el origen del problema. Ellos creen que ambos están conectados, y que cuando el hígado no está funcionando adecuadamente, puede tener consecuencias en los ojos. La medicina occidental cuenta ahora con investigaciones que muestran una correlación entre el funcionamiento del hígado y problemas con los ojos.[11,12,13,14]

«Otro ejemplo que subraya esta conexión, a niveles más profundos, es la manera en que nuestros cuerpos interactúan con nuestros pensamientos. Por medio de la investigación, se ha demostrado que las personas que reprimen sus emociones, tienen una mayor incidencia de dolor crónico a nivel de la espalda baja.

Los problemas emocionales de tu niñez afectan tu salud

—En un estudio, los investigadores encontraron que los conductores de autobuses municipales de la ciudad de San Francisco, que reprimían sus emociones más que otros conductores, sufren, de manera más frecuente, ataques de dolor de espalda.[15]

«¡La próxima vez que vea algunos de ellos enojados, sepa al menos que podrías estar ayudándolo a que no le dé dolor de espalda baja! Nuestras mentes pueden desempeñar un papel tan importante en el desarrollo del dolor crónico de espalda baja, como los problemas biomédicos.[16,17,18,19]

«En un estudio retrospectivo que se llevó a cabo con 86 pacientes, se demostró que el grado de trauma psicológico infantil había afectado fuertemente la probabilidad de éxito o fracaso de una cirugía de espalda baja muchos años después, cuando eran adultos.[20,21] Otro estudio con 101 pacientes indicó que el dolor crónico de espalda baja, incluso en ausencia de factores estructurales patológicos observables, ocurría más a menudo cuando había múltiples factores de trauma psicológico en la infancia.[22]

«Los pioneros de la aplicación clínica de la conexión entre mente y cuerpo, como Bert Hellinger, Dietrich Klinghardt, Scott Walker, Donald Epstein y Jerome Schofferman, enfatizan que existen entre nuestras primeras experiencias de vida no resueltas y nuestros problemas de salud en el presente.

«Nuestros cuerpos pueden funcionar en un círculo vicioso o virtuoso, dependiendo de cómo trabajemos con él, cómo lo tratemos en nuestro papel de maestros jardineros de la salud —continuó el doctor Arrondo.

—Bueno, ¡esos son los conceptos que mi abuelo me enseñó para cuidar el jardín! —exclamó Rosa —¿Puede explicarme por qué me recetan uno o dos tipos de medicamentos para un solo síntoma, y luego otro medicamento para otro síntoma? Recuerdo que en algunas ocasiones se me ha dado un medicamento para detener el síntoma que otro medicamento me estaba produciendo.

«En ocasiones —añadió ella—, cuando me quejo de un síntoma, me mandan con otro doctor que solo trata esa parte de mi cuerpo.

—Rosa, los especialistas son necesarios cuando es apropiado y pueden salvar vidas. Han invertido muchos años estudiando y conocen su materia muy bien.

—Hoy en día —precisó él—, la mitad de todas las visitas médicas son a especialistas. Solo uno de cada tres doctores tiene práctica en cuidados primarios.[23] Sin embargo, a menudo estos especialistas no se reúnen con los doctores que remiten a los pacientes, ni tienen conferencias con otros doctores para obtener un panorama general de la salud de un paciente.

«No quisiera minimizar lo útil que los especialistas pueden ser. Tenerlos es una fortuna.

«Sin embargo, lo que yo sugiero es que demos unos pasos atrás y miremos el panorama amplio de la industria de la salud. Cuando exploramos la manera en que nuestra sociedad ha creado mecanismos de apoyo a la salud, vemos que se tiende a dar un enfoque a corto plazo, centrado en síntomas o hasta en enfermedades, en vez de mirar al paciente más de cerca, como un todo.

—Doctor, vi un documental interesante acerca de la manera en que las compañías de Occidente se enfocaban en las ganancias a corto plazo, en tanto que algunas Orientales, de culturas más antiguas, tenían metas de 50 o hasta 100 años como parte de su estrategia corporativa; eso tiene el mismo sentido, ¿verdad?

—Sin duda. Ve este fenómeno expresado en una serie de dinámicas en nuestra cultura, incluyendo el cuidado de la salud —le respondió el doctor Arrondo—. La manera en que nuestra sociedad aborda la salud refleja este enfoque a corto plazo.

«Se lo diré de otro modo: ¿Alguna vez alguien se ha sentado con su doctor a desarrollar un plan de cinco años con respecto a su salud?

—Nunca oí tal cosa —le respondió Rosa.

—Esperemos que con el tiempo eso cambie. Creo que puede cambiar si nuestras filosofías clínicas empiezan a reflejar estos cambios, siempre y cuando las personas involucradas estén dispuestas a moverse en esa dirección — añadió él.

—Bueno, yo misma soy bastante necia, como ya se habrá dado cuenta, doctor; no es fácil hacer que las personas cambien.

—Todos tenemos nuestras resistencias; debemos dar un paso a la vez —resaltó él, encogiéndose de hombros.

—¡Y el paso de hoy empieza conmigo! —dijo ella resuelta. Ella estaba dándose cuenta de que necesitaba llevar a cabo cambios significativos en su vida, y le simpatizaba la idea de que éste pudiera ser el lugar indicado para ella.

¿Mejor salud? ¡Mejores decisiones!

—Tiene razón —le respondió el doctor muy seriamente— . Hablamos acerca de la importancia de mirar no solo el panorama más amplio, sino también de tener la paciencia y disciplina para realizar los cambios necesarios.

Posteriormente, hablaremos de que un cuerpo más sano necesita mucha menos disciplina y esfuerzo para ir en la dirección correcta.

—¿A qué se debe eso? —preguntó ella.

—Porque una salud mejor significa que el cuerpo le dará mayor apoyo, de manera natural, a las mejores elecciones, incluyendo el alimento.

«Ahora, echemos un vistazo a la causa y el efecto, puesto que ello abarca a nuestros cuerpos tanto como a la naturaleza. Pueden existir muchas causas que creen un cambio en nuestra cultura y en nuestra economía, ¿de acuerdo? —le preguntó el doctor.

—Seguro, pero ¿podría ofrecerme algunos ejemplos? —replicó Rosa.

—Muy bien, empecemos diciendo que el alcance de estas causas puede ser largo y ancho, ya se trate de la tala de árboles productores de oxígeno en el Amazonas o cambios ambientales en otra parte, que causen que las islas se sumerjan debido a un aumento en los niveles del agua.

«Puede tratarse de algo físico, como los temblores de tierra al otro lado del planeta, o una convulsión del mercado de valores en otro país, o una guerra en un pequeño país productor de petróleo a kilómetros de distancia, creando aumentos del precio de la gasolina o de los bienes relacionados.

—De acuerdo, entiendo —respondió Rosa, preguntándose adónde quería él llegar.

—Pero estas causas también pueden asociarse con cambios sutiles, invisibles.

—¿Como cuáles?

—Un ejemplo son los niveles de acidez cada vez mayores en los océanos. El aumento de la acidez está causando cambios en el número y composición del fitoplancton, que está compuesto de organismos microscópicos en el extremo inferior de la cadena alimenticia marina.

—Pero, si son microscópicos, ¿cómo nos afectarían? —indagó Rosa.

—La cuestión es que los cambios en el fitoplancton están afectando la manera en que el océano absorbe los niveles de bióxido de carbono de la atmósfera; no suena importante, ¿verdad? Bien pues, los mares absorben aproximadamente la mitad de todo el bióxido de carbono de la atmósfera. Esos niveles han estado aumentando durante algunos años y contribuyen al efecto invernadero.

«Aquí otro ejemplo del intrincado tejido de las conexiones en la naturaleza. Recuerda que nuestro cuerpo funciona como la naturaleza, y es igual de complejo. También, el ambiente interno de nuestros cuerpos incluye 37 billones de nuestras células y quizás cien billones más de células que habitan en nuestros cuerpos.[24]

«Estoy empleando este ejemplo porque me contó que a usted y a su familia les gusta ir a los parques, ¿cierto?

—Cuando podemos —dijo ella—, pensando en sus vacaciones habituales—. Al menos una o dos veces al año nos gusta pasar el día en un parque y cocinar algo al aire libre; es relajante, y si tenemos suerte, nuestro hijo no tiene señal de internet en su teléfono celular, que absorbe su atención. ¿Ha oído hablar de la 'familia nuclear'? Bueno, pues ahora existe un término nuevo: 'la familia Internet,' compuesta de jovencitos y jovencitas tecleando con el dedo gordo en sus aparatos, como si fueran grillos. Aquí nada tiene que ver la genética, los padres no tienen injerencia —añadió Rosa—, con una sonrisita un poco amarga.

—¿Han visitado el Parque Yellowstone? —le preguntó el doctor.

«Hace cuatro años fuimos a visitar a unos familiares en esa zona y tuvimos la oportunidad de pasar el día ahí; fue maravilloso. Tomé muchas fotografías; mi hijo hasta subió la cabeza, dejando de mirar a su celular, una o dos veces.

«Bueno pues ahora el parque es diferente de lo que era hace 50 años, cuando la población de alces era tan abundante que los pastizales y muchos de los bosques estaban en mal estado. La tierra se estaba erosionando y las plantas se morían —le explicó el doctor Arrondo.

—El problema es que hace muchas décadas, se había acordado realizar un esfuerzo para eliminar a los lobos. Eso permitió que la población de alces creciera hasta alcanzar cifras muy altas. Los alces son una de las presas de los lobos.

«Después de considerarlo varias veces, a mediados de la década de los noventa, se reintrodujeron unos treinta lobos al Parque Yellowstone; no eran muchos lobos, en realidad. ¿Cuál cree que fue el resultado?

—Me imagino que mataron a los alces y se redujo su número —respondió ella.

—Así es, pero se apreció un sorprendente número de otros cambios al introducir tan solo esta variable, un pequeño número de lobos.

—¿Cómo qué? —preguntó Rosa.

—¿Pueden los lobos cambiar ríos? —preguntó él, sonriéndole.

Los lobos que cambiaron el curso de los ríos

—¿De verdad? —reaccionó ella con incredulidad—. Vamos, quiero ver adónde vas con esto.

—Entonces veámoslo desde el principio. Cuando la población de lobos fue erradicada hace muchas décadas por el gobierno, el número de coyotes aumentó significativamente. Los coyotes, que habían sido presa de los lobos, mataron a muchos de los antílopes. Cuando se reintrodujeron lobos, la población de coyotes disminuyó significativamente, y la de antílopes aumentó.

«Una menor cantidad de coyotes también implicó un mayor número de sus presas, como zorras, conejos y venados jóvenes, así como roedores y aves que anidan en el suelo.

«Además, el pastoreo de los alces y los venados disminuyó, dando lugar a que volvieran a crecer árboles cerca de los terrenos madereros, y con ello aumentó la cantidad de aves canoras significativamente.

«En ciertas partes, los árboles crecieron mucho más alto, pues los alces no estaban alimentándose de ellos como antes. Eso incluía sauces, que los castores necesitan para pasar el invierno. Así pues, el número de colonias de castores aumentó dramáticamente. Los castores también fueron importados y ahora podían reproducirse abundantemente en mejores condiciones.

«A su vez, los castores ayudaron a recargar el nivel freático y así proporcionarles sombra a los peces, así como una manera de estabilizar la fuga de agua.

«Las presas construidas por los castores ayudaron a detener la erosión y crearon estanques que los peces y aves podían usar. Llegó una gran cantidad de águilas, halcones y tejones; evidencia de una mayor complejidad y abundancia en la cadena alimenticia. Entonces, los osos pardos encontraron más frutos silvestres para comer porque había disminuido el sobrepastoreo de las manadas de alces.

—Pero y ¿qué ocurre con los lobos y los ríos? —insistió ella.

—Es una historia interesante; cuando los lobos ahuyentaron a los venados de ciertas zonas del parque, algunos de los árboles, cerca de los bancos de los ríos, empezaron a crecer mucho más alto que antes, ayudando a proporcionar estabilidad al suelo.[25,26,27,28]

«Los bancos de los ríos se derrumbaban con menos frecuencia, cambiando su curso. Como el pastoreo de venados disminuyó, la vegetación pudo recuperarse. Sus raíces le dieron estabilidad al terreno y ayudaron a evitar la erosión. Además, el aumento en la cantidad de castores también ayudó a disminuir la erosión.

«Durante décadas, los alces habían causado mucho daño, así que el efecto que los lobos han ejercido en tan solo veinte años, aún es limitado, pero notable.

—¡Así que los lobos realmente tuvieron un efecto en el cambio del curso de los ríos y muchas cosas más! —exclamó Rosa sorprendida.

—Rosa, ¿qué aprendizaje cree usted que pueda usted obtener con este ejemplo?

—Permíteme pensarlo: a ver, cuando los lobos fueron aniquilados, surgieron muchos problemas en el parque, que pensándolo bien, es semejante a un enorme jardín. Muchos de esos problemas eran en su mayoría síntomas de una falta de equilibrio ecológico, por la forma en que la gente estaba administrando el parque en aquel entonces.

—Tiene razón, Rosa. En vez de simplemente volver a plantar árboles o usar sacos de arena para estabilizar la erosión en los bancos de los ríos, los cuidadores ahora vieron las cosas de manera diferente. Estudiaron lo que pudiera ser la causa raíz y lo que pudiera traer una serie de cambios necesarios de manera natural.

—Así que reintrodujeron a los lobos al ambiente y con ello le dieron un mayor equilibrio al ecosistema —razonó ella. —Ahora el Parque de Yellowstone tiene más herramientas para auto-regularse de forma más saludable, algo así como lo que usted notó acerca del cuerpo — continuó Rosa.

—Ha enfatizado la habilidad del cuerpo para auto-regularse y curarse, si podemos encontrar y abordar las barreras subyacentes a la curación, al buscar las causas raíz.

Ella pensó en las implicaciones y luego dijo:

—Doctor, sabe lo práctica que soy, así que ¿podría darme un ejemplo de cómo es que esto se enlaza con los retos de salud de una persona?

Anemia: Conexiones importantes que debes saber

—Claro —respondió—, en su primera cita se quejó de sentirse cansada. Veamos un padecimiento que se asocia con el cansancio frecuentemente con las mujeres y es tan común que la mitad de los residentes de todos los asilos de ancianos lo tienen: anemia.

—Un momento, doctor, mi madre ha padecido de eso. Le han dado tabletas de hierro durante varios años. Sin embargo, sus niveles de hierro no han aumentado. Ha padecido anemia durante varios años. También siente frío y se queja de que su cerebro no le funciona bien. Le han dicho que sus niveles bajos de hierro le están causando la anemia.

—La falta de hierro es la causa más común de anemia, pero no la única —dijo el doctor Arrondo—. Sin embargo, debe preguntarse qué está causando esos niveles crónicamente bajos de hierro, aunque haya estado tomando tabletas de ese mineral durante años sin obtener muchos beneficios.

—Entiendo lo que me quiere decir. Es como seguir plantando semillas porque los alces se han estado comiendo las hojas, pero no se está considerando la causa raíz, no se está abordando la sobrepoblación de alces.

—¡Lo ha comprendido! —Se regocijó el doctor Arrondo—. De hecho, ya nos hemos referido al hecho de que algunas personas no asimilan el hierro, especialmente entre los adultos mayores. ¿Lo recuerda?

—Recuerdo que apuntaste que los niveles bajos de acidez estomacal, así como los problemas intestinales, podrían contribuir a que la absorción de minerales no fuera tan buena, incluyendo el hierro. Creo que también notaste que al ir envejeciendo, los cuerpos producen menos acidez. Eso hace que se les dificulte más la absorción de una serie de minerales, incluyendo el hierro. ¿Es así?

—Precisamente, tome en cuenta que quizás haya otras razones por las que los niveles de hierro en la sangre sean bajos, tales como patrones menstruales pesados, o sangrado intestinal, entre otras.

«Cuando ayudamos a personas con este tipo de problemas crónicos, dándoles ayudas digestivas en apoyo de la función y salud de su estómago e intestino, a menudo vemos que este problema desaparece. Los niveles de hierro que aparecen en los exámenes de sangre empiezan a elevarse, y los indicadores de anemia asociada con un nivel bajo de hierro empiezan a normalizarse, a menudo por primera vez en años. Y la gente se siente mejor, con menos cansancio.

—Quiere decir que encontró al lobo, ¿verdad? —se rió Rosa.

—Creo que podríamos decirlo así —le dijo el doctor Arrondo con una sonrisa.

Rosa se reclinó en su asiento, pensativa. Se preguntaba a sí misma «*¿En dónde estarían los lobos en su cuerpo?*»

CAPÍTULO 19

Acerca de presidentes y plancton

Rosa regresó a la clínica del doctor Arrondo, preguntándose en qué iba a terminar la conversación que tuvieron en su última cita. Ella estaba disfrutando de los inesperados giros y poniendo más atención en los beneficios que podría obtener de dichas conversaciones.

Tenía otra razón para estar más atenta. A pesar de su impaciencia y anterior recelo, con el paso del tiempo sentía que su energía aumentaba. También su cuerpo parecía estar funcionando con mayor soltura; se dijo a sí misma que no quería echarlo todo a perder mencionándolo, aún no quería hacerlo; deseaba estar segura.

Al final de la examen y tratamiento, el doctor Arrondo empezó con la conversación donde se habían quedado la semana anterior.

—Si encendemos el televisor y vemos las noticias nocturnas acerca de los acontecimientos mundiales, fácilmente veremos el grado en que muchas cosas están interconectadas y son interdependientes. Cada vez más, estamos adquiriendo consciencia, por medio de la tecnología, de esta conexión, de esta interrelación —él notó.

«Nos beneficiaría que nuestra sociedad considerara y proporcionara los cuidados de la salud de la misma manera que lo han hecho los administradores del Parque Yellowstone, y adoptáramos unos enfoques más integrados que revelaran la causa raíz o los factores contribuyentes en relación a nuestra salud.

«La buena noticia es que todo lo que se necesita para dar un buen primer paso en ese sentido es cambiar nuestro punto de vista —añadió él—. La mala noticia es que, desafortunadamente, el cambiar puntos de vista y opiniones es de lo más difícil para la mayoría.

—Me alegro por los castores, en verdad, pero ¿cómo pueden ayudarme más a fondo estos conceptos recientes y los ejemplos que me ha compartido? —insistió Rosa.

—Ilustraré a través de otro ejemplo que se relaciona con lo que habíamos discutido la última vez. Usemos al presidente.

—¿Qué? —Rosa echó su cabeza para atrás, riéndose—. Un momento, ¿está tratando de conectar al presidente de Estados Unidos con el plancton, terremotos, lobos y lluvia ácida?

Él le respondió con risa: —¡Me encanta su sentido del humor, Rosa! Y sí, la conexión existe —añadió él con una chispa en los ojos.

Ella sonreía pícaramente: —¡Y estoy esperando con mucha anticipación a esta conexión! —Ella se reclinó en su asiento, cruzándose de brazos y preguntándose en qué iba a parar todo esto.

—Bueno pues todos ellos tienen que ver con una crisis, y cómo él responde. Usaremos un ejemplo extremo de una crisis, digamos una guerra —dijo él con una sonrisa expectante.

—Un momento, ¿se refiere a una guerra mundial? —preguntó ella.

—¿Por qué no? Usemos una guerra mundial como ejemplo. ¿Qué hace nuestro presidente cuando una guerra estalla?

—¡Esperemos que ganarla! —se rió ella.

—Con ese propósito, en su calidad de comandante en jefe, se reúne con los miembros del Estado Mayor Conjunto, la Secretaría de la Defensa y con los jefes de una serie de otras dependencias gubernamentales —explicó el doctor.

—Se reúnen en la Sala de Situaciones de la Casa Blanca para planificar sus respuestas y estrategias. Cada miembro del Estado Mayor Conjunto, así como los demás participantes, contribuyen con sus opiniones a partir de sus experiencias; las comparte y realizan un intercambio de ideas, incluyendo la aguda diferencia de opiniones, le ayudan al presidente a moldear una gran estrategia, y quizás a cambiar su punto de vista. Esto constituye parte del proceso que le ayuda a tomar las mejores decisiones posibles.

—Sí, lo he visto en la televisión, pero ¿qué tiene eso que ver con mi salud?

—Exploremos lo que sucede cuando el cuerpo ha sido invadido por un virus o una bacteria. Se destalla una guerra interna entre el sistema inmunológico y el patógeno. ¿Recuerda que hablamos acerca de que estuvo hospitalizada a consecuencia de una infección bacteriana?

«Su cuerpo luchó arduamente contra esas bacterias —le explicó—. Es como un ejército de soldados bacterianos invadiendo su cuerpo, y su cuerpo tuvo que coordinar vigorosas defensas empleando sus recursos, dirigido por su sistema inmunológico, contra esa invasión.

—Como en una guerra, sí —admitió Rosa.

—De acuerdo, pero ahora vayamos un poco más lejos. Piense en las veces que los miembros de su familia o alguien a quien conoce han ido a visitar al doctor.

—Sí, pero ¿qué tiene que ver eso con el presidente?

—Cuando los doctores piensan que es necesario, primero la mandan a un especialista y esperan que se les envíe un reporte —le dijo él—. Supongamos que usted tiene un problema de tiroides y palpitaciones del corazón, y quisieran revisar su corazón, ¿qué cree que sucedería a continuación?

Antes de que pudiera responder, él continuó.

—La mandarían con el especialista que quizás se encuentra a diez cuadras, o al otro lado de la ciudad, aunque la distancia entre su tiroides y su corazón sea de solo unos centímetros. Quizás la manden con un especialista en tiroides y uno en corazón. Estos órganos están casi instantáneamente conectados por sus vasos sanguíneos, nervios y otros tejidos, pero tal vez tenga que esperar semanas para poder ver al especialista.

—Si tuviera problemas digestivos, el doctor podría enviarla con otro especialista en otro lugar, y ordenaría que se hiciera análisis y diagnóstico de laboratorio, y entonces su doctor esperaría el reporte de ese especialista.

—Por experiencia puedo decirle que normalmente así sucede —dijo Rosa.

Si los doctores actuaran como presidentes

—Pero ¿qué tan a menudo ha estado en una sala cuando su cuerpo está luchando contra una infección seria u otra enfermedad, y como en el caso del presidente, todos los especialistas están ahí presentes o en una breve conferencia telefónica? —Preguntó el doctor—. Eso le daría el beneficio de tener a sus doctores en conferencia, ofreciéndole a su doctor de cabecera sus opiniones. Lo cual es similar a la manera en que el Estado Mayor Conjunto y otros especialistas le hacen recomendaciones al presidente.

—De acuerdo, ahora le entiendo —dijo Rosa—. ¡Pero la gente como yo no recibe trato presidencial!

—Es cierto; no tiene la ventaja de saber que se ha llevado a cabo una conferencia telefónica, aunque fuera breve, entre los doctores para asegurarse de que la respuesta clínica elegida haya sido la mejor.

—Escúcheme, doctor, usualmente me siento afortunada de tener aunque sean unos cuantos minutos con solo uno de los doctores cada vez que voy a consulta, a pesar de lo mal que me pudiera sentir —lamentó Rosa.

—A muchos de ellos les gustaría pasar más tiempo con cada paciente —le respondió el doctor Arrondo—, pero el sistema no funciona así.

Ella pensó por un momento y dijo:

—Pero puedo ver cómo podrían intercambiar opiniones, ofrecer contribuciones y quizás ayudar a que otros doctores cambien de opinión con respecto a la mejor manera de tratar mi caso. Y me gustaría que me consideraran en mi totalidad, no solo mis síntomas e indicios.

—De cierta manera su cuerpo es como un país —ilustró el doctor—. La mejor manera de protegerlo es por medio de una filosofía clínica comprensiva, empleando el mismo enfoque que nuestros presidentes saben que funciona mejor.

«Y no se trata solo de un enfoque presidencial. Puede ver que, históricamente, se ha venido empleando, igual que en la época moderna, a nivel estatal y local. Por experiencia, los gobiernos saben que este tipo de enfoque es usualmente la mejor manera de encontrar la mejor solución a los problemas.

«No tiene que hacerse en cada visita de rutina —añadió—. Obviamente, no es factible, pero se nos ha ido el tren tantas veces... y sucedió porque se empleó un enfoque clínico segregado, seccionado. Lo que estoy sugiriendo es que veamos los beneficios de una filosofía clínica integrada, interconectada, que incluya a los doctores consultándose activamente entre sí, buscando factores más causales que contribuyan a una buena salud. Ello implica que los doctores estén activamente involucrados en la coordinación de los cuidados a un nivel amplio y desde diferentes modos de abordar la curación.

—Así que los doctores serían capaces de proporcionar el cuidado que mejor se ajuste a cada individuo, ¿verdad? —dijo Rosa.

—Sí, a nivel individual, un doctor puede estar capacitado para dar unos pasos atrás y ver el panorama clínico más amplio, para considerar al paciente en su totalidad y buscar pistas clínicas aparentemente no relacionadas. Podría integrar todas sus percepciones, empleando todos sus sentidos y recursos, para proporcionarle al paciente el grado de ayuda más profundo que pudiera.

—Como un Sherlock Holmes clínico, ¿no? —dijo ella guiñando—. Me refiero a que tiene sentido, suena elemental.

Se estaba sintiendo de mejor humor y más conectada a los hilos de esta conversación. También se dio cuenta de que últimamente no había estado tan irritable.

—Creo que va comprendiendo la visión, Rosa, que se refiere a que deseamos tener lo mejor de ambos mundos: la modernidad de la tecnología fusionada con la sabiduría de la antigüedad. Estoy hablando de la sabiduría de las sociedades más antiguas, que reflejaban comprensiones profundas acerca del funcionamiento de la naturaleza, de lo cual dependían a diario para su supervivencia; posteriormente hablaremos más al respecto.

—Algo así como no limitar el cuidado de la salud a tan solo mirar por microscopios cada vez más poderosos, sino también asegurarse de que se incluyan telescopios, ¿verdad? —dijo Rosa—, para buscar los patrones de conexión, el panorama amplio.

—Es correcto; como doctores, primero queremos preguntar qué podemos hacer por el paciente a fin de ayudar a los mecanismos de interconexión de la auto-curación del cuerpo. Estos mecanismos dependen de que todo el cuerpo esté funcionando al máximo posible para apoyar una mejor salud.

—Igual que en la historia de los lobos —añadió ella.

—Así es, piénselo: ¿no es esto lo que aprendió de su abuelo y de otros como él? ¿Dar unos pasos hacia atrás, ver más profundamente, reconocer que las cosas están conectadas y buscar la causa raíz?

—¡Es verdad! —dijo ella—. Por cierto, como estamos tratando el tema, hay una parte de mi pequeño jardín que realmente quiero que me arregle. —Lo miró intensamente.

—¿Cuál?

—Bueno, digamos que no quiero verme como un melón gordo, pasado de maduro. Así que... ¿puede esto ayudarme a bajar de peso? Le dije que para mí era algo muy importante.

—Voy a empezar por preguntarle algo —le respondió él.

—¡Más preguntas! Bueno, adelante —le dijo Rosa, fingiendo frustración.

—¿Alguna vez se le ha enfermado un perro?

Ella se le quedó mirando inquisitivamente.

—¿Me está diciendo que existe una conexión entre mi sobrepeso y mis perros enfermos?

Grasa

CAPÍTULO 20

Bajar de peso se hace más fácil

—María, ¿es su hijo el que está jugando del otro lado del campo? Creí que no le gustaba hacer ejercicio.

Rosa se encontraba en el parque con su familia, y había notado que Pedro se veía un poco más delgado. Qué bueno era ver que no tenía entre sus dedos un juego electrónico portátil.

—Sí, es él —le respondió María—. Por fin hemos logrado que haga más ejercicio.

—¿Cómo, por todos los cielos, pudiste lograrlo? —El hijo de Rosa prefería los videojuegos, ver la televisión y la comida basura. Tenía sobrepeso y le daba algo de vergüenza jugar con otros niños.

—En realidad, todo empezó con el doctor Arrondo.

—¿Quiere decir que llevaste a Pedro a verlo?

—No, aún no, pero mis citas y mis cambios también han empezado a tener un efecto dominó en mi familia, y no solo en Pedro.

—¿Qué me quiere decir? —le preguntó Rosa.

—Cuando lo fui a ver —María empezó a explicarle—, me dijo que en la medida en que mi salud mejorara, mi cuerpo funcionaría cada vez más de acuerdo al modo en que naturalmente debía hacerlo, y entonces se me iría haciendo más fácil elegir alimentos más saludables.

«También me dijo que naturalmente mi cuerpo querría alimentarse de porciones más saludables sin el sufrimiento por el que, tú bien sabes, pasaba casi siempre que intentaba bajar de peso; realmente nada me había funcionado. Tú sabes lo frustrante que ha sido estar a dieta; durante años me he estado matando para bajar algunos kilos, en ocasiones muchos, para luego subirlos de nuevo, y unos meses después, subir otros tantos.

—Todas hemos pasado por eso —le dijo Rosa analizando a su hermana cuidadosamente—. Pero, oye, tu rostro se ve más delgado, y también el resto de tu cuerpo.

Rosa no había visto a su hermana desde algunas semanas; los horarios pesados, el trabajo y la familia hacían que fuera más difícil verse que cuando eran jóvenes y despreocupadas. Notó que María, además de verse más delgada, tenía más energía y entusiasmo al hablar, y que su rostro se veía más saludable, quizás también su piel, no estaba segura.

Parecía que su hermana se veía más luminosa, pero no podía saber por qué.

—Entonces, ¿qué sucedió? —le preguntó Rosa, con una voz llena de curiosidad.

—Debo decirte, Rosa, que al principio pensaba que eran puras ilusiones, pero me estoy sintiendo con más energía y duermo mejor, mi digestión ha mejorado y he notado que estoy más delgada.

«He bajado de peso —prosiguió—, aunque todavía me queda mucho camino que recorrer. Lo gracioso es que, según mis amigas, pareciera como si hubiese bajado más de lo que mi báscula marca. El doctor Arrondo dijo que se trata de algo muy bueno para mi salud.

Adelgaza porque te da más gusto comer mejor

—Pedro fue el primero que notó los cambios en mi cuerpo. Dijo que estaba adelgazando y eso le gusta. Lo creas o no, no he sentido hambre ni estoy siguiendo una dieta especial para bajar de peso. Pero, obviamente, estoy comiendo mejor que antes; esta vez todo es más sencillo.

—Parece un milagro —respondió Rosa—. ¿Estás segura de que no estás tomando píldoras de prescripción para adelgazar, o algo por el estilo?

—No, hermana. Realmente se trata de un cambio de estilo de vida. Por ejemplo, el doctor Arrondo no me dijo que limitara mis porciones de alimento; en cambio, veo que estoy comiendo porciones más pequeñas y haciendo elecciones más saludables. Y es así que he estado ayudándole a la familia, pues ya no compro comida basura.

«Ahora mi hijo busca y se frustra al no encontrar comida basura en los gabinetes de la cocina para comer frente al televisor. Tampoco estoy comprando comida que pudiera ser nutritiva pero muy alta en calorías —añadió—. Como tengo más energía, les he estado pidiendo que vengan al parque y se ejerciten conmigo, lo cual me anima.

—Puedo entender que hayas cambiado tu estilo de vida —dijo Rosa—, pero, ¿cómo pudiste hacer que tu esposo y tu hijo José Javier cambiaran sus hábitos alimenticios?

—Al principio no estaban muy contentos con la comida que yo elegía, pero sabían que me ayudaban si todos comíamos de la misma manera. Se han estado ejercitando conmigo, es su modo de alentarme. ¡Pero a ellos también les ayuda!

—El amor da y por el amor se logra —dijo Rosa bromeando.

—Así que esa es parte de la razón por la que ves que Pedro ha cambiado —continuó diciendo María—. También le he compartido algunos suplementos que el doctor Arrondo me sugirió, y muchos de sus consejos, en general. Todo ello está empezando a crear diferencias agradables. Bajo mi techo, nadie se está muriendo de hambre, ni se siente cansado, ni está sufriendo. Diremos, por lo menos, que las quejas son mínimas —rió ella, echando su cabello para atrás, como lo hacía desde que era niña, Rosa notó con cariño.

—Voy a dejar que él te lo explique, Rosa, pues no me acuerdo de todos los detalles —dijo María—. Básicamente, antes de que te dediques a bajar de peso, enfatizó que había que asegurarse de que tu salud fuera lo suficientemente buena para que tu cuerpo pudiera soportar la pérdida de peso con mayor facilidad; es útil bajar de peso con estabilidad.

«También dijo que uno debería asegurarse de que todos los sistemas corporales estén funcionando tan bien que puedan bajar de peso sin pasar hambre, y que no sufras de debilidad o falta de energía.

«Él tiene una manera de abordar las cosas que tiene sentido, y gracias a Dios, encontré algo que por fin funciona, al menos a mí.

—¿Es el mismo programa para todo el mundo? —le preguntó Rosa.

—De hecho, no —dijo María—. Mencionó que cada persona es única. Todos tenemos un cuerpo que es diferente a todos los demás, y cada persona ha pasado por experiencias y retos en la vida que le son únicas. Por eso esas dietas y plan de comidas anunciadas por la televisión y revistas son tan limitadas.

«Somos diferentes unos de otros, aun siendo hermanas, así que cada programa necesita estar hecho a la medida de cada individuo —añadió ella.

—Es razonable —le dijo Rosa—. ¡Él mencionó algo acerca de eso cuando se estaba refiriendo a los melones! Creo que otra manera de expresarlo es que ningún marido es bueno para todas las mujeres, y viceversa.

—Cierto, de hecho a ti y a mí no nos gustaría intercambiar maridos. Somos hermanas, pero nuestros temperamentos e intereses son diferentes. Se ve en nuestras elecciones.

«Nuestra relación con nuestra salud es mucho más íntima que una relación marital, aún la tuya y la de José María —bromeó ella, sabiendo que tenían un matrimonio sólido, con todo y sus retos—. Entonces, ¿por qué tendríamos todos que seguir la misma dieta o programa de ejercicio, o tomar las mismas píldoras, aun cuando fueran naturales?

—Buen punto, no es que no ame a José, pero no creo que esté lista para salir en uno de esos programas de televisión de intercambio de parejas —dijo Rosa riéndose.

—Ni yo —le respondió María con un guiño—. El doctor también dijo que veremos programas alimenticios adaptados a mi tipo de cuerpo; las personas pueden bajar de peso más fácilmente y sentirse mejor consumiendo alimentos muy distintos a los que harían que otras personas bajaran de peso; es según el tipo de cuerpo de cada quien. También dijo que esto aplica al horario en que se consuman los alimentos.

Rosa sonrió y dijo: —Estas conversaciones con el doctor realmente me están ayudando a ver las cosas de manera diferente, lo cual, como tú bien sabes, no me resulta nada fácil. Afortunadamente, las lecciones se están asentando.

María sonrió, reconociendo el entusiasmo reflejado en los ojos de su hermana.

—Aclaró que los pacientes necesitan encontrar un doctor que esté dispuesto a colaborar con ellos, y no sólo a tratar su condición.

—¿Es por ello que me dijo que primero cada paciente necesita pasar por un examen exhaustivo? —Rosa preguntó.

—Sí —le respondió María—. Dijo que estos exámenes podrían incluir análisis de sangre, hormonales, de orina y otros tipos de revisiones, según fuera necesario, incluyendo pruebas genéticas para ayudar a desarrollar el mejor enfoque clínico que ofrezca un apoyo natural. En ocasiones, dijo, cuando los resultados lo indiquen, es mejor referir al paciente a otro doctor cuyo ramo sea más adecuado al caso, y así puedan todos trabajar en equipo.

—Tiene sentido —dijo Rosa—, como solía hacer nuestro abuelo. Él daba unos pasos atrás y primero miraba alrededor del jardín para luego reflexionar.

—Y en ocasiones, Rosa, él tenía que detenerte para que no fueras corriendo a desbaratar todo —bromeó María.

—Lo sé, lo sé, sigo tratando de aprender esa lección. Recuerdo con cariño lo que a menudo me decía: «*¡Piensa antes de dar el salto!*»

—¿Recuerdas la sonrisa dibujada en su rostro cuando descifraba algo? —preguntó María. Siempre parecía saber por dónde empezar a trabajar en el jardín.

—Lo extraño tanto —dijo Rosa—. No estuvimos con él cuando falleció. Hay tanto que nuestros hijos hubieran podido aprender de él. Ahora es demasiado tarde.

—Tal vez murió, Rosa, pero el amor que nos dio, los recuerdos que tenemos de él y lo que le aprendimos siempre estarán ahí. Además, sabes que no le gustaba vernos tristes.

—Me acuerdo. Era entonces que hacía esas caras tan graciosas. Nuestras lágrimas pronto se secaban cuando hacía eso, antes de que sacara su pañuelo blanco.

—¡Ahora me vas a hacer llorar! —dijo María riéndose, con los ojos brillosos.

—Tiene razón. ¡Cuéntame más noticias buenas, hermana! ¡Levántame el ánimo! —Rosa se había estado sintiendo más presionada en el trabajo. Su jefe le había estado diciendo al personal de su departamento que necesitaban ser aún más productivos, a pesar de los despidos de personal. Era bueno estar en familia, pensó ella, olvidarse, relajarse y reírse.

Esta familia pierde peso fácilmente

—Bueno, pues como dije —empezó María—, desde que hago las compras y cocino para la familia, mis elecciones han ido mejorando, y la familia está empezando a comer mejor. Los resultados empiezan a notarse.

«No me había dado cuenta de que cuando mi salud empezó a mejorar, mi cuerpo elegía los alimentos más saludables, sin forzarlo, como solía hacerlo en el pasado.

—Sí, pero, María, ya has hecho el intento con lo mismo, las dos lo hemos hecho. Compramos casi todos los libros de dietas que había; tengo una repisa llena. Veíamos los mismos programas de televisión sobre salud y probamos con las mismas píldoras —dijo Rosa.

—¡Lo sé —dijo María riéndose—. Ya has visto la repisa de la cocina, llena de productos nutricionales que he acumulado durante años; generalmente la última maravilla. Y probablemente tengo la misma cantidad de libros de dieta que tú.

—Revisa esos libros, querida— le dijo Rosa con un tono un poco regañón—. ¡La mitad son míos, y nunca me los has regresado!

María no pudo más que reírse. El rostro de Rosa nunca había escondido sus emociones.

María pensó en su cocina: el año anterior había comprado una bandeja giratoria para poder alcanzar todos los productos de comida saludable que había acumulado al fondo del gabinete. Como había necesitado de la ayuda de Pedro para instalarla, él no dejaba de burlarse de ella.

—Pedro siempre se está rascando la cabeza por la repisa, y preguntando: «¿Por qué seguir gastando dinero y aumentando la cantidad de frascos a través de los años? Dejas de tomarlas después de una semana o dos» —María dijo riéndose.

—Siempre le digo que mientras sea yo quien cocine —continuó ella—, seré yo quien decida qué frascos guardar en las repisas de la cocina. Sabe a qué atenerse, así que deja de quejarse cuando le digo eso.

«Pero he aprendido algunas cosas en mis sesiones. Podemos seguir tomando cientos de suplementos durante años, y seguir comprando lo último en píldoras milagrosas, máquinas o vitaminas que supuestamente curan esto o aquello, y no es que no sean de utilidad, pero es diferente la experiencia por la que estoy pasando.

«Me estoy dando cuenta de que cuando mi cuerpo está lo suficientemente sano por dentro, cuando tengo niveles naturalmente buenos de energía y duermo bien, entonces mi deseo de comer demasiada comida basura es muy secundario.

«Libros, revistas, programas de televisión y radio, así como en las visitas médicas nos han enseñado qué es bueno comer y qué no lo es. No necesito que nadie se siente detrás de un escritorio y me quiera enseñar a comer; para eso tengo una repisa llena de libros. Es simplemente que mi cuerpo y mi mente no quisieron cooperar.

«Ahora es naturalmente diferente. No es perfecto, todavía tengo mis momentos, pero definitivamente se me está haciendo más fácil.

—María, ¿qué sucede cuando te da angustia o te deprimes y lo único que quieres es comer? Tú y yo hemos pasado por esas frente al televisor o en un restaurante cuando las cosas se ponen difíciles —dijo Rosa.

—Pues la semana pasada tuve una conversación con una compañera de trabajo, de la que te hablé —dijo María—. Ella siempre está tratando de hacerle notar a mi jefe todos mis errores. Lo típico es que cuando me sucede algo así, corro por comida para consolarme; ahora ya no siento esa compulsión. La he sentido un poco, pero es manejable.

—¿Es decir, el deseo estaba ahí, pero pudiste decir que 'no' más fácilmente? —le preguntó Rosa, pensando en el sinfín de ocasiones en que ella se había encontrado comiendo emocionalmente y no porque tuviera hambre.

—Sí, eso es —dijo María—. Antes me era mucho más fácil engullirme medio litro de helado. Todavía me gusta su sabor y lo como de vez en cuando, pero no lo siento como una compulsión. Así pues, la elección fue mucho más fácil, al menos para mí.

—Cuando lo piensas, es cierto —dijo Rosa—. Ya hemos recibido tanta información acerca de los alimentos buenos y malos, qué ejercicios hacer, etc., que ya me parece que la conozco casi toda, así que para mí, más de lo mismo no hace mucha diferencia.

—La buena salud sí —dijo María—. Esa es la gran diferencia, según el doctor Arrondo. Estoy empezando a perder peso y no siento hambre. No se trata de sustituir nada. No me siento débil ni tengo que ejercer una gran fuerza de voluntad ni emplear tanta energía para luchar contra ningún deseo. Tengo que emplear disciplina —advirtió.

«Mi cuerpo, que está más saludable, simplemente quiere comer menos y está eligiendo alimentos más sanos de manera natural. No siempre, pero lo suficiente para que me sienta diferente. ¡Ya he bajado dos tallas!

—Bueno, María, espero con ansias mi siguiente cita. En la anterior, cuando ya íbamos terminando, le pregunté cómo pensaba ayudarme a bajar de peso, mostró una sonrisa enigmática y me hizo una pregunta acerca de un perro. ¡Me dijo que veríamos la respuesta la próxima vez!

—¡Lo sé! ¡Déjame adivinar cuál fue la pregunta! —dijo María riéndose.

—Adelante; de cualquier manera sé que no puedo hacer que te detengas —María siempre había tenido la mayor fuerza de voluntad de toda la familia, aunque Rosa no se quedaba muy atrás.

—Tenía algo que ver con un perro enfermo —dijo María divertida.

—¡Sí! Ahora cuéntamelo todo —dijo Rosa con una carcajada.

—¡No, ve y habla con él! —dijo María bruscamente.

—¡No lo puedo creer... mi propia hermana ocultándome cosas!

CAPÍTULO 21

Un perro enfermo da lecciones sobre cómo adelgazar

—De acuerdo, doctor, tal vez sólo sea mi gran curiosidad, pero ¿podríamos empezar con la respuesta a la pregunta del perro enfermo? —preguntó Rosa tan pronto como vio al doctor Arrondo.

Él se sonrió, reclinándose en su silla. Miró hacia el jardín, luego volteó riéndose divertidamente para mirarla.

—¿Por qué tengo la impresión de que estuvo hablando con su hermana?

—Ella se negó a decirme de que se trataba —dijo Rosa con algo de frustración.

—Bueno pues, le contaré. No quisiera tenerla en suspenso —dijo el doctor riéndose—. ¿Alguna vez ha notado que cuando un perro está enfermo come pasto más de lo normal?

—He visto que nuestro perro pastor alemán, Mico, lo hace. Lo hace de vez en cuando; cuando lo hace mucho, nuestro veterinario nos sugiere que se lo llevemos para ver si no está enfermo.

—¿Y qué sucede cuando recupera la salud?

—Deja de comer pasto, o lo come mucho menos.

—En general, Rosa, si un perro enfermo come pasto, ¿qué come la gente enferma?

—¿Qué quiere decir? No entiendo —La mirada de Rosa reflejaba confusión.

—Bien, ¿ha notado que cuando la gente no está sana, tiende a alimentarse de comida que no es sana, igual que su pastor alemán? Él cambia sus hábitos alimenticios cuando se enferma. Piénselo.

«Cuando la gente se siente mejor, más descansada, con más energía y las células del cuerpo se están comunicando y funcionando bien, empieza a alimentarse mejor y a dejar la comida no saludable de lado. Se asemeja a su perro cuando ya no come pasto, cuando recupera la salud.

—¡Ya entiendo! Ahora sé por qué María se estaba riendo y no quiso decir más. Me está diciendo que la elección de alimentarse más sanamente surge a partir de que el cuerpo esté más saludable. Ella me estaba hablando de eso y de las experiencias por las que ha estado pasando.

—Así es, ¿alguna vez se ha preguntado por qué pensamos lo que pensamos acerca de bajar de peso?

La obesidad es un síntoma

—¿Qué me quiere decir? La mayoría de nosotras simplemente queremos bajar de peso; punto. Sé que yo sí. No lo pienso mucho, solo es cuestión de bajar unos cuantos kilos.

—Muy bien, entonces pensemos que el sobrepeso es un síntoma, en aras de la discusión, aunque una condición como la obesidad tiene implicaciones profundas en cuanto a la salud. Un síntoma que tenga otros orígenes también puede ser la causa de otros problemas.

—¿Cómo? —preguntó ella.

El doctor se detuvo a pensar su respuesta un momento.

—Cada año, aproximadamente 300.000 adultos en Estado Unidos mueren de causas relacionadas con la obesidad.[1] Para ponerlo en perspectiva, año tras año, las complicaciones que surgen de la obesidad matan a una población del tamaño de la ciudad de Pittsburg o de Ciudad Victoria en México.

La obesidad a la edad de 50 años está relacionada científicamente con el advenimiento más rápido de la enfermedad de Alzheimer que quienes la desarrollan posteriormente. Mientras más gordo está uno, más rápidamente llega. También se ven cambios neurodegenerativos más grandes al hacer autopsias cuando están de sobrepeso a esa edad.

Sabiendo esto, ¿querría abordar un síntoma solo tratando el síntoma mismo, o, como lo hemos hablado, buscando la raíz que causa o contribuye a la aparición del síntoma?

«Siguiendo esa línea de pensamiento, pongamos mortalidad por obesidad en contexto. Aun cuando el peso no disminuya, la gente obesa que tenga actividad física equivalente a una caminata vigorosa de veinte minutos puede disminuir el riesgo de una muerte temprana por obesidad en tanto como 30%, en comparación con la gente obesa que está físicamente inactiva[2] —añadió él.

—Nunca había considerado que mi subida de peso fuera un síntoma, simplemente que estaba engordando. —Lo pensó un momento y luego dijo—: Pero lo que ilustró lo puso en mayor perspectiva, y sí, concuerda con lo que ha venido diciendo.

«Sabe que el dulce y el pan me encantan —prosiguió ella—. Me es muy difícil dejarlos, y eso hace que me sea igualmente difícil bajar de peso —añadió un poco triste.

—Entiendo cómo se siente —le dijo él—. El problema del sobrepeso va más allá de su familia o aún del país; es un problema mundial.

—¿Qué quiere decir? —le preguntó ella—. Creí que el problema se limitaba a Estados Unidos y algunos otros países, los que tienen lugares de comida rápida casi a cada cuadra.

—Desafortunadamente, no es así. Ahora existen unos dos mil millones de personas que padecen obesidad o sobrepeso. Casi una tercera parte de la población mundial está gorda, Rosa.

«Adivine cuántos de los 188 países que se estudiaron durante un periodo de 33 años tuvieron un descenso significativo en casos de obesidad en ese lapso de tiempo —le planteó él.

—No lo sé, pero con todos los programas para bajar de peso que hay por ahí, todos los libros, todos los programas de televisión, dietas nuevas y tanta investigación que se ha publicado acerca de la manera de alimentarse y ejercitarse bien, yo pensaría que las naciones más educadas, como la de nosotros, habrán tenido una fuerte disminución —respondió ella, insegura.

—Desafortunadamente, ninguno de los 188 países ha experimentado una disminución significativa en lo que a obesidad se refiere, a pesar de toda la información, la cantidad de investigación nueva sobre cómo alimentarse bien, todas esas grandiosas dietas, programas de televisión y libros[3] —dijo el doctor sombríamente—. Los enfoques que se han estado empleando, obviamente no están funcionando. Las dietas pueden funcionar para que la gente baje de peso en corto plazo, pero la investigación ha demostrado que no están haciendo mella si se mira desde una perspectiva amplia.

«Quise darle unas estadísticas para que viera que los retos y frustraciones por los que ha estado pasando, durante algunos años en su lucha por bajar de peso, suceden a nivel mundial. Hay mucha gente que está en su misma situación.

«En el último periodo de 13 años estudiado, después de efectuar ajustes por edad, las cinturas de los norteamericanos aumentaron más de dos y medio centímetros. La mayoría de las personas ahora padece de obesidad abdominal.[4]

«Para complicar las cosas aún más, el 40% de los adultos en Estado Unidos desarrollará diabetes en esta vida por el sobrepeso o la obesidad. Cada año, a dos millones de estadounidenses se les diagnostica diabetes. Esa cifra llega hasta un 50% de adultos en el caso de los hispanos. Por varias razones, es una mala noticia: por ejemplo, algunos de los problemas menos conocidos asociados a la diabetes es que los diabéticos de edad mediana tienen una mayor probabilidad de desarrollar una disminución en su capacidad cognoscitiva para cuando cumplan 70 años.[5,6]

Los diabéticos mueren más rápidamente

—De hecho, la gente con diabetes tiene una esperanza de vida de seis años menos que el promedio.[7]

—¿Por qué seis años menos? —preguntó Rosa.

—La mayoría de los diabéticos mueren del corazón —le explicó el doctor—. La mitad de todos los pacientes con infarto al miocardio son diabéticos o tienen elevados niveles de azúcar en la sangre, lo cual los ubica cerca de los niveles diabéticos. Para los diabéticos en particular, una presión sanguínea y niveles de colesterol saludables son importantes porque ayudan a disminuir el número de enfermedades cardiovasculares.[8]

—En este país, en los últimos 20 años, el porcentaje de personas con diabetes casi se ha duplicado —añadió—. Sin embargo, algunas de las maneras de ayudar a prevenirla son muy sencillas. Por ejemplo, para la gente con altos niveles de azúcar en la sangre, el bajar seis kilos ha demostrado ser una manera de detener el avance de la diabetes en un 50%. Añádale ejercicio moderado y la cifra aumenta a alrededor de 70%.[9]

—Parece una solución sencilla —dijo ella—. Pero sé que es más difícil hacerlo que decirlo.

—Dado que necesitamos pensar la disminución de peso de otra manera, pongamos nuestra atención en sus hábitos alimenticios —dijo él—. Habiendo dicho eso, la diabetes no siempre es cosa de la obesidad. El peso de muchos diabéticos es el normal; también la genética y otros factores tienen que ver.

—Anteriormente mencioné que los medicamentos por prescripción también pueden causar diabetes, y que para la gente con valores normales de azúcar en la sangre, que empieza a tomar estatinas, el riesgo de contraer diabetes tipo 2 aumenta dos y media veces.

Combatiendo la diabetes: Más allá de hacer ejercicio y comer menos calorías

—Otro factor que influye significativamente en las tasas de diabetes tipo 2 es el origen, y no solo la cantidad, de las calorías que consumes. Hay quienes piensan que comer menos calorías y ejercitarse para bajar de peso disminuye la incidencia de diabetes. Obviamente este enfoque tiene mucho de verdad; sin embargo, existe una conexión entre el tipo de calorías y la tasa de diabetes que la mayoría de la gente desconoce.

«Muchas personas piensan que ingerir alimentos azucarados está bien, siempre y cuando se ejerciten lo suficiente para quemarlos. Desafortunadamente, existe una conexión oculta, que la mayoría de la gente desconoce, que limita los efectos del ejercicio para contrarrestar el efecto de esa comida basura. Como ya habrás leído, el complejo conjunto de procesos del cuerpo funciona más allá del enfoque mecanicista de ingerir calorías y ejercitarse para quemarlas.

«Ejercitarse con regularidad tiene beneficios maravillosos, pero no cancela todos los efectos de una mala alimentación. Cada 150 calorías de azúcar que se ingieren, por ejemplo de una típica lata de refresco, provoca que la prevalencia de la diabetes tipo 2 aumente once veces, en comparación con el mismo exceso de calorías pero proveniente de proteína o grasa, que no provoca ese efecto. Esto sucede independientemente del nivel de actividad de la persona.[10,11]

«Este dramático repunte en la prevalencia de la diabetes también sucede independientemente del peso.[12,13] Casi la mitad de los niños y niñas cuyo índice de masa corporal se considera normal, tendrán problemas de salud, como colesterol alto, enfermedades cardiovasculares, presión sanguínea alta y padecimientos del hígado.[14]

«Obviamente es importante bajar de peso, pero debe considerarse de manera diferente, así que pongamos nuestra atención en algunos hábitos alimenticios comunes que son el resultado de una salud pobre.

«Muchos pacientes me dicen que tienen antojo de dulce entre comidas, y normalmente se sienten mejor después de haberlo ingerido. Otros dicen que se ponen irritables cuando se saltan alguna de las comidas, que se cansan fácilmente y tienen dificultad para dormir.

«Muchos reportan que por algunos años han estado sufriendo de estrés crónico y que han sentido que sus niveles de energía han bajado. Casi la mitad de todos los adultos creen que no manejan bien el estrés.[15]

—Tienen razón; cualquier cosa que hayamos intentado simplemente no ha funcionado, y desde luego que no en mi caso —dijo ella, lamentándose—. ¿Puedes mostrarme cuál es la conexión entre lo que mencionó y mis hábitos alimenticios? —preguntó Rosa.

—Buena pregunta, ¿recuerda que escribió en tu historial de paciente que normalmente tiene antojo de algo de dulce entre comidas, y que se siente mejor después de que lo come? También escribió que se ponía irritable cuando se brincaba alguna comida, que se cansaba fácilmente y que se le dificultaba dormir. También me contó que por varios años ha padecido estrés crónico y ha sentido que su energía disminuye, ¿verdad?

—Sí, pero ¿cómo se relaciona eso con el aumento de mis llantitas, doctor?

Efectos de tu estrés crónico: Antojos de comer

—Durante años, ha estado bajo estrés. Ha estado ejerciendo presión sobre el sistema de respuesta de su cuerpo al estrés. Cuando eso sucede, sus glándulas suprarrenales, que son dos pequeñas glándulas que se asientan sobre sus riñones, crean una hormona de estrés llamada cortisol.

«El cortisol también tiene propiedades antiinflamatorias, junto con otros efectos sobre su cuerpo. Cuando está bajo estrés durante largos periodos de tiempo, sus glándulas suprarrenales pueden cansarse de estar produciendo esta hormona, y empezarán a producirla en menor cantidad.

—Pero antes de que las suprarrenales se cansen de producir cortisol, normalmente habrán estado bombeando mucha de esa sustancia durante muchos años en respuesta a su estrés; el hacerlo así puede tener muchos efectos negativos sobre su cuerpo.

—¡Mi estrés me resulta estresante en este mismo instante! —dijo riéndose entre dientes, pero con todo de frustrada.

—Bueno, la producción de altos niveles de cortisol en su cuerpo no se limita al estrés emocional. Puede tratarse de un estrés físico, de problemas de alimentación, resistencia a la insulina, disfunción cerebral y estrés ambiental, como por ejemplo una infección.

—Pero, ¿cómo podría eso afectar mi alimentación?

—Una de las muchas cosas que el cortisol hace es ayudar a aumentar los niveles de azúcar en la sangre entre comidas, de tal manera que tenga un nivel de azúcar más estable. El páncreas produce glucagón, que tiene un efecto opuesto para ayudar a equilibrar los niveles de azúcar en la sangre. La adrenalina también es otra hormona producida por las glándulas suprarrenales para ayudarle a su cuerpo a poner azúcar en su sangre para que el cuerpo la use.

—Ah, entiendo: si mis suprarrenales, con el tiempo, se vuelven perezosas y no producen suficiente cortisol entre comidas, entonces mis niveles de azúcar disminuyen. ¿Es eso lo que me provoca el antojo de dulce?

—Sí, en consecuencia, puedes tener estos antojos de dulce o azúcar porque su cuerpo necesita azúcar, especialmente su cerebro. Su cerebro tiene una parte que activa el hambre cuando los niveles de sangre disminuyen.

—Así que estos antojos de azúcar, ¿son parte del motivo por el que me pongo irritable y no puedo pensar bien, pues mi cuerpo y cerebro tienen poco combustible?

—Así es, este es un buen momento para hablar de nuevo de los neurotransmisores. Entre otras cosas, los neurotransmisores son mensajeros químicos. Hay unos que son responsables de sus emociones, como la serotonina.

Conexiones entre la serotonina, tus emociones, y comer en exceso

—Lo recuerdo, me dijo que la serotonina estaba asociada a los niveles de depresión.

—Es correcto, unos niveles de serotonina bajos se asocian con una serie de otros problemas, incluyendo el autismo.

«Pero nos enfocaremos en este neurotransmisor en cuanto se relaciona con sus problemas alimenticios y de peso. La serotonina se ve afectada por una serie de cosas, incluyendo poca azúcar en la sangre, lo que se conoce como hipoglucemia. Poca azúcar en la sangre también afecta la memoria, la concentración y el raciocinio. Unos niveles adecuados de serotonina en su cerebro te ayudan a comer menos.

«Casi toda la serotonina del cuerpo también se produce en el intestino, y ayuda a controlar los movimientos intestinales.

«La serotonina se asocia con sentimientos de bienestar y relajación. Una de las razones por las que muchas personas tienen antojo de alimentos ricos en carbohidratos, especialmente de los simples, es porque la insulina que nuestro cuerpo produce después de ingerir carbohidratos le ayuda al cerebro a producir niveles altos de serotonina, lo cual hace que nos sintamos mejor.

«Suena a que es una barrera para bajar de peso, y lo es. No te sientes bien, así que instintivamente ingieres alimentos altos en calorías, carbohidratos simples, a menudo en gran cantidad, y te sientes mejor. Sin embargo, hay un modo en que eso puede actuar para ventaja suya, sin permitir que continúe saboteando sus intentos para bajar de peso.

«Ahora que conoce esta conexión entre el aumento de los niveles de serotonina, el sentirse bien y la alimentación, usémosla para seguir ayudándola a bajar de peso. Cuando sus emociones le estén incitando a comer de esa manera, sabiendo que normalmente los niveles bajos de serotonina en su cerebro están involucrados, cómase un tentempié, como por ejemplo una galleta salada o de otro tipo, que tenga aproximadamente 120 calorías, pero limítese a unos 30 gramos de carbohidratos, de preferencia simples.

«Eso sería suficiente para hacer que se dispare una serie de procesos corporales que la ayudarán a aumentar los niveles de serotonina en poco tiempo, a sentirse mejor y hará poca mella en su ingesta diaria de calorías. Sin embargo, son tan pocas las calorías que no se sienten en un plan de dieta, y podrían a ayudarla a comer un poquito en vez de mucho más.

«El cerebro pesa aproximadamente kilo y medio, pero emplea un 20% del total de requerimientos de glucosa, o azúcar, en el cuerpo.[16]

«La glucosa, o azúcar, es la principal fuente de combustible del cerebro. Niveles bajos de azúcar en la sangre pueden definitivamente afectar el funcionamiento del cerebro. Muchas personas que no se sienten bien dicen que se sienten mejor cuando comen patatas fritas, galletas y alimentos altos en carbohidratos.

—Doctor, a mi hijo no le está yendo bien en la escuela y dice que se siente mejor cuando come papas fritas, galletas y cosas así entre comidas, ¿podría esto explicarlo?

—El tipo de comida que su hijo come para sentirse mejor podría definitivamente ser una consecuencia, así como un indicador de diagnóstico; muchas personas tienen este hábito. Cuando el cerebro no está funcionando bien, uno tiende a tomar malas decisiones, incluyendo la comida; hablaremos de ello después. Debería llevarlo a que le revisen el azúcar, así como otras cosas. En ocasiones, la resistencia a la insulina puede ser una causa. Usted mencionó que tiene sobrepeso, si tiene un problema, querrás saber cuáles son los sistemas disfuncionales y otros factores, tales como agentes ambientales, que pudieran ser las causas.

—Yo trato de alimentarlo bien en casa: le compro bebidas dietéticas para que no aumente de peso —dijo ella.

—Debe saber que se ha demostrado que los endulzantes artificiales terminan aumentando los niveles de azúcar en la sangre, lo cual podría desembocar en diabetes; esto lo hacen alterando las bacterias en su intestino.[17] En un estudio con gente de 65 años en adelante, se demostró que la ingesta de refresco de dieta se asoció directamente con un aumento de la medida de la cintura.[18]

Ella lo pensó, conformándose con el hecho de que no había más opción que alimentarse bien. A su hijo le gustaba el agua de sifón, quizás podría comprarle el botellón de dos litros.

—¿Así que me está diciendo que mis frecuentes antojos de azúcar podrían deberse a que mis suprarrenales han trabajado demasiado durante años debido a mi estrés constante? Eso explicaría, definitivamente, por qué me ha sido tan difícil bajar de peso.

—Es una de las razones. Sin embargo, puede haber varios motivos, pero con unos cuerpos tan complejos como los nuestros, lo más probable es que así sea. Las deficiencias de minerales, como el cromo, también pueden influir en el antojo de azúcar... existen otras cosas.

—¿Como cuáles?

Tus adrenales afectan tu energía y cómo tú comes

—Consideremos las suprarrenales: son las pequeñas glándulas que están sobre sus riñones. Como le mencioné anteriormente, proporcionan energía al cuerpo y producen sustancias antiinflamatorias, como el cortisol. También desempeñan muchas otras funciones, por ejemplo la creación de otras hormonas y ayudan a estabilizar los niveles de los fluidos.

«Como todo proceso del cuerpo —dijo entrando en detalle—, el buen funcionamiento suprarrenal depende de una serie de cosas, incluyendo la alimentación. Las suprarrenales tienen una de las tasas más altas de almacenamiento del contenido de vitamina C que cualquier otra parte del cuerpo.

«La vitamina C es soluble en agua, lo cual significa que puede consumirse más rápidamente en tiempos de estrés. Niveles bajos pueden afectar el funcionamiento suprarrenal; cuando las glándulas suprarrenales secretan cortisol para combatir la inflamación o el estrés, también secretan vitamina C, lo cual causa que el cuerpo la necesite en mayor cantidad.[19]

«Existen centros en el cerebro que envían información a las glándulas suprarrenales para regular el volumen y la frecuencia de las hormonas necesarias.

Algo de esto no le sonaba bien.

—Pero me dijo que las glándulas suprarrenales, si no están funcionando bien, podrían crear una situación de azúcar baja en la sangre que podría afectar el funcionamiento correcto de mi cerebro. Ahora me dice que mi cerebro afecta la manera en que mis glándulas suprarrenales funcionan. ¡Esto empieza a sonar como un círculo vicioso!

—Es así. Otro factor de obesidad involucra a los patrones de sueño de la persona. Se ha demostrado que la gente que no duerme bien, tiende a comer más.[20]

«Desafortunadamente así es —le dijo el doctor Arrondo—. Muchas personas sufren de estos y de otras cosas en sus cuerpos al mismo tiempo. Es por ello que un enfoque de una sola píldora, basado en síntomas, aun cuando se tomen suplementos o hierbas, a menudo no aborda todas las cosas importantes y por lo general no terminará el círculo vicioso.

Se dijeron adiós y cuando Rosa recogía sus cosas, se dio la vuelta y preguntó:

—Doctor, recuerdo que señaló que mis glándulas suprarrenales podrían afectar mi sueño también. ¿Podría explicarme esto la próxima vez?

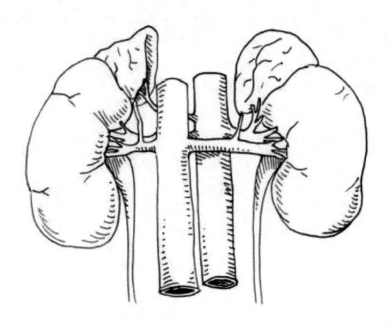

CAPÍTULO 22

Obesidad e inflamación: Un dúo temible

—Rosa, abordaré su pregunta, pero antes de hacerlo, le comento que sus glándulas suprarrenales producen una hormona antiinflamatoria, que la mayoría de nuestras enfermedades crónicas tienen sus raíces en la inflamación que, cuando es crónica, se asocia con muchas enfermedades, incluyendo la diabetes, trastornos inmunológicos y la enfermedad de Alzheimer.

«La obesidad es un padecimiento de un grado de inflamación bajo. Los tejidos grasos estimulan la producción de compuestos inflamatorios en nuestros cuerpos. La obesidad también se asocia con un mayor riesgo de varios tipos de cáncer, tales como el endometrial y el de colon. En mujeres, también existe una conexión entre la obesidad, la postmenopausia y el cáncer mamario.

«La mayoría de los cánceres mamarios en mujeres postmenopáusicas son del tipo positivo para el receptor de estrógeno. Aun cuando los ovarios de estas mujeres han dejado de producir estrógeno, los tejidos grasos continúan produciéndolo. Entre más grasa, o tejido adiposo una mujer tenga, mayor será la producción de estrógeno en su cuerpo, incluyendo un aumento del estrógeno generado por su grasa mamaria. En el caso de las mujeres con sobrepeso u obesas, eso aumenta el riesgo de tener este tipo de cáncer mamario.[1]

«Vamos a explorar otros enlaces importantes para personas que están sobrepeso —dijo él—. ¿Podría existir una conexión entre el comer en exceso y la inflamación?

«¡Le apuesto su bolsita de papas fritas que la hay! Por medio de la investigación se ha demostrado que los problemas con las bacterias intestinales, que pueden desembocar en una inflamación de bajo grado, es una de las razones por las que las personas comen de más. La inflamación no es cosa rara. Con tan solo ver los intestinos, aproximadamente medio millón de estadounidenses padece de inflamación intestinal cada año.[2]

«Como se ha demostrado que el mal dormir es uno de los factores que despiertan el deseo de comer en exceso, veamos algunos de los factores involucrados en el mal dormir. El *US Center for Disease Control and Prevention*, el Centro para el control y prevención de enfermedades de Estados Unidos; CDC, por sus siglas en inglés, ahora considera que la falta de sueño es una epidemia.

«Rosa, si sus glándulas suprarrenales no pueden producir los niveles hormonales suficientes para mantener el azúcar en la sangre en niveles apropiados entre comidas, adivine lo que sucede unas horas después de que se va a dormir —dijo el doctor Arrondo después de la siguiente sesión.

—Vamos a ver —dijo Rosa—, normalmente mi familia come a las siete, a menos que José esté trabajando el turno de la noche, y entonces le preparo algo para que coma más tarde. Me voy a dormir a las diez, más o menos, pero normalmente me despierto a la una de la mañana sin razón alguna y se me dificulta volver a dormir.

«Es entonces que comienzo a pensar en cosas, en mis problemas —ella continuó—. Tal vez tenga angustia o algo; ya me han recetado medicamento contra la angustia.

—Sabe, Rosa, no necesariamente tiene que ver con sus emociones. Todo esto puede asociarse con sus antojos de azúcar, que son una consecuencia, no el problema básico.

«Para cuando da la una o las dos de la mañana, ya lleva algún tiempo sin comer. Con base en lo que le he dicho, ¿qué cree que pudiera estar sucediendo?

—Déjeme pensar. Ya han pasado algunas horas desde la última vez que comí; hablamos de mis niveles bajos de azúcar en la sangre, de cómo el cerebro emplea el azúcar o glucosa como su principal fuente de combustible. ¿Despierto porque mi cuerpo necesita azúcar?

«Yo sé que José se despierta (y me despierta) porque su cuerpo necesita oxígeno. A menudo le da apnea y, desafortunadamente para mí, casi siempre está roncando —Rosa se quedó mirando el techo, perdida en sus pensamientos, y luego añadió—: Estoy pensando que el cerebro necesita energía; por eso me estoy despertando, pero no voy al refrigerador a ver qué me como. En ese momento no tengo hambre. ¿Voy bien?

—Sí, el cerebro se da cuenta de que se le está terminando su combustible favorito: la glucosa. Los niveles de la hormona del cortisol, que naturalmente fluctúan, pueden estar demasiado bajos, lo cual no le ayuda al hígado a poner el azúcar suficiente en la sangre para alimentar al cerebro durante el sueño.

Adrenalina: Una razón por la cual no duermes

—Así que el cuerpo responde creando otra hormona de estrés, una hormona inmediata muy poderosa que mencioné antes: la adrenalina.

—Ah, ¿se trata de la hormona de la cual he oído varias historias? ¿Cómo en el caso de algún accidente en el que las madres levantan objetos muy pesados para que sus hijos no queden aplastados, y es por la adrenalina que lo pueden hacer?

«Sí, tiene razón; mírelo como una hormona 'supermamá'. Es la medida de emergencia del cuerpo para hacer que el azúcar llegue a la sangre en el instante preciso. También hace otras cosas que regulan la cantidad de azúcar que el cerebro necesite usar. Pero, como se trata de una hormona de emergencia, la despierta y le dificulta el volverse a dormir.

—Eso tiene sentido, así que ya veo cómo mis antojos de azúcar pueden estar conectados con mis patrones de sueño —A Rosa le gustaba ver patrones que arrojaban luz sobre sus problemas de salud, le ayudaba a sentir que podía cambiar las cosas.

—Así es; todos somos diferentes, así que hay variaciones y otras dinámicas. Quizás no siempre sea el caso, pero a menudo vemos este tipo de patrón en pacientes que están en su misma situación.

Rosa asintió con la cabeza en señal de que entendía. Mencionó que cuando estamos estresados por largos periodos, el cuerpo crea estas hormonas de cortisol en cantidades crónicamente elevadas y que tienen muchos otros efectos, ¿cierto?

—Sí, hasta que las glándulas se cansan y se vuelven perezosas, produciendo así niveles de cortisol inferiores a los normales.

«Las glándulas suprarrenales de algunas personas se cansan más rápidamente que las de otras. Algunas personas tienen glándulas fuertes y pueden pasar así años o décadas, o hasta toda una vida. Otras personas empiezan a sentir los efectos mucho antes, aún desde su juventud.

«Ha habido alguna controversia acerca del uso de la frase 'fatiga adrenal'. Algunos doctores sienten que el término correcto es 'insuficiencia adrenal,' que normalmente se asocia con una enfermedad autoinmune y niveles bajos de hormona adrenal.

«Pero por medio de la investigación se ha demostrado que con el tiempo, el estrés crónico puede desembocar en una disminución de los niveles de cortisol, pues al iniciarse el evento estresante, las suprarrenales bombean una cantidad mucho mayor y si el estrés persiste, bombean después una cantidad cada vez menor. Bajo un estrés crónico, las glándulas suprarrenales aumentan de tamaño; más tarde hablaremos de ello.[3,4,5,6,7,8]

«Hasta que eso no suceda —continuó él—, los niveles elevados de cortisol en el cuerpo, durante algún tiempo, pueden limitar el funcionamiento de una parte importante de las defensas inmunológicas de su cuerpo, lo cual hace que sea más fácil enfermarse.

«Los niveles crónicamente elevados afectan la absorción de calcio en el intestino —prosiguió el doctor Arrondo—. Niveles crónicamente más elevados de cortisol pueden obstaculizar la formación de hueso, desembocando en osteoporosis, y pueden aumentar la resistencia a la insulina.[9] Puede hacer que sea difícil dormirse y la falta de sueño puede elevar sus niveles de insulina, creando otro ciclo vicioso.

Los efectos de estrés dañan tu memoria y tus órganos

—También puede uno tener problemas de memoria si los niveles de cortisol se mantienen elevados durante mucho tiempo, pues ello ayuda a encoger el hipocampo, que es una estructura en su cerebro que ayuda a la memoria.[10]

«Irónicamente, el hipocampo también ayuda a controlar el ritmo de excreción de cortisol. Aún hay más —añadió—, desafortunadamente mucho más. El estrés emocional, asociado con niveles elevados de cortisol, puede desempeñar un papel importante en el desarrollo de diabetes tipo dos.[11,12]

—En algunas personas, los niveles de azúcar en la sangre aumentan agudamente por la reacción de sus cuerpos al cortisol, aunque se alimenten bastante bien.[13,14] Así que puede tener resultados de laboratorio de los niveles de azúcar altos pero no debido a la alimentación ni a la genética, sino más bien como un resultado de sus emociones.

—¿De veras? —Preguntó Rosa—, supongo que debería de tratar de relajarme más. ¿Sabe? es gracioso, estoy estresada por mi salud, pero no me siento saludable debido a mi estrés.

—Es irónico, ¿verdad? —resaltó el doctor—. Pero entre más entienda por qué no se siente saludable, más fácil será ayudarla a disminuir el estrés.

«Algo más para tener en cuenta —añadió—, demasiado cortisol también puede elevar la presión sanguínea; puede afectar sus ciclos menstruales, con los que tiene dificultad, y puede aumentar su apetito, lo cual haría que aumente de peso. También le puede causar osteoporosis.[15]

—Muy bien, ahora sí que estaré atenta —dijo Rosa— Quiero saber cómo funciona este aumento de mi apetito. ¡Me ha llevado por tres niveles de purgatorio!

—He aquí cómo sucede —le respondió él—. Los niveles altos de esta hormona del estrés, el cortisol, afectan a los receptores en el núcleo arqueado del hipotálamo, centro del apetito/hambre del cerebro; se trata de una estructura cerebral que regula el peso. A su vez, una función de recepción alterada en esta parte del cerebro puede desembocar en un aumento de los niveles de apetito.[16]

«Por cierto —añadió—, demasiado cortisol puede descomponer los tejidos de su cuerpo y acelerar el envejecimiento. Puede ocasionar problemas digestivos, aumento de peso y depresión, entre otros síntomas.

—Sabe, doctor, sé de algunas personas del trabajo que pasaron por mucho estrés en sus vidas, y después de algunos años me parecía que habían envejecido más rápidamente de lo normal.

—Suele suceder, ¿recuerda que le dije que el cortisol hace que a su cuerpo se le dificulte responder a las hormonas que produce la tiroides? Entonces, el cortisol creará una resistencia a prácticamente todas las hormonas en su cuerpo, esto incluye sus hormonas femeninas y, como se lo mencioné, la insulina.[17] Otro efecto de los niveles crónicamente altos de cortisol es que al producir una cantidad mayor, su cuerpo puede terminar produciendo menos hormonas sexuales, provocando una disminución del impulso sexual.

«Eso demuestra que las pruebas de sangre no siempre son un reflejo preciso del funcionamiento real de cuerpo.

«Por años, los análisis de sangre de un amigo mío salían muy bien. Cuando le hicieron cirugía de reparación de válvula del corazón, el cirujano encontró una sobrepoblación de bacterias en la parte posterior de la válvula.

—Eso da miedo —dijo Rosa—. Yo solía pensar que si los resultados de los análisis de sangre salían normales, quería decir que uno estaba bien; ya veo que no siempre es así. — Ella se acordó de un miembro de la familia a quien le habían hecho aumentar sus niveles de insulina recientemente, y le recomendaron empezar un tratamiento de diálisis de riñones. ¿Qué hay de los diabéticos? ¿Es posible que demasiado cortisol haga disminuir los efectos de las inyecciones de insulina u otros medicamentos para los niveles altos de azúcar?

—Sí, sí puede; es por eso que medir los niveles de cortisol puede ayudar como parte de esa filosofía clínica de considerar todo lo que podría ser un factor. Hay varias cosas que la gente puede hacer naturalmente para ayudarse al respecto: el cortisol es útil y necesario para el cuerpo; todo en su justa medida.

¡Cómo bajar tus niveles de hormona de estrés en dos minutos!

¿Rosa, le gustaría bajar sus niveles de cortisol en menos de un par de minutos?

—¿Existe alguna conexión entre unos niveles de cortisol elevados, las emociones y nuestra postura?

—Resulta que dejar caer los hombros encorvándose, ya sea estando sentados o parados, aumenta los niveles de cortisol en el cuerpo. También disminuye los niveles de testosterona, y hace más fácil que uno tenga recuerdos y pensamientos negativos.[18]

«Por otra parte, sentarse o pararse erguido en vez de encorvado disminuye los niveles de cortisol, aumenta los de testosterona y hace más fácil tener recuerdos y pensamientos. El cambio en los patrones de la memoria, sentido de la energía y niveles hormonales puede suceder en menos de dos minutos si cambiamos de postura.[19,20,21]

«¡El consejo de su madre de pararse erguida tenía mérito científico!

«La gente puede hacer varias cosas para ayudarse de manera natural. El cortisol es útil y necesario para el cuerpo, por ejemplo, una manera en la que nos sirve es que funciona como antiinflamatorio.

«La inflamación crónica también es dañina para el cuerpo. Una manera de medir esa inflamación es por medio de una prueba de laboratorio que mida los niveles de algo llamado proteína C reactiva, producida por el hígado y los vasos sanguíneos en respuesta a la inflamación en las reacciones inflamatorias del cuerpo. Lo que actualmente se piensa es que la proteína C reactiva no solo es un marcador de la inflamación, sino que también contribuye a la inflamación.

«La proteína C reactiva está ligada a la leptina, que es esa hormona que dijimos que es producida por las células grasas después de haber comido, y evita que atraviese la barrera de sangre-cerebro para señalarle al cerebro que ya se ha comido lo suficiente.[22]

«La gente obesa tiene niveles más altos de leptina en su cuerpo, que se asocian con un mayor riesgo de cáncer.

«Esa es una de las razones por las que algunas personas comen y comen, aún después de haber llenado el estómago. Su cerebro no se da cuenta de que ya han comido lo suficiente. La inflamación crónica también contribuye a esto; puede tener niveles altos de inflamación, aun cuando no sienta dolor.

«Ahora, regresemos al tema de unas de las hormonas producidas por sus glándulas adrenales —comentó—. ¿Recuerda las funciones del cortisol?

—Dijo que era un antiinflamatorio, creo —respondió Rosa.

—Es correcto; podemos considerar alimentos que ayudan a disminuir la inflamación. Esa sería una de las maneras de hacer que los niveles de cortisol disminuyan.

—¿Sería... comer menos carne roja o tratar de eliminarla por completo?

—Así es; también el ejercicio, disminuyendo o eliminando la ingesta de alcohol y la cafeína, comiendo alimentos saludables y comiendo menos o eliminando los alimentos que producen acidez, como el pan, los productos dulces, carbohidratos refinados, etc.

—¡Pero mis niveles bajos de azúcar en la sangre me están haciendo comer dulce y todo eso que acaba de mencionar!, dijo Rosa, casi estremeciéndose.

—Como lo detalló, es un ciclo vicioso. ¿Ahora ve por qué es importante enfocarse primero en ayudarse a sanar el cuerpo en su totalidad?

¡Cuerpo sano... peso sano!

—Sí, lo veo —ella sonrió—. Necesito enfocarme en tener un cuerpo más sano, uno que funcione apropiadamente, de modo que pueda abordar mejor el tema de la subida de peso que, según dijo, es una consecuencia. ¡Estoy ansiosa por hablar más acerca de eso!

«Creo que estoy viendo el problema con mayor claridad —continuó ella—, soy consciente de que no solo yo, sino además otras personas, no hemos pensado el problema del peso, nuestros cuerpos y nuestra salud, desde el enfoque integral que hemos estado discutiendo.

«Pareciera que estuviéramos poniendo la carreta frente al caballo —espetó Rosa.

—Muchas personas lo han hecho. No se han dado cuenta de que necesitan enfocarse primero en lo que es esencial y en lo que ayudará a que sus cuerpos se auto-regulen hacia una mejor salud. De paso, eso incluye ayudar a normalizar el peso.

«Cuando el cuerpo pierde la habilidad de auto-regularse, de sanarse y mantenerse funcionando bien, puede acabar contrayendo hábitos alimenticios que sabe que no le son favorables, y que resultan difíciles de eliminar —explicó el doctor.

—Eso también da en el clavo —respondió Rosa—. Siempre se trata de un cuerpo sano y de que todos los sistemas funcionen bien.

—Igual que...

—¡Lo sé, lo sé! —dijo Rosa—. ¡Un jardín!

—Una de las cosas que usted y los miembros de su familia, quienes tienen niveles bajos de azúcar en la sangre, pueden hacer es: comer con más frecuencia. Yo sé que le gusta saltarse el desayuno, pero no debería.

«Asegúrese de ingerir una cantidad adecuada de proteína en cada comida —prosiguió él—. A la luz de sus problemas, el consumo de suficiente proteína es importante para mantener sus niveles de azúcar más equilibrados y para disminuir la sensación de hambre.

«Además, entre comidas, puedes consumir alimentos con un buen contenido de proteínas y carbohidratos; los vegetales sin almidón casi siempre son una buena opción. Para alguien que ha tenido dificultades para mantener estables sus niveles de azúcar en la sangre, normalizarlos te ayudará a su cuerpo.

«Lo que ha estado haciendo es, desafortunadamente, lo opuesto —añadió el doctor—. Ha estado comiendo mucho dulce y carbohidratos refinados. Esto se debe a que su cuerpo se siente débil, así que se apresura a ingerir aquello que le proporciona azúcar a su sangre: carbohidratos refinados. Aumentan el nivel de glucosa, o azúcar, en su sangre; más rápidamente que el azúcar común, créalo o no. También aumenta los niveles de la neurotransmisión de la serotonina y dopamina temporalmente, lo cual alterará su estado de ánimo, haciéndote sentirte mejor por un breve tiempo.

—Francamente, me siento mucho mejor después de hacerlo —aceptó Rosa.

—No está sola— le dijo el doctor Arrondo severamente—. Es por ello que la mayoría de la gente lo hace, pero comer demasiada comida basura crea un repunte temporal en sus niveles de azúcar, que después se desploma porque sus niveles de insulina aumentan agudamente.

—Recuerde que deseamos evitar los niveles de insulina mayores a los normales —dijo él.

—¿Qué tiene de especial un nivel alto de insulina?

La insulina alta aumenta tu peso

—De hecho, mucho de especial: para empezar, los niveles de insulina que rebasan la normalidad aumentan la inflamación y pueden ocasionar que la cantidad de sarro en los vasos sanguíneos aumente. Los niveles altos de insulina también se asocian con niveles más altos de ciertos tipos de cáncer,[23,24] y pueden estimular al hígado para que produzca sustancias grasosas que llegan a la corriente sanguínea.

«Pueden perturbar la creación de los neurotransmisores en el cerebro que hacen que uno se sienta bien. Para colmo, los niveles altos también estimulan el almacenamiento de grasa.[25]

«Así que un buen modo de ayudar a controlar los niveles de grasa en la sangre es normalizando los niveles de insulina.

«Y los niveles altos de insulina también tienen un efecto sobre las hormonas tiroideas activas, de las que hablamos anteriormente. Si el hígado se vuelve resistente a la insulina, ya no tiene la misma eficiencia para hacer que la hormona inactiva creada en su tiroides se convierta en el tipo activo, al cual las células responden.

—Entonces —dijo Rosa—, ese es otro ejemplo de una prueba de laboratorio que muestra que mi tiroides está produciendo un nivel normal de hormonas, cuando en realidad yo podría estar teniendo síntomas tiroideos como los que mencionó: depresión, aumento de peso, problemas digestivos, pérdida de pelo y otros. No lo he olvidado, porque son precisamente los mayores problemas que mis amistades y yo tenemos.

—Así es, recuerde que un aumento en el nivel del cortisol, también puede provocar eso. La gente puede experimentar una serie de otros efectos negativos debido a unos niveles de insulina crónicamente altos. Pero, en su caso, puesto que me pidió que abordara el aumento de peso, lo más importante es que una insulina crónicamente alta, disminuye la habilidad de su cuerpo para quemar grasa.

—¡Ese es justo mi grito de guerra, doctor! ¡Echaré de mi cocina cualquier cosa, o probablemente a quien sea que entorpezca la habilidad de mi cuerpo para deshacerse de mi grasa! —bromeó Rosa.

—Puede desterrar los niveles anormales de insulina de su hogar si su alimentación es la correcta; hay otras cosas que puedes hacer también.

«Los niveles de azúcar e insulina deberían subir y bajar dentro de un rango funcional saludable, dependiendo de si está en una etapa de ayuno o si ha comido recientemente.

«Estoy seguro de que lo ha experimentado antes: come en un buffet chino, llena su plato hasta el tope, pero dos horas después ¿ya tiene hambre?

A Rosa parecían sonarle las tripas cuando oyó 'comida china'.

—¡Maravilloso! —dijo riéndose—. Estamos hablando de cómo bajar de peso y tenía que hablar de comida china, mi favorita. ¡Ahora tengo visiones de arroz cantonés frito y galletas de la suerte bailándome en la cabeza! Pero —continuó—, ¿hay alguna conexión entre la comida china y mi sobrepeso?

—Hablemos de comida china al terminar nuestra siguiente sesión —le respondió el doctor—, me gusta mucho, como la comida cubana, que es mi favorita, ya que soy cubano.

CAPÍTULO 23

El estrés afecta tus hormonas... ¡y mucho más!

—De acuerdo, doctor, hablemos de la comida china —dijo Rosa al terminar la siguiente sesión—. El viernes por la noche fuimos adonde los chinos, me encanta, aunque mi pancita se hincha después de que salimos de nuestro restaurante favorito, así que no me siento del todo bien. Pero poco después, los demás de la familia están listos para comer de nuevo. Normalmente terminan por tomar un tentempié en el sofá; nos gusta la sopa de tallarines y el arroz frito.

—El hambre que entra poco después de haber comido casi siempre sucede porque en los restaurantes chinos normalmente se han servido comida cargada de carbohidratos refinados y almidones, como los tallarines, pero con poca proteína.

«Eso eleva rápidamente sus niveles de azúcar en la sangre y entonces su cuerpo reacciona liberando mucha insulina, lo cual hace que sus niveles de azúcar en la sangre bajen.

«Y luego, ¿adivina lo que sucede? —preguntó el doctor.

—A estas alturas ya sé la respuesta —dijo ella—. El nivel bajo de azúcar en la sangre dispara el hambre.

—Puesto que hemos estado hablando del tema de la comida china, Buda dijo que en el transcurso de la vida, la fe es alimento —sonrió el doctor Arrondo—. Y en el idioma mandarín, los verbos para 'comer comida' y 'tomar medicina' se escriben igual.

—Rosa, lo que dijo da justo en el clavo. Por lo general, los cuerpos de las personas están bajo mucho estrés físico, mental, emocional y de otros tipos. Sus cuerpos no son saludables, y un cuerpo así tiende a influir para que se tomen decisiones que no son sanas, incluyendo las mentales y emocionales, que a su vez dirigen este circuito negativo; pero eso puede cambiar.

Ella reflexionó por un momento.

—Así que el estrés, de varias maneras, tiene un efecto sobre lo que terminamos comiendo. Recuerdo que hablamos acerca de la manera en que la comida puede alterar el funcionamiento del cerebro y cómo se siente uno, no se trata simplemente de sentirse satisfecho o cargarse de energía.

—Correcto, pero enfoquémonos un poco más detenidamente en el estrés. Definamos qué es y la manera en que nos afecta. Es importante porque se relaciona con lo que he estado enfatizando acerca de las múltiples causas asociadas con las condiciones crónicas o enfermedades.

«La gente puede responder al mismo tipo de insumos ambientales, sean estos emocionales, mentales o físicos, de diferentes maneras —empezó a explicarle—. El estrés no es necesariamente malo; es el modo en que uno responde lo que determina su efecto sobre el cuerpo'.

«En la década de 1930, un doctor canadiense cuyo nombre era Hans Selye definió el estrés en términos de la manera en que afecta al cuerpo. Al estrés bueno, que uno puede manejar y beneficiarse de él, lo llamó 'eustrés.' Al estrés que no se podía manejar adecuadamente y era dañino para el cuerpo, lo llamó 'distrés.[1,2,3,4]

«En sus experimentos de laboratorio, los cambios comunes que encontró en el cuerpo a consecuencia del distrés de largo plazo, incluían un aumento de úlceras estomacales, una reducción en el tamaño del tejido linfático, que es parte de su sistema inmunológico, y un agrandamiento de las glándulas suprarrenales, que dijimos que también crean hormonas relacionadas con el estrés, tales como el cortisol y las catecolaminas, entre otras cosas.[5,6,7,8,9,10,11]

«Sin embargo, como señaló el doctor Selye, se trata de nuestra respuesta a los eventos lo que determina si el estrés será benéfico o dañino. En otras palabras, por lo general, es la reacción emocional y mental a una situación lo que hace la diferencia. Esta diferencia puede hacer que el cuerpo cambie, para mejor o para peor.

«Por medio de la investigación se ha demostrado que las personas que se sienten más conectadas con otras personas se enferman menos, y quienes tienen un matrimonio feliz, tienen menos problemas del corazón, independientemente de otras variables. Si no tiene estas ventajas, entonces el optimismo puede significar una diferencia clínica. Las personas que son optimistas tienen un riesgo de muerte significativamente más bajo.[12,13,14,15,16]

«El doctor serio toma en consideración todos los aspectos de las experiencias de una persona, no solo los hallazgos de laboratorio, imágenes o los resultados de una revisión física. En ocasiones, escuchar tiene un beneficio terapéutico mayor que las prescripciones.

«Hay ocasiones en que el escuchar con una actitud comprensiva puede sanar más que una buena prescripción.

«Ahora, antes de que cambiemos de tema, permítame referirme a un aspecto más, relacionado con los niveles altos de cortisol y su conexión con las hormonas femeninas, ¿lista?

—Sí —respondió Rosa con entusiasmo—. Ese es un tema acerca del cual mi madre querría saber más, aunque ya habla mucho de ello.

—Bueno, es que hay mucho que decir al respecto —dijo el doctor—. Pero cubriré solo un aspecto de las hormonas femeninas que se relaciona con la hormona del estrés.

El cortisol afecta tus otras hormonas

—¿Recuerda que los altos niveles de cortisol crean una resistencia en el cuerpo a prácticamente todas las demás hormonas, incluyendo las tiroideas y las femeninas? —Le preguntó el doctor—. Estas incluyen la progesterona y los tres tipos principales de estrógeno.

«El cerebro tiene unos receptores en sus células que responden al estrógeno. Por ejemplo, los bochornos pueden ser un síntoma de falta de estrógeno, incluyendo fluctuaciones de estrógeno desbordadas.[17]

«Unos niveles crónicamente altos de cortisol pueden afectar a los receptores celulares que responden al estrógeno. Las mujeres que tienen niveles de cortisol más altos, durante la etapa de transición de la menopausia, manifiestan bochornos más serios que aquellas con niveles de cortisol más bajos, a pesar de que tienen los mismos niveles de estrógeno.[18] Así que, adivine qué podría sucederle a alguna amistad suya que se encuentre en esa etapa de su vida y tenga el estrógeno a un nivel normal, pero que sufra de estrés, manteniendo sus niveles de cortisol altos durante demasiado tiempo.

—Otra vez estoy jugando al doctor, eso me gusta. De acuerdo, déjeme ver —dijo ella, frunciendo el ceño al quedarse pensando—. El cerebro reaccionaría menos a sus niveles de estrógeno porque los niveles crónicos de cortisol podrían afectar a sus receptores de estrógeno. Así que podría empezar a tener bochornos, pero los análisis de sangre mostrarían niveles normales de estrógeno, ¿verdad?

—¡Felicidades, doctora Rosa! ¿Continuamos?

—¡Claro que sí, estoy lista, acepto el reto!

—Bueno, si ella tuviera bochornos a consecuencia de esto y fuera a ver a un doctor que sólo le complementara el estrógeno, sin buscar las causas subyacentes a sus bochornos, entonces ¿qué cree que podría sucederle?

—Pues si no están checando sus niveles de cortisol y cualquier otra cosa que pudiera ser un factor, y solo le dan estrógeno, podría terminar con medicamento para contrarrestar un efecto sin corregir la causa, —dijo ella con firmeza—. Y hacer eso podría tener un efecto negativo sobre su cuerpo debido a que la mayoría de los medicamentos tienen efectos secundarios.

—Bien dicho, quizás deberíamos invertir los papeles —dijo el doctor Arrondo reclinándose en su asiento y esbozando una sonrisa.

—Entonces, ¿cuál es la solución? —preguntó Rosa.

—Bien, ¿qué haría su abuelo? Recuerde que su cuerpo es un jardín, y él era un jardinero maestro.

—Si él hubiera sido doctor, y tratara a sus pacientes como trataba a su jardín, buscaría todas las causas asociadas. Determinaría qué sería lo más importante a tratar. Él siempre bromeaba llamando denominador de raíz a la causa. —Rosa sonrió suavemente, pensando en él.

—Tenía una percepción aguda —dijo el doctor Arrondo—. Y eso es lo que una cantidad de doctores están empezando a hacer, en todas las ramas de las artes de la curación, aplicando a nivel clínico esta visión expandida a la que me he estado refiriendo.

Ella prosiguió.

Buenas raíces... buena salud

—Voy entendiendo más y más los conceptos acerca de mi cuerpo y la relación con el jardín. Entre mejor sea la tierra, más saludables serán las raíces y los frutos. Entre más saludables sean las semillas, mejores serán los frutos de la siguiente estación, mi salud futura, en otras palabras.

Ella pensó en su jardín, y luego añadió.

—Y la buena tierra necesita agua, lombrices y la cantidad correcta de micronutrientes para alimentar a las plantas y hacerlas crecer.

—Es correcto, Rosa, esos factores son importantes para tener una buena tierra. Abarca hasta los organismos vivientes en la raíz de las plantas. Dado que mencionaste la raíz, es importante notar que los microorganismos, que se encuentran en las raíces de lo que nos comemos, tienen por lo menos una función importante que conocemos: ayudan a transformar los metales inorgánicos en metales orgánicos para que nuestros cuerpos puedan asimilarlos más fácilmente; una tierra saludable, viva es importante para nuestra salud. La tierra que tenemos hoy en día no contiene la variedad y cantidad de minerales y otros nutrientes que se encontraban en la tierra de nuestros antepasados.[19,20,21]

—Así que parece que no hay una varita mágica para mejorar la salud o para tener un jardín saludable.

—Así es, —respondió el doctor—. Con todo y que la medicina puede ser muy útil, aún necesitamos que nuestros cuerpos funcionen de manera equilibrada, armoniosa y tengan una rica variedad de nutrientes para que podamos aprovechar cualquier enfoque terapéutico, desde unas zanahorias orgánicas hasta una cirugía del corazón.

Atención a suplementos 'naturales' que realmente son sintéticos

—Hablemos un poco de los suplementos —dijo él—. Hay ocasiones en que el cuerpo puede responder mejor a dosis altas de vitaminas y minerales que se encuentran en los alimentos. Mi experiencia ha sido que los suplementos basados en alimentos y no en productos sintéticos, ofrecen la mejor oportunidad para curarse a largo plazo.

—¿A qué se debe? —Preguntó Rosa—. Yo creía que todas las vitaminas eran iguales.

—Como la naturaleza, se trata de algo mucho más complejo —respondió él—. En términos de cómo su cuerpo absorbe y se beneficia de las vitaminas, imagínese que la mayoría son como miembros de su familia, que están ahí para apoyarla, ¿verdad? El equivalente nutricional de ese apoyo en el cuerpo es lo que se conoce como cofactores, que ayudan a que muchas vitaminas, minerales y otros nutrientes tengan un mejor efecto.

«Muchos suplementos contienen productos nutricionales que consisten en vitaminas aisladas, sintéticas, a las que les faltan estos cofactores esenciales, —continuó él—. Muchas prescripciones, productos de venta directa, vitaminas que se pueden comprar en línea y suplementos que se venden en clínicas, quizás contengan altas dosis de vitaminas sintéticas, que a menudo son derivados del alquitrán de hulla, petróleo y jarabe de maíz modificado.

«Existen aproximadamente cinco corporativos farmacéuticos en Estados Unidos que fabrican la mayoría de estas vitaminas sintéticas y las venden a las compañías que ofrecen vitaminas y suplementos. No leerá en la etiqueta que son productos sintéticos.

Rosa trató de imaginarse el frasco de multivitamínicos que tenía en casa; no podía recordar haber leído la palabra 'sintético' y se preguntaba si los hubiera comprado si hubiera venido especificado.

—Volvamos a estos cofactores o ayudantes. Se encuentran en los alimentos integrales que consume. Existe otro punto importante, ahora que estamos tratando el tema. La naturaleza es más sabia que nosotros. Hemos aprendido mucho de ella, y la ciencia moderna ha avanzado mucho. Sin embargo, los alimentos contienen muchos compuestos biológicamente activos, llamados fitonutrientes, que la ciencia aún no conoce.

«Las vitaminas sintéticas, o artificiales, no contienen cofactores esenciales, que completan y equilibran todo el complejo de nutrientes. Debido a la falta de estos cofactores y nutrientes, de los que muchos no se han descubierto aún, las vitaminas sintéticas pueden crear deficiencias nutricionales.

«No se pueden crear estos compuestos biológicamente activos en un laboratorio y ponerlos en un frasco de suplementos —explicó el doctor—. Un vegetal puede contener varios cientos de ellos. Por eso es mejor comerse los alimentos en su estado natural, y luego tomar productos basados en alimentos a manera de suplemento, según sea necesario. Sólo es recomendable recurrir a suplementos creados en laboratorio si es realmente necesario.

Rosa pensaba en el creciente número de suplementos que había comprado por impulso durante tantos años, sin pensar en cómo se elaboraban ni de dónde provenían. Muchos de ellos tenían unas bonitas etiquetas verdes con la palabra natural o algo semejante. Ella no se había dado cuenta de que la manera en que se hacían podía ser tan importante.

También pensó en el costo adicional que la compra de productos alimenticios orgánicos implicaba, haría mella en su apretado presupuesto. Los ahorros para los estudios universitarios de sus hijos ya era un reto.

Beneficios adicionales de productos orgánicos: Fitoquímicos

—Doctor, yo sé que los productos orgánicos son más caros —dijo ella—, y oí que en comparación con las cosechas cultivadas convencionalmente, los productos alimenticios orgánicos contienen aproximadamente la misma cantidad de minerales y nutrientes, ¿cierto?

—La investigación no es definitiva en términos de lo que se conoce como macro-minerales comunes, tales como calcio, potasio, magnesio, etc. —explicó él—. Existe mucha variación cuando se comparan las cifras de estos macronutrientes, depende del estudio del que se trate.

«Sin embargo, las pruebas de nutrición son cada vez más sofisticadas —añadió el doctor—. Revelan información acerca de importantes, aunque pequeños, compuestos alimenticios biológicamente activos que también se conocen como fitoquímicos. Existen miles de ellos y cada mes se descubren más —dijo él.

—Pues, eso es mucho más de lo que aparece en las listas de ingredientes en mis frascos de vitaminas.

—Rosa, hay una disciplina nueva que se enfoca en la alimentación natural. También muestra todo lo que aún nos queda por aprender de los elementos nutricionales y curativos ocultos en los alimentos.

—De acuerdo —dijo ella inclinándose hacia adelante, con deseos de escuchar de un tema que le sería de ayuda a su familia.

—La metabolómica es el estudio de los efectos químicos de estas pequeñas moléculas. Las investigaciones que emplean enfoques metabolómicos enfatizan las ventajas que los alimentos orgánicos parecen ofrecer. Por medio de estas investigaciones se demostró, consistentemente, que muchos productos alimenticios orgánicos contienen una mayor cantidad de estos compuestos biológicamente activos, que pueden incluir antioxidantes y agentes contra el cáncer.[22,23,24,25]

«Las gallinas, por ejemplo, que son alimentadas orgánicamente, mostraron respuestas inmunológicas más fuertes que las alimentadas convencionalmente —dijo el doctor—. El selenio es un mineral que nuestro cuerpo necesita para que las células funcionen. Los cerdos alimentados con selenio obtenido de fuentes orgánicas, tuvieron camadas de cerdos con mayores niveles de selenio, conservando más del mismo en sus tejidos.[26]

«De hecho, hay ocasiones en que los pesticidas de uso común, en alimentos cultivados convencionalmente, pueden interferir en el proceso de absorción de las plantas para obtener minerales y alterar su contenido de clorofila.[27,28,29,30,31,32] Así que queda mucho por hablar acerca de los beneficios de los alimentos orgánicos, más allá de los pesticidas y manipulaciones genéticas que normalmente se asocian con los alimentos convencionales.[33,34,35,36,37,38,39,40,41,42,43,44,45,46,47,48]

Pesticidas: una bomba química para tus niños

—No he hablado mucho acerca de los pesticidas —prosiguió el doctor—, pero a fin de mostrar el efecto que tienen en los niños y niñas, fíjese que si sus hijos empiezan a consumir alimentos orgánicos, los pesticidas organofosforados, comúnmente usados en la agricultura convencional, en un lapso de cinco días caen a niveles indetectables en su orina. Cuando empiezan a comer alimentos convencionales, los niveles de pesticida en la orina de sus hijos vuelven a elevarse, apareciendo de nuevo en exámenes de orina.[49]

«La exposición a los pesticidas puede cambiar la manera en que su sistema inmunológico funciona. La mayoría de las personas tiene una exposición a los pesticidas detectable, lo cual puede deprimir sus respuestas inmunológicas, así como afectar la fertilidad.[50,51,52,53,54,55]

A ella le preocupó la idea de que sus hijos consumieran tantos pesticidas que hasta salían en su orina. Si ese era el caso, ¿qué pasaría si estos pesticidas encontraran la manera de llegar hasta el cerebro, el corazón y otros órganos vitales de sus hijos? ¿Cuáles podrían ser las consecuencias a largo plazo, como una bomba con detonador lento?

«Los niños y niñas son biológicamente más vulnerables a los efectos de los pesticidas que los adultos. Cuando mire los ojos de un niño o niña, tenga en mente que el tamaño del resto de sus órganos, en donde los pesticidas tienen efectos metabólicos más fuertes, es proporcionalmente mayor que el de un adulto y aún se están desarrollando, lo cual crea una ventana de vulnerabilidad.

«Los niños y niñas beben más agua y comen más por cada kilo de peso que los adultos; un bebé de seis meses consume siete veces el contenido de más agua por peso que un adulto. Sus cuerpos inmaduros también tienen dificultad para desintoxicar los pesticidas que los adultos. Se ha visto que las lesiones en las células cerebrales y trastornos en el desarrollo de sus órganos y glándulas causados por los pesticidas causan daños permanentes, irreversibles.[56]

«En las áreas rurales de Minnesota, se encontró que los hijos e hijas de padres que aplican pesticidas en las granjas tienen tasas de defectos de nacimiento significativamente más altas.[57] Por medio de la investigación se ha demostrado que los niños y niñas expuestos a herbicidas, tienen una mayor incidencia de trastornos de déficit de atención, hiperactividad y asma.[58, 59]

«Dígame, Rosa, ¿alguna vez ha pensado en el propósito de los alimentos? —Le preguntó el doctor.

—A mí me parece que todo gira alrededor de la nutrición, ¿verdad? vitaminas, minerales, proteínas, grasa; es lo que escucho en la televisión y leo en artículos de revistas.

—En parte es así —respondió el doctor—. Pero el efecto saludable de los alimentos va más allá de la nutrición; hay mucho más.

—¿De veras? —preguntó ella—. ¿La alimentación no solo tiene que ver con la nutrición?

—Hay más. La nutrición sirve como una herramienta de construcción para nuestras células y tejidos, como los leños de una cabaña. Pero los alimentos también tienen otro propósito muy importante: la información celular.

«Más allá de los carbohidratos, grasas, proteínas, minerales y vitaminas que los alimentos proporcionan y que conocemos como nutrición, los alimentos también proporcionan químicos naturales que estimulan a los receptores en muchas células de su cuerpo. Al hacerlo, ayudan a que las células respondan saludablemente a los retos de la vida, incluyendo patógenos y toxinas.

—¿De qué manera?

Estudios sobre los buenos efectos de usar hierbas curativas

—Las hierbas, por ejemplo, se han usado para ayudar a curar nuestras heridas o enfermedades durante miles de años. Su principal efecto benéfico no radica en los carbohidratos o proteínas, ni siquiera en los minerales que contienen. Consiste particularmente en los fitoquímicos, que activan las células del cuerpo para ayudarnos a sanar.

«Recientemente, la medicina occidental ha puesto más atención en un concepto de curación que ha existido durante miles de años. El nombre moderno es la inmunoterapia. Básicamente, se trata de encontrar maneras de ayudarle al sistema inmunológico a luchar contra las enfermedades, incluyendo el cáncer.

«Sin embargo, las hierbas se han usado con este propósito a través de la historia —le explicó el doctor—. La investigación moderna ahora está documentando los beneficios de este ancestral enfoque. Se trata de otro ejemplo de los beneficios obtenidos al conectarnos con la sabiduría de tradiciones más antiguas. En algunos países como China, con una larga tradición de uso de hierbas para curar, han avanzado en la investigación científica en esta área.[60,61,62,63,64]

«Estos ayudantes del sistema inmunológico no solo se encuentran en las hierbas —añadió—. Los alimentos que consumimos todos los días los contienen también. Pero parece que los alimentos orgánicos le llevan ventaja a los alimentos cultivados convencionalmente, en el sentido de que proporcionan una cantidad mayor de estos compuestos biológicos activos.[65,66,67,68 69,70,71,72,73,74,75,76,77]

«Los alimentos orgánicos, además de los beneficios comúnmente conocidos con respecto a la ausencia de pesticidas, sustancias tóxicas y modificaciones genéticas, sobresalen porque suministran estos agentes de salud biológica y de curación —dijo el doctor.

En cuanto oyó esto, Rosa volvió a hacer un balance de sus prioridades. Había dudado en comprar productos orgánicos por el costo adicional. Hizo un rápido cálculo mental y se dio cuenta de que una salida menos a un restaurante al mes les ahorraría más de lo necesario para financiar el costo adicional de alimentarse mejor.

—De ahora en adelante, doctor, creo que voy a hacer un esfuerzo por comprar más alimentos orgánicos. Si cocinamos más a menudo, podremos compensar el costo adicional. José quizás se queje, pero sabe que más le vale no inmiscuirse en lo que yo decido hacer en la cocina: ¡Teme que le ponga el delantal!

Rosa se rió entre dientes al imaginarse a su marido de delantal, tratando frenéticamente de descifrar cómo encender la estufa. Rosa estaba segura que, si José empezaba a cocinar, toda la familia bajaría de peso. Miró al doctor y sonrió.

—Bueno, si mi cuerpo es como un jardín, entonces... ¡digamos simplemente que quiero que mis frutos se vean más delgados, doctor! ¿Qué hago para conseguirlo? ¡Quiero bajar de peso!

—Muy bien. Entonces, la próxima vez hablaremos acerca de los espejos —dijo el doctor Arrondo.

—¿Espejos? —Preguntó Rosa y esbozó una sonrisa—. ¡Lo hizo de nuevo: espejos, perros, presidentes, jardines! Me encantaría ver cómo relaciona un espejo con mis Olgas y mis vestidos favoritos, que ya no me quedan bien —añadió Rosa—. A propósito, no me he puesto algunos de ellos en años. Me estoy quedando sin espacio en el closet, pero no los quiero tirar.

—¡Igual que todos esos suplementos en su cocina! —interrumpió el doctor.

—¡Exactamente! Y algunos de esos vestidos, que nada más están ahí colgados, me costaron una pequeña fortuna. José nunca sabrá cuánto; pero estoy empezando a notar, lo admito por primera vez, que mis blusas ajustadas se sienten más flojas, y por fin mis Olgas me permiten contonearme, ¡así que hay esperanza!

Entonces, Rosa pensó en la pregunta del doctor. ¿Cuál podría ser la relación entre un espejo y su sobrepeso?

CAPÍTULO 24

¿Qué dicen tus espejos sobre tu salud?

—¿Qué van a hacer el Día del Trabajo? —Le preguntó Rosa a María—. ¿Van a reservar un lugar en el parque y hacer un asado como la otra vez?

—El año pasado nos divertimos mucho, pero a Pedro le. dijeron que ese día tendrá que trabajar —contestó María— ¿Por qué no vienen a la casa? Creo que seremos doce, si los padres de Pedro pueden asistir.

—Suena bien —contestó Rosa—. Llevaré a mi hijo, puede jugar con tu hijo. ¿Qué vas a cocinar?

—Lo de siempre; ya sabes lo que nos gusta comer cuando la familia se junta en grande. Pero no te preocupes, también cocinaré algunas cosas saludables para mí.

«Vamos a portarnos mal con la comida durante las fiestas, pero no demasiado —continuó ella—. En realidad queremos un programa que vaya con nuestro estilo de vida y que podamos seguir durante mucho tiempo.

«Estoy trabajando con el doctor Arrondo en un plan alimenticio y tomando suplementos con base en lo que encuentre en los exámenes y pruebas de laboratorio. Él determinó el plan alimenticio que probablemente era el mejor para mi tipo de cuerpo.[1,2]

—Me gusta esa idea —dijo Rosa—. No tiene uno que adivinar tanto para decidir qué comprar en el supermercado.

—Me dijo que su plan alimenticio y los suplementos basados en alimentos son apoyos nutricionales diseñados para ayudarle al cuerpo a funcionar mejor, —dijo María—. También me dijo que no debería dejar de tratarme con mis otros doctores en caso de necesitarlo.

—La última vez que vi al doctor Arrondo fue hace dos semanas —dijo Rosa—. Estoy siguiendo sus recomendaciones y empezando a sentir los cambios. No quiero hablar demasiado de ello, pues temo echarlo a perder todo, pero estoy sintiendo que mejora mi salud. Rosa dijo esto con una mirada de alivio.

—Me alegra oírlo, Rosa, y es agradable saber que estarás alimentándote bien durante el fin de semana festivo. ¡Así no te sentirás tan mal cuando te mires en el espejo!

—¿Espejo? Es gracioso que lo menciones —dijo Rosa, y luego la miró inquisitivamente—. Espera, ¿también a ti te habló de un espejo?

—¡Sí! —Exclamó María—. Es tan gracioso. Probablemente por eso lo mencioné, lo he recordado.

—Dime, no quiero esperar más —dijo Rosa con impaciencia—. ¿Por qué mencionó los espejos cuando yo le hablé de la manera de bajar de peso?

—¿Por qué no le preguntas?

—¿Otra vez lo mismo? Porque tú eres mi hermana y porque el mes pasado me rogaste que te contara todo acerca de Olga y su marido. Así que ahora te toca a ti —dijo Rosa y sonrió—. Además, tú siempre dices que las hermanas no deben guardarse secretos. ¡Es la segunda vez que me haces lo mismo! Así que dime —añadió—, ¿de qué se trata esto del espejo?

—Bueno, —empezó María—, tal y como él me lo explicó, el sobrepeso es a menudo un reflejo de procesos internos del cuerpo que no están funcionando normalmente.

—Sí, esa parte la entiendo. Pero, ¿y los espejos?

—Ahí es adonde entra la metáfora del espejo —dijo María—. Notó la acostumbrada impaciencia de su hermana y decidió que en esta ocasión no la haría esperar. Si quieres cambiar una imagen que no te gusta mirar en el espejo, ¿tendría sentido cambiar el espejo?

—Pues, no; el espejo es solo un reflejo de lo que esté frente a él. ¿Qué sentido tiene?

—El doctor Arrondo dijo que es lo mismo que el sobrepeso, —explicó María—. El sobrepeso, la forma de tu cuerpo, es realmente un reflejo de lo que está sucediendo en tu interior.

No cambies el espejo. ¡Cambia tu imagen mejorando tu salud!

—Para que cambie el reflejo en el espejo, la imagen, es mejor empezar a cambiar los procesos internos dentro de tu cuerpo que han dado forma a lo que tu espejo refleja —continuó ella.

—Espera, ¿lo que estás diciendo es que no debemos bajar de peso? —respondió Rosa, algo confundida.

—No, lo que el doctor está diciendo es que primero deberíamos ver las funciones corporales que necesitan ayuda, pues son la causa raíz, y el sobrepeso es normalmente solo una expresión, una consecuencia.

—Es cierto —dijo Rosa y asintió con la cabeza—. Recuerdo que mencionó eso. Realmente tiene sentido y lo voy entendiendo.

María prosiguió.

—Se trata de enfocar los procesos y funciones que no están funcionando bien en nuestro cuerpo, y de saber cuáles de estos procesos contribuyen al aumento de peso; supongo que los hábitos forman parte de eso.

—¿Así que últimamente han estado hablando de eso? —preguntó Rosa.

—Sí, y me está funcionando. Lo gracioso no es tanto que haya estado bajando mucho de peso. Recuerda que te dije que lo noto más en la medida de mi cintura y cuando la gente me dice que mi rostro y cuerpo se ven más delgados.

—Espera, yo pensé que sí adelgazabas, esto significa que estás bajando mucho de peso —dijo Rosa confundida.

—No necesariamente, según el doctor Arrondo. Dijo que muchas de las personas que se meten a esos programas intensivos para bajar de peso terminan perdiendo mucha masa muscular, que pesa más que la grasa.

—¿De veras? —dijo Rosa—. Nunca pensé que fuera así. Sólo quería que desaparecieran algunos kilos, sin considerar de dónde saldrían.

—Bueno, piénsalo: ¿qué sucede cuando pones algo de grasa o aceite en un vaso de agua?

—Flota hasta la superficie.

—¿Y cuándo pones un pedazo de carne o pollo sin hueso en el mismo vaso de agua? Se hunde hasta el fondo, ¿verdad? Eso es porque la grasa pesa hasta menos que el agua, pero el músculo pesa más.

—Él dice que debemos mantener o aumentar la cantidad de músculo en nuestros cuerpos mientras bajamos de peso. La grasa ocupa más espacio, pero no pesa tanto como el músculo. Recuerdo que dijo que el músculo es 20% más denso, aproximadamente.[3,4,5]

«Como yo lo veo —prosiguió María—, es algo así como llenar un globo de aire y otro de agua. Ambas cosas ocupan el mismo espacio, pero una pesa más que la otra, es más densa.

—Ahora lo entiendo —exclamó Rosa.

Pierde grasa, no músculos

María continuó: —Por esa razón no estoy tan preocupada por perder peso. Me interesa más ver cómo desaparecen los centímetros de mi cintura y caderas, y ponerme vestidos de tallas más pequeñas, lo cual ya estoy empezando a hacer.

«También dijo que el músculo quema muchas calorías durante el día y la noche, aun cuando no estés haciendo ejercicio, así que un buen tono muscular es importante para bajar de peso.

—Has aprendido mucho, ¿verdad? —dijo Rosa, mirando a su hermana con admiración. Nunca había visto a María tan enfocada en su salud.

María sonrió: —Es como dijo el doctor, y lo estoy viviendo: necesitamos ver las cosas de modo diferente, estar más conscientes y poner en práctica las cosas realmente importantes para realizar cambios.

—¿Qué más dijo el doctor Arrondo acerca de los músculos y bajar la grasa? —preguntó Rosa.

—Yo escribí una serie de cosas que analizamos, pues bajar de peso ha sido algo muy frustrante para mí.

—Para las dos, —interrumpió Rosa, frunciendo el ceño.

María sacó su laptop y revisó sus notas.

—Déjame ver, escribí que si una persona sube unos dos kilos de músculo, entonces puede bajar unos diez kilos en los cuatro años siguientes, simplemente por las calorías adicionales empleadas por esos músculos. Sólo añadiendo dos kilos de músculo de una sola vez, se quema el equivalente calórico de dos kilos y medio, año con año.[6,7]

«El doctor Arrondo también dijo que algunos estudios muestran una relación entre la mala salud, reducción de masa muscular y aumento del porcentaje de grasa en adultos. Mencionó que una mayor cantidad de músculo puede bajar los niveles de azúcar en la sangre y disminuir la resistencia a la insulina.[8,9,10,11,12,13] A propósito, ¿te mencionó que el tamaño de las cinturas ha ido en aumento en Estados Unidos?

—Sí —contestó ella—. Recuerdo que dijo que habían aumentado más de 2.5 centímetros en la última década, más o menos; ¿mencionó alguna otra cosa al respecto?

María asintió con la cabeza. —Me dijo que aun cuando la medida de la cintura ha aumentado, lo cual significa más grasa abdominal, las investigaciones han demostrado que la medida del índice de masa corporal no ha cambiado.

Esto significa que la grasa corporal ha aumentado y la cantidad de masa muscular ha disminuido.[14]

«El doctor Arrondo enfatiza en la importancia de bajar la grasa, en vez de simplemente mirar la báscula, aunque te darás cuenta que también has bajado de peso. Él está de acuerdo en que es importante bajar de peso —prosiguió ella—, pero me dijo que un cuerpo saludable, en el que los sistemas de apoyo funcionen debidamente, tiene una mayor probabilidad de bajar de peso naturalmente y mantenerse en el nuevo peso.

—¡Y es así que la imagen en el espejo cambia! —dijo María con una sonrisa.

—Bueno —dijo Rosa—, en este momento, la única imagen con la que me sentiría satisfecha sería la de un espejo de circo, de esos que te hacen ver flaca, bien flaca —Se rió sacudiendo la cabeza.

«Pero me alegra que estés viendo cambios positivos, María —añadió—. Me da esperanza; como tú bien sabes, cómplice mía, no podría decirte cuántas veces me he puesto a dieta, he tomado pastillas y he ido al gimnasio para bajar de peso. Pero después de unas cuantas semanas o meses, volvía a pesar lo mismo, o hasta más. ¡Y me esforzaba y luchaba mucho tratando de bajar de peso!

La disciplina no es suficiente para perder de peso

—Pero lo que dices es lógico —prosiguió Rosa—. Especialmente ahora que he aprendido que mis ansias de comer azúcar representan más que una falta de disciplina.

—Lo sé —dijo María mirando a su hermana con cariño.

Sabía que su hermana menor siempre había sido testaruda, y que sentía el dolor y la frustración de los retos de la vida más profundamente que la mayoría: así era su naturaleza.

—El doctor Arrondo me habló de eso, puesto que tú y yo tenemos eso en común, ambas conocemos la frustración de tratar de bajar de peso durante años sin lograrlo.

«Lo que yo veía, cada dos años, eran unos kilos de más, a pesar de que casi siempre comía bien —dijo María—, era tan frustrante

—Veo que muchas de mis amistades, de casi la misma edad, pasan por las mismas dietas yoyó —dijo Rosa.

—Sí, pero ¿no has notado que mucha gente joven, aún adolescentes, están pesando mucho más que nosotras cuando teníamos su misma edad? ¡Asusta!

—Sí, es verdad —notó Rosa—, hemos estado tratando que mi hijo Gilberto baje algunos kilos, pero ¡siento que estamos perdiendo esa batalla!

—Se trata de cambios en el estilo de vida, Rosa —dijo María—. El doctor Arrondo dijo que solo dieta y ejercicio generalmente no son suficientes para que las personas hagan cambios permanentes de peso. No porque no sean buenos, sino porque la mayoría de las personas que se someten a programas de dieta y ejercicio, como nosotras, vuelven a su peso anterior en cuestión de meses.

—Sus cuerpos no están listos para hacer esto durante el tiempo suficiente. Dijo que las investigaciones muestran que 80% de aquellos que bajan de peso, lo recuperan en doce meses máximo; algunas de esas personas terminan pesando más.[15,16,17]

—María, ¿crees que no pudimos porque no teníamos la disciplina o porque no era tanto nuestro deseo de bajar de peso? Yo solía empezar mis programas de dieta y ejercicio con mucho entusiasmo y energía, pero después de un tiempo... —Rosa se calló, sacudiendo la cabeza.

—Lo sé —respondió María—, y has visto que Pedro y yo hemos gastado mucho dinero en diferentes programas, gimnasios, cualquier cosa anunciada por televisión. —Su voz reflejaba frustración—. Fuimos a ver a un doctor que daba inyecciones y prescripciones; eran estimulantes y sentía que me daba el tembleque. Quizás a algunos les funcione, pero no lo sé.

—Yo creo que la disciplina es importante, sí, pero no es suficiente —añadió—. Cuando estaba en el consultorio del doctor y le dije que no estaba bajando de peso porque no tenía la disciplina para cumplir con los programas de ejercicio y dieta, me dijo que no todo era cuestión de disciplina y deseos de bajar de peso.

Rosa entrecerró los ojos mientras pensaba.

—Yo siempre creí que la gente como yo, que no bajaba de peso, era porque no tenía la disciplina suficiente, aunque al irme enterando de las fluctuaciones en las hormonas como el cortisol y en los niveles de azúcar en la sangre, estoy viendo las cosas de otro modo.

—Sé lo que quieres decir —respondió María—, pero déjame decirte lo que sucedió cuando dije que bajar de peso era totalmente cuestión de disciplina y fuerza de voluntad. El doctor Arrondo me hizo una apuesta de cien dólares.

—¿Te ofreció cien dólares?

—Me dijo que si podía contener la respiración durante tres minutos, entonces me daría un billete de cien dólares.

—¿De veras? ¿Ganaste? ¡Quiero intentarlo! —dijo Rosa emocionada.

—¿Estás loca? Yo no aguanté ni cuarenta y cinco segundos y tú tampoco aguantarías más.

—Entonces, ¿cuál es el propósito? ¿Por qué te hizo hacer eso?

—Estaba demostrando a través de experiencia un concepto. Dijo que podemos tener todo el entusiasmo y disciplina del mundo, pero si nuestros cuerpos no están preparados para ello, no vamos a alcanzar nuestra meta, ya se trate de contener la respiración por un tiempo determinado o mantenernos en un programa para bajar de peso.

—Eso suena bien —respondió Rosa—. Pero, ¿cómo se le hace? ¿Cómo preparas a tu cuerpo para que baje de peso? A propósito, si me ofrece un billete de cien dólares a cambio de que contenga la respiración durante tres minutos, ¡hazte a un lado, hermana, que yo le entro!

—¡Ahórrate las palabras, que lo único que vas a ganar es que la cara se te ponga roja! Escucha, Rosa, sé razonable por una sola vez; ¿por qué no le preguntas acerca de los secretos para bajar de peso y mantenerse ahí?

—¿Secretos? —dijo Rosa con una amplia sonrisa. Le fascinaban los misterios y este implicaba bajar de peso.

—Sí —rió María—, pero necesitas esperar hasta que él te lo diga.

—¡No es justo! ¡Las hermanas deberían contarse todo!

Rosa se quedó a la expectativa y le propinó a su hermana una mirada que decía 'más te vale decírmelo'. Pero María no cedió.

CAPÍTULO 25

¿Secretos para bajar de peso?

—De acuerdo, doctor —dijo Rosa, observando cuidadosamente al doctor Arrondo—, antes de que diga algo, quisiera aceptar el reto de los cien dólares, y ¡quiero conocer los secretos que ayudan a bajar de peso!

El doctor Arrondo desplegó una sonrisa franca. —Sospecho que ha tenido otra conversación de hermanas.

—Pero no tan de hermanas: hubo algo que no me quiso decir. Espera a que la saga de nuestra amiga Olga y su esposo dé otro giro interesante, es cuestión de tiempo con esos dos, entonces me rogará que le cuente y yo le recordaré esto —dijo ella meneando un dedo en son de broma.

—Muy bien, Rosa, empecemos con el reto de los cien dólares. ¿Te ha dicho su hermana de qué se trata?

—Sí, estoy lista; además siempre fui más veloz para nadar que ella y le ganaba en baloncesto. ¡Estoy lista, tómeme el tiempo, aquí voy! —Su espíritu competitivo brotó, especialmente porque se trataba de vencer a su hermana.

Cuarenta segundos después, su única recompensa fue una cara enrojecida.

—Ah, no creí que sería tan difícil, —dijo ella entre dos respiraciones profundas. Me siento avergonzada; mi hermana se va a morir de la risa.

—No se preocupe, no le diré nada —dijo el doctor riéndose—. No es que esté escribiendo un libro al respecto—, añadió con ironía.

—La mayoría de las personas, aún si están sanas, no alcanzaría los tres minutos, a menos que tuvieran un entrenamiento especializado, como los grandes surfistas o buzos de aguas profundas. La mayoría de mis pacientes no duran ni 60 segundos; si llegaran a los dos minutos les daría el billete nada más por eso.

—Bueno, doctor, ahora entiendo el reto. Solo por querer algo con desesperación, como bajar de peso, no significa que el cuerpo esté listo para hacerlo. Mi hermana me habló un poco acerca de la manera de bajar de peso, o más precisamente, cómo disminuir la grasa. Dijo que había varios secretos para bajar de peso y no volver a subir. ¿Cuáles son?

—Los llamó secretos, pero realmente solo son puntos esenciales con los que su cuerpo necesita cumplir para bajar de peso y no recuperarlo. Es necesario hacerlo sin pasar hambre, perder energía o sentirse mal.

—Bueno, ya sé de dietas y ejercicio, así como del uso de estimulantes por prescripción. En los últimos 20 años, en varias ocasiones, he tratado, sin éxito, de bajar de peso. María y yo hablamos mucho acerca de sus consejos para bajar de peso y lo importante que es quemar grasa y no músculo.

—Lo sé —dijo el doctor—, su hermana me platicó acerca de eso. Me agrada saber que están compartiendo información y aprendiendo la una de la otra.

«Entonces, ciertas dietas prometen hacer que se baje de peso —añadió él—, pero no especifican de dónde proviene el peso que se va. Muchas dietas terminan costando masa muscular, cosa que no queremos. Así, algunos de estos programas para bajar de peso pueden ir en contra de sus mejores intereses.

«Si uno disminuye demasiado su consumo calórico diario, por ejemplo, la tasa de descanso metabólico del cuerpo se reprogramará.[1]

Rosa asintió con la cabeza, mostrando que estaba de acuerdo.

—Si eso sucede, significa que mi cuerpo está usando las calorías que me como más eficientemente, lo cual hará que sea más difícil bajar de peso, ¿verdad?

—Sí, entonces su cuerpo se vuelve hasta 20% más eficiente para no agotar las calorías mientras descansa.[2] Eso es importante, porque la mayoría de las calorías que su cuerpo quema en un día llegan cuando no está haciendo gran cosa. María estaba muy interesada en ese tema.

—Yo también, por algo somos hermanas. Ahora, ¿puede contarme más acerca de la manera en que el cuerpo quema calorías? ¡Quiero que mi cuerpo sea una máquina de quemar grasa!

—Desde luego —dijo el doctor. Hagamos todo lo posible para que alcance esa meta. Si lo logramos, una de sus recompensas será ponerse las Olgas y vestidos que me comentó estaban languideciendo en su armario, ¿verdad?

—Seguro que sí.

Las tres maneras en las que tu cuerpo quema calorías

—Entonces, hablemos de las tres maneras en que su cuerpo quema calorías en un día, lo que también se conoce como el gasto diario total de energía.

«Lo primero se conoce como tasa metabólica de descanso —explicó el doctor—. Es decir, lo que su cuerpo hace durante el día para mantener su temperatura funcionando bien y regular los sistemas de sus órganos. Hablamos acerca de la glándula tiroidea y su importancia para regular esto. La tasa metabólica de descanso consume la mayoría de sus calorías; aproximadamente el 65%.[3]

«La segunda manera en que su cuerpo quema energía es por medio del efecto térmico de la actividad física; esto incluye el ejercicio. Es responsable de poco más del 20% del total de calorías quemadas en un día, dependiendo de qué tan activa sea.[4]

—Doctor, en ocasiones simplemente no puedo ir al gimnasio, entonces ¿cómo puedo aumentar la quema de calorías por medio de actividades físicas cuando no estoy haciendo ejercicio?

—Hay cosas que puede hacer para ayudarse —contestó el doctor—. Con el tiempo, representan una diferencia. Puede ser tan sencillo como subir por las escaleras en vez de tomar el elevador o las escaleras eléctricas, estacionar su auto un poco más lejos de lo usual y caminar enérgicamente. O en el trabajo, pasar más tiempo parada que sentada.

«Lo importante es la frecuencia de estas pequeñas cosas que uno hace durante el día. Hágalas siempre, conviértalas en hábitos que hagan que su peso cambie.

«Y luego tenemos el tercer modo de quemar calorías —continuó él—. Es la energía necesaria para digerir y procesar los alimentos que consume. Ello puede representar tanto como 10% o más de su gasto energético diario total.[5,6]

—¿Puedo quemar calorías comiendo? No me haga empezar —dijo Rosa con una sonrisa.

—Sí puede, y lo hace. Una persona típicamente quema el equivalente a un kilo al mes simplemente usando energía para manejar todos los aspectos de la digestión de alimentos.[7,8]

«De hecho, algunas personas con resistencia a la insulina, se cansan después de las comidas, especialmente comidas pesadas, porque están empleando energía para digerir la comida y las células del cuerpo se resisten a aceptar azúcar, o glucosa, para usarla de combustible —explicó—. Entonces, sienten deseos de dormir una siesta después de comer. A muchas de esas personas les gusta comer algo dulce, después de ingerir los alimentos, porque les proporciona un destello de energía, corto pero rápido.

«Otra razón que hace que las personas, con resistencia a la insulina, sientan deseos de dormir una siesta después de las comidas, es porque los niveles de los neurotransmisores de GABA y serotonina aumentan temporalmente.

—Mi tío siempre hace eso —dijo Rosa—, y he visto que mi hijo mayor también. Pensé que sólo era un hábito que estaba adquiriendo, imitando a su tío, pero veo que puede ser otra cosa.

—La siguiente es una pregunta importante referente a quemar calorías, —dijo el doctor Arrondo—. ¿Sabía que tiene aproximadamente tres kilos de peso corporal que queman casi 40% de todas sus calorías en un día, y que no es músculo?[9,10]

¡Seis libras de tu cuerpo que queman casi la mitad de tus calorías diarias!

—¿De veras? ¡Ahora esos son mis tres favoritos! ¿Qué son? —preguntó ella.

—¿Recuerda que dijimos que su hígado normalmente pesa aproximadamente kilo y medio? Su cerebro pesa más o menos lo mismo. Ambos dan cuenta de entre 35 y 40% de su gasto energético diario.[11,12,13] El cerebro y el hígado son metabólicamente muy activos; ¡Son unos órganos quema-grasa muy ocupados!

«Hemos estado hablando acerca de la manera de bajar de peso quemando grasa, pero piense en estas preguntas: ¿Realmente se quema la grasa o se derrite? ¿Se convierte la grasa en músculo? ¡La respuesta es que no!

«La mayor parte de la pérdida de peso que experimenta se exhala como bióxido de carbono, aunque no lo crea.[14]

«Supongamos que recientemente has perdido cinco kilos. Para ello, durante ese tiempo, exhaló el equivalente a unos cuatro kilos de bióxido de carbono. El otro kilo se perdió por la liberación de agua en el aliento y los fluidos corporales. Para aquellos que piensan que hay un atajo, la hiperventilación no les ayudará a bajar de peso, y quizás se mareen, o les suceda algo peor.

«Ahora que sabe que el cerebro está quemando tantas calorías (¡su amigo quema-grasa!), puede ver por qué la falta de azúcar en la sangre no le va a funcionar si lo que quiere es tener un cerebro que esté alerta. Cuando se tienen problemas con el azúcar en la sangre uno puede sentirse cansado, mareado y sin capacidad de concentración.

—Espera, ¡estoy haciendo una de sus famosas conexiones! —dijo Rosa y sonrió—. Sabiendo que el cerebro está quemando tantas calorías, ahora veo por qué unos niveles bajos de azúcar en la sangre no resultan nada buenos. Por ello aparecen el cansancio, los mareos o la incapacidad para concentrarse, ¿verdad?

—¡Felicidades, Rosa! Acaba de conectar más puntos clínicos —dijo el doctor Arrondo con una sonrisa de satisfacción.

—Ahora que sabes que la tasa metabólica de descanso es lo que quema la mayoría de las calorías del día, debería poder ver por qué desea mantener un buen tono muscular al ir bajando de peso. Sé que María te compartió información sobre cómo unos cuantos kilos adicionales de músculo pueden resultar en menos grasa año tras año.

—Así es, ella me dijo que dos kilos adicionales de músculo representaban bajar dos kilos y medio al año de grasa, suponiendo que ninguna otra cosa cambiara, porque los músculos adicionales quemaban esa energía adicional.[15,16,17] ¿A qué se refiere?

—Aumentar músculo no es cosa fácil, lo fácil es perderlo —dijo el doctor—. La gente se pone a unas dietas extremas, que restringen la energía para bajar muchos kilos en un mes.

«La persona promedio, que hace ejercicio moderado diariamente, baja aproximadamente dos kilos de grasa corporal al mes. Eso es todo, no es mucho. Tenga en cuenta que estoy hablando de grasa, no del peso; lo demás es agua y músculo, mayormente.[18,19,20,21,22,23,24,25]

—Y no queremos perder músculo, ¿verdad? —preguntó ella—. Si una mayor musculatura nos ayuda a bajar de peso a largo plazo, entonces perder músculo durante un plan de dieta dificultará mantenerse con el peso adecuado.

—Así es, y como sabe por experiencia, el peso regresa a como era y más. Se necesita paciencia.

«Cuando alguien está tratando de bajar de peso —continuó diciendo—, es importante que se ejercite, de preferencia con un entrenamiento de resistencia, lo cual significa hacer pesas o contra-resistencia. Eso ayuda a evitar la pérdida de músculo durante un programa de dieta. Se puede bajar la grasa con dietas reducidas en proteína, pero las dietas con más proteína en comparación con las dietas estándar, ayudan a mantener la masa muscular.[26,27,28,29,30]

«A propósito —añadió él—, ¿Le gustaría pasar mucho menos tiempo ejercitándose y aun así bajar la grasa y su peso?

—¡Inscríbame en esa clase ahora mismo! —dijo Rosa riéndose—. ¿Qué se le ocurre? —preguntó entusiasmada.

—Ya le he sugerido hacer resistencia o entrenamiento con pesas. Si los combina con ejercicio aeróbico de intensidad moderada, tendrá la mejor combinación posible. Hará que baje de peso y disminuya la grasa abdominal más rápido que con cualquier otra combinación de ejercicio, incluyendo solo lo aeróbico.

«Si lo que quiere es enfocarse en una buena cantidad de ejercicio moderado, solo tiene que ejercitarse durante 30 minutos al día, cinco veces a la semana. Recuerde: ejercicio moderado si los va a hacer por mucho tiempo. Las investigaciones demuestran que hacer ejercicios de alta intensidad durante mucho tiempo no ayuda a bajar más de peso.

«Sin embargo, hay algunas investigaciones interesantes que recomiendan hacer ejercicios de alta intensidad por lapsos cortos de 30 segundos, más o menos, seguidos de un minuto de descanso, seguido de otro pequeño lapso de

30 segundos de alta intensidad. A esto le sigue descansar por un minuto o más y luego se repite. Unos minutos de este tipo de pequeños lapsos de ejercicio son suficientes. Según las investigaciones, esto no debe ocupar demasiado tiempo por sesión.

«Se ha demostrado que este tipo de ejercicio es tan efectivo, como hacer ejercicio de intensidad baja o moderada durante mucho más tiempo.[31,32]

«Si hace ese tipo de ejercicio de muy alta intensidad por un total de solo cuatro minutos al día, haciéndolo en intervalos de medio minuto, separados por tiempos de descanso, puede tener un 'full workout' de gran valor y haciendo esfuerzos por solo 4 minutos al día.

«Para los que tienen resistencia a la insulina o diabetes, estos tipos de ejercicios breves, de intensidad máxima, ayudan a los receptores en las células del cuerpo a aceptar la insulina con mayor facilidad y disminuyen los niveles de azúcar en la sangre.[33,34]

«Puede hacer en casa la mayoría de estos ejercicios. Significa que no tiene que quedarse en esas clases que duran tanto tiempo. ¡Hazlo y baja más grasa en la mitad del tiempo o menos![35,36]

—¡Doctor, me gusta esa idea! —dijo Rosa sonriendo—. Es un tiempo al que me puedo comprometer.

Pero, pensó Rosa, a pesar de lo bien que sonaba todo esto, no estaba segura de si iba a tener la energía para seguir adelante. Por experiencia, sabía que lo iba a dejar a los pocos días. Se sentía mejor, pero no estaba segura de que ya estuviera lista para ese nivel. Pensó que esperaría un poco para ver cómo su cuerpo respondía a los cambios que había hecho recientemente.

Cómo el ejercicio ayuda a tu cerebro a funcionar mejor

—Hablando de ejercicio —continuó el doctor—, quisiera mencionar cómo el ejercicio ayuda a aumentar el funcionamiento del cerebro, que para muchas personas es importante.

La voz del doctor Arrondo atrapó de nuevo su atención.

—Sin embargo, incluso para personas muy activas —dijo—, el entrenamiento físico no es suficiente para lograr un cambio significativo en el porcentaje de grasa corporal, si no va acompañado de un plan nutricional sólido.[37,38,39]

«Si no hace ejercicio ni come suficiente proteína —le explicó—, podría perder más masa muscular.[40,41,42,43]

«El comer adecuadamente y hacer ejercicio son dos cosas importantes. Sin embargo, el cuerpo necesita estar lo más sano posible para soportar los resultados de la dieta y el ejercicio, y poder bajar de peso, quemando grasa y no músculo.

—Recuerdo que habló sobre el tema y María lo mencionó. Esto es realmente importante para mí y mi familia, ¿me podría decir más acerca de esto?

—Bueno, aparte de alimentarse saludablemente y con moderación, así como de hacer ejercicio cuando el cuerpo esté listo, casi todas las personas necesitan empezar enfocándose en lo siguiente —dijo el doctor Arrondo—, enumerando cada punto con los dedos. Algo en lo que pocas personas se enfocan, pero que es importante, es la necesidad de asegurarse de que no existan interferencias en el sistema maestro del cuerpo, que se conoce como el sistema nervioso, y que ayuda a los órganos y tejidos a comunicarse bien con el cerebro. Esto es un aspecto importante de la buena salud y vitalidad.

«Las investigaciones han demostrado que, en muchos casos, la obesidad está asociada con un aumento en la actividad de la respuesta al estrés, la parte de 'lucha-o-huye' de nuestro sistema nervioso, que se conoce como el sistema nervioso simpático.[44,45,46,47,48,49,50,51,52,53,54,55] Se ha demostrado que la modulación del nervio digestivo primario da como resultado bajo peso y disminución de los niveles de grasa.[56,57]

«La *US Food and Drug Administration* (Administración de alimentos y medicamentos de Estados Unidos) ha aprobado un instrumento que bloquea el nervio vago para controlar el hambre y la saciedad.[58]

«El cuidado quiropráctico afecta la manera en que funciona el sistema nervioso —prosiguió—. Tiene un efecto de modulación sobre este sistema. No estoy sugiriendo que este tipo de cuidados sea un instrumento para bajar de peso. Más bien puede ser una parte, cuando sea necesario, de una serie de buenos enfoques para mejorar la salud, lo cual se necesita para volver exitosamente al peso normal.

Puntos de ajuste del peso corporal

En el tema de la obesidad persistente y la genética, ¿qué hay de aquellos que aparentemente hacen todo lo correcto y aún tienen más dificultades que otros en perder peso? Tomémonos un poco de tiempo para repasar una interesante teoría que puede ayudar para entender esto: La teoría de los puntos de ajuste del peso corporal.

—¡Oiga, yo soy una de esas personas! Es muy frustrante— exclamó Rosa.

—Lo sé, pero no se preocupe. Se puede superar— El doctor respondió. —Básicamente, esta teoría propone que nuestro cuerpo trabaja por mantenernos en un cierto peso.[59,60,61] Hay otras teorías que circundan este concepto de peso fijo, tal como la Teoría de puntos de establecimiento, del consumo general y el modelo de puntos de intervención dual,[62] sin embargo para los propósitos de esta discusión, nos enfocaremos en la teoría de los puntos de ajuste del peso corporal.

«Rosa, me gustaría que considerara los efectos de esta teoría como un termostato de su báscula. Sus hormonas, neurotransmisores, tasa de gasto energético y tejidos trabajan por mantenerla en un rango de peso estable. La influencia genética también importa. Si come más de lo usual, su cuerpo empezará a metabolizar la energía de la grasa más rápido para ayudarlo a regresar a su peso acostumbrado. Si come menos de lo usual, como cuando se está a dieta, de acuerdo con esta teoría, su cuerpo se desacelerará tan rápido como utilice sus reservas de energía para que su peso suba nuevamente.

—Bueno, eso es algo de lo que me he dado cuenta varias veces. Cuando estoy a dieta, si como mal unos días, mi peso aumenta muy rápido, pero me toma mucho tiempo de estar comiendo muy bien para poder bajarlo de nuevo.

—Usted no es la única. Por desgracia, las investigaciones en este modelo nos muestran algo que usted ya ha experimentado: su cuerpo recuperará peso más rápidamente de lo que lo pierde. Las personas con un alto punto de ajuste aumentarán más de peso, y tendrán más dificultad en perderlo; mientras que aquellos que tengan un punto de ajuste más bajo, pesarán menos y les resultará más fácil regresar a su peso después de haber aumentado de peso durante un período debido a un exceso de comida.[63]

«Otras investigaciones apuntan a los efectos de las dietas yo-yo en su metabolismo, su tasa de quemar grasa. El continuo comenzar y detener los planes de dieta puede hacer que sea el doble de difícil perder el peso y tres veces más fácil subir de peso.[64] He mencionado antes que las hormonas tiroideas, que ayudan a controlar el metabolismo, no funcionan tan eficazmente cuando se usan dietas severas.[65,66,67]

«Esta reducción, en cómo funcionan sus hormonas tiroideas dentro de su trabajo celular, no suele ser recogida por las pruebas de laboratorio.[68,69,70]

«La gente obesa que está expuesta a ciertos tipos de pesticidas y contaminantes, podría haber incrementado sus puntos de ajuste de peso corporal como consecuencia de los efectos de estos químicos en las enzimas y funciones metabólicas.[71]

«Rosa, ¿Ha notado con qué frecuencia las personas que dejan de fumar aumentan de peso y viceversa? Resulta que la nicotina baja el punto de ajuste de peso. El incremento del punto de ajuste después de dejar de fumar es una de las razones por las que, frecuentemente, hay un aumento de peso.[72]

«Si usted tiene un punto de ajuste de peso alto, suponiendo que la teoría sea correcta, ¿qué puede hacer? Podría serle más difícil perder peso y mantenerse ahí después de cierto punto.

«Si esto es cierto, sin embargo, hay esperanza. Todavía puede perder el peso y mantenerse ahí. Seguir las sugerencias de este libro podría ser más importante para usted que nunca. El acercamiento constante y la paciencia rendirán frutos.

«Algunas de las cosas que usted puede hacer para ayudarse a bajar su punto de ajuste incluyen asegurarse que sus elecciones dietéticas no le conduzcan a la resistencia insulínica o niveles de insulina crónicamente altos. Disminuir sus niveles de insulina, cuando se compara con otro tipo de hormona reguladora de azúcar en la sangre conocida como glucagón, podría bajar su punto de ajuste.[73]

—¿Qué más puedo hacer para ayudarme?— preguntó, esperanzada.

—Vamos a cubrir los puntos más importantes. Otra manera en que puede ayudar a reducir su punto de ajuste de peso es tener niveles de azúcar en la sangre estables. Incluso, se ha demostrado que niveles de azúcar moderadamente bajos están vinculados con una subsecuente ganancia de peso, así como con un mayor riesgo de desarrollar diabetes.[74]

«Hay más acciones que puede tomar para bajar su punto de ajuste. El ejercicio ayuda.[75] Incluso la manera en que los genes asociados con la obesidad se expresan puede cambiar. A esto se le conoce como epigenética. Las funciones genéticas pueden cambiar por medio de modificaciones en el estilo de vida.

«Otras maneras de ayudar a reajustar sus puntos de ajuste incluyen consumir más proteína. En un estudio que incluía a mujeres canadienses con sobrepeso y obesidad, aquellas que tenían una dieta de alto consumo proteínico, consistente en un gramo de proteína por cada gramo de carbohidrato consumido, tenían una tasa de resistencia metabólica más alta al término del estudio. Al compararlo con el grupo de control con una dieta convencional, en donde se ingirieron 3 gramos de carbohidratos por cada gramo de proteína, el grupo de carbohidrato/proteína de 1:1 también tenía bajas cantidades de colesterol.[76]

«Los investigadores concluyeron que una dieta de alta proteína, aún sin hacer ejercicio, resultaba mejor para promover la pérdida de peso que una dieta baja en lípidos, alta en carbohidratos que incluía ejercicio.

—Es bueno saber que la investigación nos muestra a todos los que tenemos este problema que podemos tener ayuda. A veces perder peso es muy frustrante—, dijo ella.

—No tiene de qué preocuparse. En mi clínica he visto a muchas personas superar esta situación. El resultado de esta investigación, y otras, es que una dieta de alto contenido proteínico, combinada con ejercicio, provee de los mayores beneficios.[77,78] Otra investigación también apunta a los beneficios de un fuerte entrenamiento para ayudar al bajar los puntos de ajuste.[79] Por otro lado, las dietas altas en grasa pueden conducir a un aumento en los puntos de ajuste.[80]

«No es sólo la cantidad de calorías, sino su tipo lo que también importa. Ingerir altos niveles de proteína de calidad, bajar los consumos de grasa que usualmente se encuentran en la comida americana, comer vegetales bajos en carga glicémica, del cual hablaremos después, y hacer ejercicio, ayudarán a cambiar sus puntos de ajuste de peso corporal.

«Más ayuda: disminuir los niveles de inflamación de su cuerpo, tomando en cuenta que algunos alimentos son inflamatorios para muchos, y que otras personas podrían tener reacciones inflamatorias hacia algunos alimentos universalmente considerados saludables.

«La inflamación crónica dispara un patrón de respuestas antiinflamatorias en su cuerpo, incluyendo altos niveles de cortisol, el cual ya he mencionado que funciona como una hormona anti-inflamatoria en el cuerpo. La reducción de los niveles de cortisol puede ayudar a reducir el punto de ajuste del peso corporal.[81]

«En un tema similar, recordará que hablamos del cortisol como la principal hormona del estrés crónico del cuerpo. Por lo tanto, los cambios de estilo de vida así como los enfoques de mente y cuerpo que le ayudan a reducir sus niveles de estrés, también pueden ser útiles.

La inflamación impide que pierdas de peso

—Es importante disminuir los procesos inflamatorios crónicos del cuerpo, pues la inflamación puede hacer que bajar de peso sea más difícil; ya lo mencionamos anteriormente.

«La inflamación tiene un efecto sobre la pérdida de peso. Unas reacciones inflamatorias agudas en su cuerpo son normales y útiles. Sin embargo, por varias razones, la inflamación crónica es perjudicial. Debido a que se relaciona con el control del peso, la inflamación crónica afecta al centro del cerebro que es responsable de que uno se sienta lleno y satisfecho cuando come.

«Unos niveles elevados de cortisol también aumentan la insulina, ayudando a detener la descomposición de la grasa. La inflamación crónica, que muchas personas padecen, aunque no sientan dolor, puede tener un efecto negativo sobre una serie de funciones corporales; ello realmente hace que sea más difícil bajar de peso.

«Quizás recuerde que mencioné que el núcleo arqueado del hipotálamo es el centro principal del hambre. La inflamación crónica hace que los niveles hormonales de cortisol aumenten porque el cortisol es un antiinflamatorio, y también es la respuesta del cuerpo al estrés constante, sea físico o emocional.

«Cuando come, se liberan hormonas de sus células grasas que van a esta parte de su cerebro y hacen que se sienta llena y satisfecha. Sin embargo, unos niveles de cortisol crónicamente elevados, aumentan los niveles de una de estas hormonas liberadas por sus células grasas, llamada leptina, al punto de que el cuerpo desarrolla una resistencia a la leptina, dificultando que el centro del apetito reconozca que está lleno; así que termina comiendo más.[82,83]

Puede ayudarle a su cuerpo a bajar de peso apoyando el funcionamiento apropiado de las glándulas suprarrenales, reduciendo los niveles de cortisol, mejorando la digestión y asegurándose de que su hígado y sistemas de desintoxicación, como los riñones, funcionen mejor.

—¿Qué tiene que ver la desintoxicación con bajar de peso? —preguntó Rosa.

El doctor respondió—: Para muchos pacientes, la desintoxicación no es el primer paso; simplemente aún no están preparados para hacerlo. Sus órganos, glándulas y sistemas necesitan estar sanos para manejar la carga adicional de toxinas liberadas por los tejidos durante el programa de desintoxicación. Es necesario que los sistemas de drenado de su cuerpo, en efecto, sus sistemas de recolección y desecho de basura, como lo son sus sistemas linfático, intestinal, hepático y renal, estén funcionando bien.

«La desintoxicación es parte del proceso por el que su cuerpo pasa al perder peso. Las personas cuyos cuerpos no tienen las condiciones de salud suficientes para desintoxicarse fácilmente pueden encontrar que bajar de peso es todo un reto.

«Nos referiremos a eso con detalle más adelante. Verá cómo ciertos órganos clave tienen que funcionar bien para ayudarla a bajar de peso fácilmente —respondió el doctor Arrondo—. Esto concuerda con la noción de que al cuerpo se le considere como un todo para poder experimentar una salud mejor, lo cual incluye bajar de peso.

«La otra cosa es asegurarse de que su cuerpo pueda eliminar el exceso de hormonas de estrógeno. Es necesario dormir bien y asegurarse de que no haya problemas de tiroides. También, si lo recuerda, hicimos referencia a que la disminución de los niveles altos de insulina ayuda a bajar de peso.[84] —Ay, son muchas cosas que hay que aprenderse. ¿Es necesario que hagamos todo eso? —dijo Rosa preocupada.

—No es tan complicado como parece. Recuerde que hablamos acerca de las conexiones del cuerpo y de cómo los diferentes órganos pueden ayudar a curar o impedir un funcionamiento apropiado, y de cómo es que estas conexiones influyen en su salud.

«La buena noticia es que cuando uno empieza a hacer algunos cambios básicos, muchas de estas cosas empiezan a resolverse por sí mismas. Unas partes del cuerpo ayudan a otras a sanar. Por ejemplo, el hígado y los riñones, así como la piel, le ayudan al cuerpo a desintoxicarse, se conectan entre sí y funcionan juntos.

—Mencionó la piel —dijo Rosa—. ¿Pueden los problemas de la piel estar relacionados con el hígado?

—En la medida en que su hígado tenga menos carga de trabajo y pueda funcionar mejor, le resta presión a los riñones, que actúan como filtros de la sangre. A menudo vemos que, al resolverse los problemas de hígado, muchos de los problemas de la piel pueden mejorar también.

—Hemos estado hablando de un ciclo virtuoso —recordó ella.

—Precisamente. ¿Sabe? Nuestros cuerpos tienen la asombrosa habilidad de curarse a sí mismos si les damos el apoyo natural correcto. Muchos de los mayores retos de la salud, que casi todos tenemos, se deben a la inflamación crónica, que puede surgir por muchas causas, que pueden abordarse mediante estos puntos fundamentales que hemos visto.

«Hablando del hígado, veamos otro ejemplo de la importancia que tiene poner nuestra atención en todo el cuerpo y sus funciones, en vez de considerar solo un parámetro. Muchas personas tienen una deficiencia de vitamina D, pero aun cuando se les prescriban los niveles normales de esta vitamina, a menudo sus resultados de laboratorio no muestran un aumento importante.

«Es necesario que el hígado y los riñones estén sanos para que puedan ayudar a activar la vitamina D que se ingiere por medio de alimentos o suplementos. Pero los niveles bajos de vitamina D también pueden deberse a otras causas. En ocasiones, es la manera compleja que tiene el cuerpo de protegerse contra la presencia de tumores paratiroideos. En estos casos, unos niveles altos de calcio en la sangre pueden servir como indicador.

Tomar vitamina D que tenga una base de aceite, con alimentos que contienen grasa o aceites, ayuda al cuerpo a absorberla mejor —añadió él.[85]

Rosa recordó un tema anterior:

—Cuando estaba hablando de cómo bajar de peso, doctor, puntualizó que era importante no tener un exceso de estrógeno, ¿por qué? —preguntó.

Sobrepeso y desbalances hormonales: Uno afecta al otro

—Me referiré a ello brevemente, le respondió el doctor. Por ahora, tenga en cuenta que unos niveles elevados de estrógeno pueden ocurrir también (tanto en hombres como en mujeres), usualmente cuando tienen sobrepeso u obesidad.

«Las células de grasa no son como la bodega de su casa, que se usa para almacenar cosas y rara vez se abre. Las células de grasa permanecen activas, constantemente produciendo estrógeno y compuestos inflamatorios, entre otras cosas, añadió él.

«El estrógeno y las hormonas tiroideas pueden funcionar de manera opuesta. Las hormonas de la tiroides pueden convertir la grasa en energía, por ejemplo, y el estrógeno ayuda a convertir las calorías en grasa.[86,87,88]

«No solo eso, añadió, pero unos mayores niveles de cortisol también suprimen la producción de testosterona, y ayudan a convertir la testosterona disponible en hormonas femeninas.[89,90,91]

Ella se maravillaba de las fuertes conexiones entre las diversas funciones del cuerpo. La sobrecogía la facilidad con que tenían un efecto, bueno o malo, una sobre la otra, incluyendo la baja de peso.

—¿Qué es esto de la inflamación, doctor? —le preguntó ella—. Recuerdo que dijo que también tiene un efecto sobre la baja de peso.

—Las reacciones inflamatorias agudas en su cuerpo son normales y útiles. Por varias razones, la inflamación crónica, sin embargo, es dañina.

«Puesto que se relaciona con el control del peso, la inflamación crónica afecta al centro cerebral que es responsable de que uno se sienta lleno y satisfecho al comer.

«Quizás recuerde que mencioné que el núcleo arqueado del hipotálamo en el cerebro es el principal centro del hambre. La inflamación crónica aumenta los niveles hormonales de cortisol porque el cortisol...

—¡Lo recuerdo! —interrumpió Rosa—. Es un antiinflamatorio, y también es la respuesta del cuerpo al estrés continuo, sea físico o emocional —Ella se sintió halagada por haberse acordado de algo que, hace unas semanas, se le hubiera olvidado—. Pero, ¿eso qué tiene que ver con mi apetito?

—Cuando come, se liberan hormonas de sus células grasas que van a esta parte del cerebro y hacen que se sienta llena y satisfecha. Sin embargo, unos niveles crónicamente elevados de cortisol aumentan los niveles de una de estas hormonas, la leptina, al punto de hacer que el cuerpo desarrolle una resistencia a la leptina, lo cual hace más difícil que el centro del apetito reconozca que está lleno. Así, termina por comer más.

—No se imagina cuántas veces he pensado en lo que me comí una o dos horas antes, sintiendo mi estómago lleno, deseando haber comido menos —dijo Rosa lamentándose.

El doctor respondió: —Lo sé, es algo por lo que la mayoría de nosotros hemos pasado varias veces.

«Además de la leptina, hay otra hormona producida por las células grasas, y se llama adiponectina —añadió él.

«La adiponectina es necesaria por muchas buenas razones: ayuda a aumentar la sensibilidad a la insulina, aumenta la oxidación de los ácidos grasos, disminuye los niveles de triglicéridos y mejora el metabolismo de la glucosa.

«Adivine, ¿qué efecto tiene el aumento de los niveles de cortisol sobre la adiponectina? le preguntó él.

—Creo que malas noticias...hace que sus niveles disminuyan.

—Correcto. Como lo he mencionado, unos niveles mayores de cortisol aumentan la insulina, lo cual hace que la descomposición de la grasa se interrumpa. Entonces, Rosa, vea: la inflamación crónica, que muchas personas padecen, aun cuando no sientan dolor, puede tener un impacto negativo sobre una serie de funciones corporales, y ello dificulta bajar de peso.

—Ya lo veo —dijo Rosa—. Todo esto es tan informativo, doctor, y realmente estoy empezando a entender su punto de vista acerca de la salud. Pero temo que se me olviden algunas de las lecciones que hemos estudiado.

—No se preocupe. ¿Por qué no damos un paso atrás y repasamos algunos de los temas principales que cubrimos en estas últimas semanas?

—Eso suena maravilloso —dijo ella.

—Perfecto. Entonces —dijo el doctor, pensando con carácter retrospectivo—, hemos hablado acerca de lo importante que es tener un buen sistema digestivo, que incluye los intestinos y sus bacterias, pues afecta la manera en que se metabolizan los alimentos; dijimos que esto podría afectar sus niveles de apetito.

«También hablamos de las glándulas suprarrenales, que producen las hormonas del estrés, y luego abordamos el tema del exceso de hormonas de estrógeno en cuanto a que tienen una fuerte influencia sobre los antojos o ansias de comer azúcar, y los niveles de energía. También hablamos de los patrones de sueño. Expliqué que el cerebro quema calorías cuando uno duerme, y ayuda a curar el revestimiento del estómago.

—También se refirió a los efectos crónicos de los elevados niveles de cortisol a consecuencia del estrés, —añadió Rosa—, Eso tiene muchos efectos negativos sobre el cuerpo.

Cortisol y la presión alta

—Así es, y también hablamos acerca del funcionamiento del cortisol. Le expliqué que podía elevar los niveles de insulina, lo cual puede hacer que uno suba de peso. También dije que extrae azúcar de los tejidos corporales, usualmente por medio de la estimulación del hígado para que descomponga los aminoácidos del tejido muscular, que no queremos perder, y los coloque en su sangre. Mencioné que la insulina podría afectar los niveles de inflamación, y que disminuir los niveles altos de insulina haría que fuese más fácil deshacerse de la grasa.[92,93,94,95]

«Quizás José, quien dijo que ha estado sufriendo de estrés, quiera saber que un aumento en los niveles de cortisol también puede ser parte de la explicación de por qué se le sube la presión sanguínea, pues ayuda a constreñir las arterias; a menudo, es esta constricción una de las razones que explican la presión alta.[96,97,98,99]

Rosa estuvo de acuerdo y dijo:

—Yo creo que José estaría interesado, aunque es difícil hacerlo hablar de esos temas. ¿Sabe? —prosiguió ella—, en el trabajo nos quejamos de que nuestros esposos realmente no le prestan atención a muchos asuntos de salud a menos que se sientan muy mal, Aunque el desempeño sexual, decimos en broma, normalmente está a la cabeza de sus lista de prioridades.

El doctor Arrondo sonrió y dijo: —Creo que eso nos pone al tanto de los temas más importantes. Y, como estamos hablando de cómo bajar de peso y mencionó que su hijo tenía sobrepeso, es un buen momento para hablar acerca de obesidad infantil.

—Es un tema triste para mí. Agradezco cualquier información que me pudiera ser de utilidad para ayudarlo.

—Lo haremos. Ahora, antes de nuestra próxima cita, quiero que piense en lo siguiente: cuando de obesidad infantil se trata, ¿qué tienen en común las cifras quince y 80 mil millones?

CAPÍTULO 26

¿Tus hijos están gordos? ¡Actúa ya!

—Bueno —dijo Rosa después de su siguiente sesión—, si he de escoger entre uno de esos dos números, y estamos hablando de peso, ¿por qué no empieza por el número quince?

«¡No creo que yo quiera saber de qué se tratan los 80 mil millones! —Rosa sonrió apretando los labios; era evidente la frustración que el sobrepeso le había causado durante años.

—De acuerdo —dijo el doctor Arrondo—, aunque estoy usando el número quince para referirme a la edad, dependiendo de los estudios, la edad puede variar entre el rango de los trece y dieciocho años. Es un rango de edad aproximado, pero en general se considera que es la edad en que la cantidad de células grasas en el cuerpo de una persona deja de aumentar.[1]

—Gilberto mi hijo tiene once años, y francamente, está gordo —dijo ella mientras sus mejillas se enrojecían—. Detesto tener que aceptarlo. De hecho, sus niveles de colesterol y triglicéridos son más altos de lo que debieran ser. Me preocupa; es tan joven y ya tiene problemas con su peso.

—La entiendo. En mi clínica he visto una gran cantidad de niños y niñas con sobrepeso. Muchos son adolescentes con niveles anormales de colesterol, así como enzimas del hígado anormales; es una epidemia. En los últimos treinta años, se ha triplicado el porcentaje de niños y niñas con sobrepeso.[2]

«Más de un tercio de todos los niños y niñas de Norteamérica padecen de obesidad o de sobrepeso —añadió.[3]

«Realmente es una tragedia; en Norteamérica, uno de cada diez menores de edad padece la enfermedad del hígado graso. Se trata de algo que sólo los adultos usualmente padecían. El problema de la enfermedad del hígado graso es que puede desembocar en problemas del hígado más serios, incluyendo cirrosis, que es irreversible.[4]

—Gilberto, desafortunadamente, entra en esta categoría. Realmente quiero ayudarlo, pero es tan difícil mantenerlo alejado de la comida basura cuando no lo tengo cerca. No puedo vigilarlo todo el tiempo, especialmente después del colegio cuando está con sus amigos, o cuando los dejo en el cine.

—La razón por la que yo quería referirme a su hijo y su peso es porque él no puede darse el lujo de esperar a bajar de peso, al contrario de muchos adultos.

«Su cuerpo, como los cuerpos de los menores de esa edad, quizás hasta los dieciocho años, más o menos, es diferente al de los adultos cuando de obesidad se trata —añadió.

—¿De qué manera? —preguntó Rosa.

—A eso se refiere la cifra de los ochenta mil millones, —le respondió el doctor Arrondo.

«Dijimos que nuestras células grasas son agentes hormonales, que hacen mucho más que solo almacenar grasa. Por ahora, hablemos del número de células grasas en un adulto.

—¿Vas a decirme que tenemos 80 mil millones de células grasas? ¡No es de extrañar que me sienta tan gorda! —refunfuñó ella.

Él se rio tranquilamente y dijo: —Ahí lo tiene: ese es el número promedio de células grasas en un adulto, pero no confundas el número de células grasas con el tamaño de las mismas. Al subir de peso, las células grasas aumentan muchas veces su tamaño normal.[5]

Moviendo su cabeza de lado a lado, ella empezó a comentar con exasperación: —¡No me sorprende que mi batalla contra la gordura sea tan espantosamente difícil! Pero, ¿por qué entonces Gilberto tiene que apresurarse a bajar de peso? —Le preguntó ella.

—Tiene que ver con la manera en que el cuerpo se desarrolla en la infancia y adolescencia, específicamente tiene que ver con la cantidad de células grasas. En todos nosotros, cuando estamos jóvenes, el número de células grasas empieza a aumentar, y luego el número permanente se establece. Eso sucede en la adolescencia, entre los trece y veinte años, dependiendo de los estudios.[6]

Los niños con sobrepeso tendrán más células de grasa, ¡para siempre!

—Algunos de estos estudios coinciden en que si un menor tiene sobrepeso u obesidad en este periodo crítico, cuando la cantidad de células grasas aumenta, para cuando llegan a la edad adulta, tendrán más células grasas que sus amigos de la infancia de peso normal.[7,8]

—¿Y qué? ¿Cómo afectaría eso a mi hijo cuando sea adulto?

—Porque las personas con una mayor cantidad de células grasas tienen mayor dificultad para bajar de peso que las personas con una menor cantidad de esas células.

—Bueno, cuando sea un adulto y logra bajar de peso, ¿no desaparecen esas células grasas adicionales?

—No, desafortunadamente no; se encogerán al ir bajando de peso, pero la cantidad se fija en la adolescencia por una serie de factores, incluyendo el genético. Sin embargo, la obesidad infantil desempeña un papel muy importante en la determinación del número permanente de células grasas, que permanecerán toda la vida.

—¿A qué edad empieza todo? ¿En qué momento deben los padres empezar a ocuparse? —preguntó Rosa preocupada.

Ella quería hacer todo lo posible por ayudar a su hijo, pero no podría vigilarlo cuando no estuviera en casa y asegurarse de que estuviera alimentándose correctamente. Se preguntaba qué le sucedería a su hijo si estos hábitos de la infancia se le arraigaban.

—Más vale prevenir que lamentar; los padres tienen que empezar a vigilar esto desde el jardín de infancia. Es entonces que los patrones del peso empiezan a asentarse de por vida. El cambio más importante en el porcentaje de niños y niñas con obesidad sucede para cuando están en el tercer año de la enseñanza básica.[9]

—Ay, eso es angustiante, y no solo para mí —dijo ella sintiéndose inquieta—. Conozco a muchos niños y niñas del jardín de infancia que ya están gorditos. Fui a la fiesta de cumpleaños de una amiga que tiene un hijo de cinco años. Era un domingo por la tarde, y había unos veinte o veinticinco niños y niñas de esa edad. José y yo comentamos que muchos de ellos ya tenían sobrepeso, si no es que estaban obesos. También había mucho pastel, comida basura y bebidas dulces.

—Tiene razón, es angustiante —intervino el doctor—. Los padres creen que les están haciendo un favor a sus hijos al consentirlos y hacerlos sentir más felices dándoles azúcar y comida basura, pero están cooperando para que se les fije un patrón de peso lamentable de por vida, junto con otras consecuencias metabólicas.

«Es un problema muy difícil de resolver. Si los menores sufren de obesidad a los trece años, lo común es que permanezcan obesos por el resto de sus vidas. El momento en que los padres deben ocuparse es antes de que entren al jardín de infancia.

«Deben detener ese proceso recién inicie. Una vez que el niño o niña tiene sobrepeso u obesidad, para cuando empiezan a ir a la escuela, es posible, aunque bastante difícil, revertir la tendencia.[10]

—¿Qué tanto es una cuestión de genética? —Rosa quería saber—. Porque yo veo a muchas parejas jóvenes con sobrepeso que tienen hijos e hijas con sobrepeso.

—La genética afecta, pero no estamos seguros de hasta qué punto. Sin embargo, mucho de ello tiene que ver con el peso de la madre durante el embarazo y la lactancia.

«Considere que las familias comen del mismo plato —continuó él—. Es decir, comen el mismo tipo de comida y desarrollan el mismo tipo de hábitos alimenticios. Y esos hábitos que el menor está aprendiendo contribuyen a su obesidad, o los padres ya estarían bajo de peso.

Rosa no podía evitar imaginarse a su hijo crecer siendo obeso. No quería heredarles sus problemas de salud a sus hijos, así que se dio cuenta de que tenía que realizar verdaderos cambios en su hogar.

Lo que tu abuela comió afecta tu peso y tu salud

—Si una mujer embarazada come demasiada grasa —prosiguió el doctor Arrondo—, sus hijas y nietas podrían tener un riesgo mayor de cáncer de mama. Aunque tuviera un hijo, éste podría transmitirle el riesgo incrementado a su hija, aunque él pese lo normal.[11,12,13,14]

«Si se pone a pensar en esto, significa que lo que comen las abuelas cuando están encinta afecta la tasa de cáncer de mama de sus nietas, aunque dieron luz a un varón. El concepto que presento que la salud es como un jardín, con conexiones extensas, se extiende a través de generaciones también.

«Las madres embarazadas que tienen sobrepeso o son obesas tienden a tener bebés que son más gordos y también tienen más grasa en el hígado. La tendencia es que estos bebés tengan una mayor incidencia de desórdenes metabólicos en sus vidas.[15]

—¿Por qué?

—Aún se está investigando, hay indicios de que las mujeres que siguen dietas altas en grasa durante la última parte del embarazo podrían tener bebés con funciones cerebrales alteradas, incluyendo problemas con la sensibilidad a la insulina, en esa parte del cerebro que ayuda a controlar el metabolismo y el apetito, el hipo...

—El hipotálamo —completó Rosa—. Lo recuerdo de una de nuestras conversaciones anteriores —dijo—. Definitivamente, creo que mi memoria está mejorando; no estoy segura de que hace un par de meses hubiera recordado algo como eso; además se me ha hecho más fácil recordar dónde estacioné el auto o dónde puse mis llaves.

—Me alegra oírlo —dijo el doctor sonriéndose—. Cuando el cuerpo funciona mejor, el cerebro funciona mejor, y viceversa. Ahora, acerca del tema del embarazo y la salud futura de hijos e hijas, considera que hay otras situaciones estresantes durante el embarazo que pueden tener un efecto mayor en la salud de la criatura.

—¿Como por ejemplo?

—¿Recuerda que hablamos acerca del cortisol en su función de hormona del estrés? Las mujeres embarazadas, especialmente en el tercer trimestre, que están bajo mucho estrés emocional, producirán niveles más altos de cortisol. Por la investigación se ha visto que ello puede desembocar en que la criatura tenga un mayor riesgo de sufrir problemas de desarrollo y emocionales.[16,17,18]

—Además —continuó—, las mujeres que pasaron por una depresión durante el embarazo pueden dar a luz a criaturas con un aumento cuádruple en la probabilidad de desarrollar depresión.[19,20,21]

«Como puedes ver, hay muchos factores durante el embarazo que pueden tener un efecto marcado sobre la salud de la criatura y hasta durante la etapa adulta.

«En esta cuestión de que si la genética es el factor determinante en la obesidad infantil o si se debe al medio socioeconómico, es interesante notar que las familias más ricas normalmente tienen menos hijos o hijas obesos, y sucede lo mismo en las familias muy pobres.

«Sin embargo, hay otra razón interesante —continuó él—. De acuerdo a un estudio reciente, la mayoría de los padres de hijos e hijas obesos, incluyendo a muchos de estos últimos con resultados de pruebas de sangre que muestran retos metabólicos, consideran que esos hijos e hijas tienen una muy buena salud.[22]

—No lo entiendo: si están obesos, ¿por qué la mayoría de los padres creen que son saludables?

—He aquí una clave importante —dijo él—. La mitad de los padres de estos niños y niñas obesos piensan que sus hijos están en el peso normal.[23]

—¿De veras? Me sorprende. Mi hijo, para decirlo simple y llanamente, está gordo, me resulta claro —dijo Rosa con una frustración evidente

—¿Sabe? —Añadió—, esto me hace pensar en lo que dijiste cuándo nos vimos por primera vez: cambiar la manera en que uno se ve a sí mismo y a su salud. El panorama más amplio, es el paso más importante, ello aplica a nuestros hijos también. Necesito cambiar mi modo de ver las cosas, necesito verlas tal y como son.

—Estoy de acuerdo —dijo el doctor Arrondo—. ¡Me alegra que lo vaya entendiendo! Más allá de todos los elementos técnicos que comparta, creo que ampliar su punto de vista es el paso más importante.

Como ayudar a tus niños con el sobrepeso

—Con respecto a la obesidad infantil, los retos abarcan más que la comida. El ejercicio físico también es importante, y la mayoría de los padres de familia no se están involucrando lo suficiente para asegurarse de que sus hijos e hijas obesos se ejerciten. Después de los 14 años, es más difícil que los padres les inculquen el hábito del ejercicio.[24]

«Los resultados de la investigación muestran un método que ayuda a los hijos a bajar de peso, y puede llevarse a cabo inmediatamente, sin costo, aunque no será la felicidad del menor, y es disminuir el tiempo que pasan viendo la televisión y frente a la computadora —dijo el doctor.[25]

—Eso definitivamente haría que mi hijo fuera más activo. También concuerda con lo que mencionó acerca de moverse más durante el día para aumentar la tasa metabólica del cuerpo, a fin de quemar más calorías.

—Hay una conexión entre la obesidad infantil y trastornos psiquiátricos futuros. Niños y niñas obesos, así como con sobrepeso, en general tienen niveles altos de un mensajero químico inflamatorio conocido como interleucina seis, o IL-6, que puede analizarse con una simple prueba de sangre.

«La probabilidad de que a niños y niñas de nueve años con altos niveles de IL-6 se les diagnosticara depresión a los 18 años, resultó 50% mayor que la de niños y niñas con los niveles más bajos de ese químico. En la investigación también se muestra que aquellos que tienen los niveles más altos de IL-6 a la edad de nueve años, tienen una probabilidad de casi el doble de tener una experiencia psicótica a la edad de 18 años.[26]

«La presencia de niveles más altos de lo normal de marcadores inflamatorios como la IL-6 o proteína C reactiva, aumenta el riesgo de desarrollar diabetes tipo 2.[27,28]

«Ayudarles a los hijos a mantenerse en niveles saludables de peso y disminuir la inflamación a una edad temprana, puede darles una mejor oportunidad de no sufrir de depresión o psicosis cuando lleguen a la edad adulta.

«Hay mucha información valiosa respecto a los alimentos saludables —dijo el doctor Arrondo—. Ya conoces la mayoría, ahora voy a añadir otra cosa que, según investigaciones recientes, les ayuda a los niños que están luchando contra la obesidad. Los jóvenes de 16 años que dormían menos de seis horas, tenían un riesgo 20% mayor de padecer de obesidad para cuando llegaran a los 21 años comparados a aquellos que dormían ocho horas o más.[29]

«También puede darles un vaso de jugo de toronja y manzanas verdes. Las manzanas verdes ayudan a alejar los desórdenes asociados con la obesidad, porque ayudan a equilibrar las bacterias saludables en el intestino.[30]

«Un vaso de jugo de toronja al día desacelera la subida de peso un 20% en personas cuya dieta es alta en grasa. Además, puede bajar la glucosa, insulina y triglicéridos, así como los niveles de grasa en la sangre. En un estudio reciente se demostró que podría disminuir la cantidad de azúcar en la sangre, como el medicamento líder contra la diabetes: la metformina.[31] Obviamente, estas ayudas naturales también pueden ser de utilidad para jóvenes y adultos.

—Le voy a decir algo —empezó Rosa, expresándose con voz determinada—, que ese hijo mío va a empezar a alimentarse de manera diferente. Va a dejar el sofá, su ordenador, su teléfono y va a empezar a hacer más ejercicio, y rapidito. Esta vez no lo voy a soltar fácilmente, aunque se queje. ¡Estoy aquí para ser una buena madre, no para ganar un concurso de popularidad! —dijo con una voluntad de acero.

El doctor la miró, hizo una pausa, y luego respondió alentadoramente.

—Me alegra ver que está dándole la atención necesaria a estos temas, y más aún: está creando puentes de comprensión y de acción.

CAPÍTULO 27

Cuando tu salud va en ascenso, tu peso va en . . .

—Antes de comenzar, doctor, ¿podemos repasar brevemente lo que hablamos sobre cómo bajar de peso? —preguntó Rosa—. Me sirvió mucho el repaso que dimos la otra vez. Quiero estar segura de que me acordaré de los puntos principales.

El doctor Arrondo no se sorprendió, sabía lo importante que era bajar de peso para ella, y con razón.

—Rosa, antes de que demos el repaso, voy a detallar por qué bajar de peso es tan importante —agregó él.

«Aquí está el triste cuadro. Entre más persista la obesidad, mayor será el riesgo de muerte próxima. De hecho, una persona de 30 años que esté muy obesa, tiene una mortalidad 12 veces mayor que una persona de la misma edad con un peso normal. El sobrepeso o la obesidad también se asocian con muchas enfermedades graves, como la diabetes, padecimientos del corazón, presión sanguínea alta, artritis, problemas de vesícula, trastornos emocionales, algunos tipos de cáncer y muchas otras enfermedades.[1]

«Sin embargo, hay buenas noticias: vamos a explorar una conexión entre el caminar y la reducción de la mortalidad. Aún entre la gente obesa, el ejercicio diario equivalente a una caminata animada que dura 20 minutos puede reducir el riesgo de muerte prematura entre 16 y 30%.[2]

«Hay quienes tienen una predisposición genética a la obesidad, pero hablando en términos generales, en las investigaciones no se ha encontrado que estos genes tengan una gran influencia sobre el peso cuando se compara con decisiones del estilo de vida. Para aquellos que tienen estos genes, la mayoría de los estudios muestran que lo hereditario no es destino.

«Como suele suceder en el campo de la ciencia, sin embargo, hay investigaciones que muestran otros resultados. Al respecto, se ha publicado un estudio que muestra, por primera vez, un eslabón genético entre la manera en que el cuerpo maneja la digestión de carbohidratos y la obesidad.

«En un estudio publicado en 2014, se señala una fuerte conexión genética entre la obesidad y la varianza genética. En la investigación se incluyeron unos 6.000 sujetos; se consideraban personas obesas y las que poseían ciertas variaciones genéticas estructurales, del tipo conocido como variaciones del número de copias, o CNV.

«Los resultados demuestran que el riesgo de padecer obesidad en los sujetos con un menor número de copias del gene de amilasa salival, que es una enzima en la saliva que ayuda a digerir el almidón, es ocho veces mayor que para los sujetos que tienen los números de copias más altos. Las personas que viven en países en los que se come más almidón, como por ejemplo Asia, tienden a tener un número de copias más elevado de este gen... y típicamente menos grasa corporal.[3]

«Repasemos algunas de las cosas acerca de lo que mencionamos para bajar de peso. Nos referimos a la importancia que tiene el sentirnos bien cuando nos damos una mejor oportunidad para bajar de peso. También hablamos de cómo el sobrepeso puede considerarse una consecuencia, y que deseábamos reducir la grasa y no la musculatura.

«También discutimos que bajar de peso es un acontecimiento estresante para el cuerpo, que se liberan toxinas que tus órganos tienen que estar preparados para procesar y eliminar. Después hablamos de cómo el funcionamiento de la tiroides podría mejorar al ir bajando de peso, así como de la importancia de contar con una buena flora intestinal.

—Estoy haciendo memoria —lo interrumpió Rosa—, también recuerdo que se habló que la inflamación crónica y altos niveles de azúcar en la sangre y de insulina harían más difícil bajar de peso, y que afectarían mis centros del apetito. También usted profundizó sobre cómo los alimentos de consolación pueden afectar la manera en que los neurotransmisores y mi cerebro funcionan, y de cómo me hacen sentir.

El doctor se sintió complacido con todo lo que ella recordaba de sus conversaciones. La falta de memoria había sido una de sus primeras quejas.

—Considere siempre —añadió él—, que entre los efectos del estrés crónico está la creación de una hormona que dificulta la quema de grasa. Estoy tratando de pensar en algún otro punto que hayamos cubierto... sí, que la transformación de pequeños actos en hábitos cotidianos, como subir por las escaleras o no permanecer tanto tiempo sentada, con el tiempo le ayudarían a bajar de peso.

—No olvides eso de la obesidad infantil y de cómo tiene un efecto sustancial en la edad adulta —dijo Rosa—. Siendo madre nunca lo olvidaré.

—Excelente, tenlo muy en mente —comentó el doctor Arrondo.

¡Sana tu cuerpo para bajar de peso!

Rosa sonrió y dijo: —Parece que el panorama amplio aquí es el siguiente: para que la grasa se arregle, necesita arreglar su cuerpo.

—Le ha dado justo en el clavo; cuando de bajar de peso se trata, lo gordo es arreglar el cuerpo para arreglar la grasa. No se olvide de ese concepto fundamental, Rosa.

—No me sorprende que mi apetito siempre haya sido un grave obstáculo para bajar de peso, —añadió ella—. Casi siempre lo puedo controlar, pero al menos una o dos veces al día se me escapa; lo suficiente para no bajar de peso, o subir un poco.

«Y hablando del apetito —continuó ella—, habló del funcionamiento de la tiroides, que tiene que ver con la quema de calorías, y que puede debilitarse cuando esa hormona del estrés, el cortisol, permanece alta durante demasiado tiempo.

—Pero, ¿cómo es que la insulina afecta mi apetito? Me parece que aclaró que los niveles altos dificultan la quema de grasa.

—Sí, y eso nos lleva de regreso al cerebro. Existen unos receptores de insulina en las células de su cerebro, y por medio de la investigación se ha demostrado que el funcionamiento apropiado de estos receptores ayuda a controlar los niveles de apetito.[4] Sin embargo, las células del cerebro también pueden volverse resistentes a la insulina, igual que cuando hay demasiada azúcar en la sangre durante periodos largos —explicó el doctor.[5]

—¿Me está diciendo que el cerebro puede volverse resistente a la insulina también? Preguntó Rosa.

—La insulina en el cerebro funciona de maneras menos definidas en el resto del cuerpo. Sin embargo, nos enfocaremos en lo que es importante que sepa en relación con su peso. Unos niveles anormalmente altos de insulina, lo cual se conoce como hiperinsulinemia, no solo aumenta el apetito y la cantidad de comida que ingiere, sino que le provoca un deseo de comer más cosas dulces.

—Hay, más razones para mantener bajos los niveles de insulina, y no solo por la amenaza de la diabetes.

Rosa recordó a un par de miembros de su familia a quienes se les había diagnosticado diabetes y estaban tomando medicamentos. A su tío le iban a empezar a inyectar insulina, pero la estaba pasando mal tratando de cambiar sus hábitos alimenticios. Ella pensó en lo que el doctor Arrondo había dicho, de que las personas con diabetes estadísticamente vivían seis años menos que las demás.

Iba dándose cuenta de que había una serie de funciones corporales que podrían ir en contra de una buena alimentación.

—Es verdad —le dijo el doctor Arrondo—. Ahora hablemos de cómo es que el hígado también está involucrado: este órgano es clave para el metabolismo, es responsable, entre otras cosas, del almacenamiento de glucosa, descomposición del glucógeno en glucosa y de ayudarle al cuerpo a convertir los azúcares digeridos de sus alimentos en grasa, que se conoce como triglicéridos.

—¿Por eso la gente que come muchos alimentos grasosos o bebe demasiado alcohol puede desarrollar un hígado graso?

—Así es; mucha gente no se percata de que el consumo excesivo de azúcares y carbohidratos refinados también puede desembocar en un hígado graso. Los alimentos azucarados y los carbohidratos refinados se asocian con decrementos en la función cerebral y en el humor, incluyendo la depresión.[6]

«Es engañoso: consumir carbohidratos puede hacerla sentir bien temporalmente debido al aumento en los neurotransmisores, como la serotonina y la dopamina. De otra parte, seguir haciéndolo crea un trastorno en la habilidad del cerebro para crear los niveles normales. De esa parte, ciertos tipos de comida trabajan como drogas. Fíjate que no ves a personas que le dan ansias de comer brócoli o espinaca, pero si los carbohidratos como el pan, o productos con azúcar.

—¿Lo que me quiere decir es que debido a que la gente come de ese modo, quiere comer pan y azúcar para recibir ese estímulo de bienestar?

—Sí; se crea un círculo vicioso. Puede ser como el café, que es un estimulante, pero con el tiempo también puede menoscabar los recursos de energía naturales del cuerpo.

—¿Es por ello que, con el tiempo, la gente se vuelve adicta a esas tazas de café?

—Así es, y como puede ver, para mucha gente, dejar el pan y tipos similares de carbohidratos es difícil. No se trata nada más del sabor, el estímulo del azúcar o llenar el estómago. Más bien esas personas han estado dependiendo de estos tipos de alimentos grasosos, de energía alta que les ayudan a modular los neurotransmisores en el cerebro, que cambian su estado de ánimo.

«Tengo la sensación de que, a un nivel muy profundo, para muchas personas el éxito de bajar de peso es realmente cuestión de poder manejar exitosamente sus sentimientos y estados de ánimo, sin ingerir los típicos alimentos para sentirse mejor.

—Un punto de mucho valor —respondió Rosa, reflexionando sobre lo que él acababa de decirle.

Él esperó a que la información se le asentara antes de continuar.

Hígado graso: Creados por harinas y dulces

—Cuando alguien consume demasiada azúcar, o glucosa, que es otra forma de llamarle al azúcar, el hígado se sobrecarga. Entonces los triglicéridos, que son un tipo de grasa, empiezan a depositarse en el hígado en forma de grasa y a afectar su funcionamiento. Siempre tenga en mente que el hígado desempeña unas 500 funciones y es el órgano clave para tener una buena salud.

«Se ha demostrado que un aumento en el contenido de grasa en el hígado precede a la diabetes tipo 2 y aumenta la resistencia a la insulina.[7,8,9]

«Casi la mitad de toda la insulina producida por el páncreas es utilizada por el hígado —añadió él—, normalmente en un lapso de diez minutos. Los riñones consumen una buena cantidad de la insulina restante.[10,11,12]

—Afortunadamente, no bebo a menudo, y estoy empezando a comer apropiadamente —dijo Rosa—. Así que mi hígado debe estar bien; el problema está en cambiar los hábitos de mi familia.

—Asimismo, no olvide que mencionamos lo dañino que es la inflamación crónica para el cuerpo —dijo el doctor Arrondo—. Existe una prueba de laboratorio que analiza la inflamación en el cuerpo midiendo los niveles de algo que se llama proteína C reactiva, que es producida por el hígado y los vasos sanguíneos en respuesta a la inflamación de las reacciones inflamatorias del cuerpo. Lo que actualmente se piensa es que esta proteína C reactiva, no solo es un indicador de la inflamación, sino que también contribuye a la inflamación.

«La proteína C reactiva se vincula a la leptina, que es esa hormona producida por las células grasas después de haber comido, y evita que cruce la barrera de sangre-cerebro para avisarle al cerebro que se ha comido lo suficiente.

—Entonces, ¿por eso algunas personas simplemente siguen comiendo y comiendo, aún después de que su estómago esté al tope?

—Así es; sus cerebros no entienden que ya fue suficiente; la inflamación contribuye a esto. Pueden tener niveles de inflamación altos, aun cuando no sientan dolor —añadió él.

«Ahora hablemos del ejercicio, puede resultar de ayuda para muchas de las cosas que hemos hablado.

—Bueno, doctor, sé que es bueno y que debería hacer ejercicio, pero el problema es que casi nunca tengo energía. Quizás ahora ya no sea el caso, creo que estoy empezando a cambiar.

—Me alegro, pero nos falta más por hacer; ¿recuerda lo que dijimos al principio acerca del ejercicio y la buena alimentación?

—Lo que me acuerdo es que dijo que eran importantes, pero no suficientes, ya que la mayoría de las personas que se embarcaban en un programa de alimentación y ejercicio para bajar de peso, terminaban recuperando su peso anterior en cuestión de meses.

Rosa recordó la máquina que usaba para colgar la ropa y que originalmente era una escaladora, su última maravilla de ejercicio aeróbico, que en aquel entonces le parecía la madre de todos los aparatos quema-grasa.

—Por eso necesitamos apoyar a los sistemas corporales naturalmente —explicó el doctor Arrondo—, de tal manera que cuando las funciones del cuerpo empiecen a funcionar normalmente, uno se sienta con más energía. En consecuencia, se sentirá más motivada a hacer ejercicio, y le sacarás un mayor provecho. Eso es parte de lo que está sucediéndole a su cuerpo.

—María dijo que estaba ejercitándose más porque tenía más energía y despertaba por las mañanas sintiéndose más fresca, y ha estado bajando de peso. Ella cree que casi todo lo que está quemando es grasa.

«Ella y yo nos sentíamos tan frustradas cuando intentábamos bajar de peso, que no teníamos la energía para hacer mucho ejercicio después de que el entusiasmo inicial se había esfumado.

—¡Y para demostrarlo tiene usted una buena escaladora con ganchos para colgar ropa! —dijo el doctor Arrondo, riéndose.

—¡Ya lo sé, ya lo sé! —dijo Rosa nerviosa y riéndose entre dientes—. Intenté anunciarla en *eBay* pero el precio de venta tiene que ser bajo, pues hay mucha gente que, como yo, quiere deshacerse de la suya. A José le va a dar otro ataque, y con toda razón. Creo que terminaré por usarla, si me ayudas —dijo ella, esperanzada.

—Señaló algo muy interesante. De hecho, yo les digo a mis pacientes que para bajar de peso uno debería hacerlo sin pasar hambre y teniendo la energía suficiente. Esto provoca que uno tenga ganas de hacer ejercicio y pueda recibir los beneficios que busca.

«He tenido pacientes que me dicen que se sienten tan débiles después de haber hecho ejercicio, que terminan comiendo alimentos con un alto grado de calorías porque querían sentirse bien rápidamente.

—Lo he hecho —dijo Rosa—. Un par de horas después del ejercicio comía tentempiés de alta calorías que yo sabía que no debería comer simplemente porque no me estaba sintiendo bien.

—Es por ello que necesitamos adoptar una visión amplia de todos nuestros procesos corporales y ayudarlos naturalmente, como un primer paso tener mejor salud adentro de nuestro cuerpo, en la función de nuestros tejido y órganos —replicó el doctor Arrondo.

—Arregla el cuerpo, y el cuerpo arregla el peso. Ya lo voy entendiendo —dijo Rosa—. Mejorar la manera en que mi cuerpo funciona, porque eso facilita tomar decisiones que mejoran el estilo de vida. Luego cambiará la imagen en mi espejo.

—Ahora, ¿qué puedo hacer ahora para llevar a cabo cambios más significativos en ese espejo? —interrogó ella—. Ya estaba lista y ansiosa por dar los siguientes pasos, y esperaba con anhelo su siguiente cita.

—Pues dígame, Rosa, ¿se le antojaría comer chocolate para bajar de peso?

CAPÍTULO 28

¡Come chocolate para bajar de peso!

—¿Qué? ¿Dijo bajar de peso comiendo chocolate? —preguntó ella, con la esperanza resonando en su voz. Porque, si oí bien, y si realmente, pero realmente, puede hacer que eso suceda... ¡le pondré su nombre a mi siguiente hijo!

—¡Me parece que le gusta lo que le propuse, entonces hablemos de chocolate! ¿Quiere usted? —dijo el doctor, sonriendo.

—Y mucho —enseguida interrumpió ella.

El doctor se rió y le dijo: —De acuerdo, pero primero vayamos a tomar un paso hacia atrás —Por el tono de voz de Rosa, el doctor Arrondo se dio cuenta de que iba a tener que darle la noticia muy suavemente, que no se trataba de una invitación para trabajar en la fábrica de chocolates 'Lady Godiva'.

—¿Recuerda que hablamos de que la comida tenía un componente emocional, de que modulaba el funcionamiento de nuestro cerebro para hacernos sentir mejor? Por eso es tan difícil dejar de comer ciertas cosas, aun cuando sabemos que no nos hacen bien. Esto sucede especialmente cuando estamos estresados.

—Entonces, ¿en dónde encaja el chocolate? —preguntó ella, dejando ver su impaciencia.

—Bueno, ¿cómo se siente cuando muerde un chocolate oscuro, cálido? —le preguntó con una sonrisa que revelaba una pregunta obviamente retórica.

—¡Casi mejor que con el sexo! —exclamó ella—. Sólo estoy bromeando... pero ni tanto. Realmente es mi comida favorita, eso y el pan calientito.

—Honestamente —dijo el doctor—, ¿qué tan bien te sientes cuando empiezas una dieta, sabiendo que se estará enfrentando a kilos de brócoli, pescado, espinacas y otras cosas sin chiste, por semanas o meses?

—De hecho, no me siento para nada bien cuando lo pienso. Inicio la dieta animándome yo sola, motivándome con pensar en que ya no puedo seguir así, los pantalones me aprietan, que simplemente tengo que hacerlo, tengo que comprometerme.

—Y ya sabemos lo que le sucede y a la mayoría de personas que se ponen a dieta, ¿verdad? Ya hemos revisado las cifras tanto nacionales como internacionales al respecto, y no son buenas —dijo el doctor encogiéndose de hombros.

Él miró a Rosa fijamente y le dijo:

—Rosa, ¿qué pasaría si supiera que cada día de su dieta iba a consistir en comida divertida, alimentos que la hicieran sentirse bien? Comida que supiera bien, que pudiera usar como premio por haber cumplido con su plan. ¿No sería más fácil seguirla?

—Sí sería —respondiendo con expectación, esperando que él usara la palabra choco.... —¿Me está diciendo que coma chocolate todos los días? Porque si no, ¡permita que yo lo diga! —Ambos rieron.

—He visto en mi clínica que funciona bien, y lo que estoy sugiriendo es que lo intente.

Él disfrutaba de la reacción de Rosa, y su parsimonia en permitir que ella asimilara todas sus palabras.

—Déle solo una mordida antes o después de la cena. Medio cuadrito de chocolate oscuro estaría excelente; pero cómaselo lentamente, deja que se derrita en su boca y fíjese en lo que sucede.

—Parece guionista de una película de 'La guerra de las galaxias'. ¡Sea uno con el chocolate! —dijo ella riéndose entre dientes.

—De hecho, no estoy muy lejos de pensar así. Medio cuadro de chocolate oscuro no es tanto, así que realmente desea comérselo lentamente, disfrutándolo. Asegúrate de que sea, digamos, una con el cacao. Pase un par de maravillosos minutos saboreándolo —continuó él—. No son muchas calorías, unas 75, realmente no tantas cuando suma las calorías que ingiere en un día. Si está atorada en esta cantidad de calorías adicionales, salte la cuerda por unos minutos; eso le ayudará a quemarlas.

«De hecho, estoy seguro de que sabe —añadió el doctor con una sonrisa—, que muchos almacenes venden estos chocolates en cajitas de distintas formas. O puede comer Kisses de Hershey's oscuros. Podría comerse un Kiss antes o después de comer, y luego lo mismo para la cena, y aun así estará en aproximadamente 85 calorías de chocolate al día.

—¿Para qué comer chocolate antes de una comida? —Le preguntó Rosa—. Créame, no me estoy quejando, solo pregunto, así que no sienta que lo estoy presionando para que cambie de parecer —dijo ella en son de broma.

—Es una buena pregunta; es curioso. Cuando come chocolate antes de una comida, su cerebro y cuerpo se sienten tan satisfechos con esa dulce pequeñez que usualmente no desea comer tanto como normalmente lo haría. Inténtelo, le hablo por experiencia, y a otras personas también les ha funcionado.

—Doctor, suena a una prescripción que con gusto cumpliré —dijo Rosa riéndose.

—Piense en esto —siguió el doctor Arrondo mientras miraba por la ventana—, hemos estado hablando acerca de nuestra salud desde diferentes perspectivas, de una necesidad de cambio, ¿verdad?

Una nueva visión para perder de peso

—Hemos explorado la necesidad de buscar nuevos puntos de vista, de abordar nuestra salud con un sentido de investigación más amplio, tanto pacientes como doctores. Bueno, creo que esa parte de esta nueva visión incluye tratarnos amablemente, con bondad. Reconocemos que, muy a menudo, la vida es un reto y puede causarnos mucho estrés. Luego tenemos el estrés fisiológico y emocional de una dieta, que en sí puede ser dura.

«Poca gente considera que, para bajar de peso, necesitamos tener en cuenta nuestras emociones y el funcionamiento real de nuestro cerebro. No deberíamos añadir un obstáculo emocional a un plan alimenticio ya de por sí restrictivo —dijo el doctor.

«A la mayoría de las personas les gusta un trozo de chocolate; contiene compuestos biológicos que nos hacen sentir mejor, nos ayudan a liberar endorfinas y neurotransmisores de bienestar. Contiene magnesio, que hace que algunas mujeres tengan ese antojo de chocolate antes de la menstruación, y también protege al corazón si comemos chocolate con 85% de cacao o más. Con ese porcentaje, lo amargo puede ayudar a la digestión. Pero si es demasiado amargo, coma el que contiene menos cacao. Se trata de que los disfrute, ¿por qué no?

«Hay otro motivo por el que sugiero esto, tiene que ver con la manera en que el cerebro funciona.

«En pocas palabras, la parte frontal del cerebro, la corteza pre-frontal, es la parte que usamos para hacer planes, tomar decisiones y razonar. Es lo que empleamos para dejar la comida basura cuando estamos a dieta, y para no elegir comportamientos que no estén en nuestro mejor interés; en otras palabras, nos ayuda a controlar nuestros impulsos.

«En el resto de nuestro cerebro, y estoy hablando en términos muy generales, surgen muchos de nuestros impulsos y deseos. La parte frontal es como el adulto que frena al niño; la parte trasera es la que quiere comerse todo lo que haya en el almacén de dulces y antojos de la vida.

«La parte frontal del cerebro piensa las cosas y considera el tiempo y las consecuencias. Las partes emocionales, impulsivas viven el momento, buscando el placer y la satisfacción al instante.

—Así que es como una lucha en el cerebro, ¿verdad? —le preguntó Rosa—. Así me siento cuando estoy tentada a hacer algo por el placer inmediato, pero otra parte de mí sabe que, a largo plazo, no me va a servir del todo.

—Sí —respondió el doctor—, esa es la parte de su cerebro que toma decisiones tratando de negociar con la parte impulsiva, de llegar a un acuerdo. En ocasiones, la parte racional gana, otras termina por comerse un torta o pan con queso crema, o tortillas de harina, por ejemplo, de lo cual después se arrepiente. Ese es el proceso para casi todo tipo de elección en su vida, no solo la alimentación.

«Aquí es donde la cosa se pone realmente interesante, pues esto viene ligado a una serie de elecciones desafortunadas que quizás hayamos hecho en nuestras vidas, incluyendo la comida.[1,2]

«Las investigaciones han demostrado que cuando se siente mentalmente cansado, es más fácil elegir erróneamente. No solo en lo que a comida se refiere; se ha visto que aún los jueces toman decisiones menos favorables antes del receso; se le conoce como 'fatiga de decisión'.[3]

—Doctor, ahora sé por qué ha estado subrayando lo importante que es la salud y sentirse bien para bajar de peso fácilmente. De otra manera, nuestros cerebros cansados tomarían malas decisiones.

—Es un factor muy importante, Rosa. Sabotea tantos programas alimenticios bien intencionados. Si el cuerpo no trabaja bien, el cerebro no trabaja bien, y vice versa Si el cerebro no trabaja bien, es más difícil continuar a decir no a los antojos e impulsos.

—Entonces, ¿en dónde entra el chocolate? y no es que necesite un pretexto —dijo Rosa riéndose.

—Hay momentos en que el ritmo de la vida puede hacernos sentir cansados o estresados. Es entonces que aumenta la tentación de alimentarse mal. Pero es tranquilizante saber que puede comer un trozo de chocolate; no tiene que ser chocolate, puede ser lo que quiera.

—Estoy totalmente de acuerdo —dijo Rosa riéndose—. En parte, ser un buen paciente consiste en seguir el plan clínico, lo cual ya cumplo; cuenta conmigo —dijo ella alborozada.

—Tenía el presentimiento fuerte de que en esto podía contar totalmente con su presencia —respondió riéndose el doctor Arrondo.

«Mencioné el chocolate y sus efectos sobre los neurotransmisores de su cerebro, esas moléculas mensajeras especializadas —dijo—. Sus pruebas genéticas revelaron una variación que podría ponerla en un mayor riesgo de alimentarse emocionalmente.[4,5]

¿Comiendo por motivos emocionales? Una ayuda

—En gran parte, comer emocionalmente se asocia con los niveles de ciertos neurotransmisores, como la dopamina y serotonina. El chocolate ayuda, también el aguacate y la hierba rhodiola rosea, entre otras cosas. Los alimentos que son naturalmente ricos en vitamina B, el aceite de pescado, el magnesio y el aminoácido tirosina pueden ser útiles.

«En retrospectiva, creo que, a menudo, la mayoría de las personas comen no porque tengan hambre, sino más bien por hábito, y por la manera en que la comida puede cambiar cómo se sienten. Un enfoque comprensivo consiste en trabajar los estados de ánimo y el conteo de calorías.

—Creo que tiene razón. Cuando estoy contenta y me siento bien, es más fácil alejarme de las cosas que sé que no me hacen bien.

El doctor Arrondo asintió con la cabeza.

—Hay una investigación interesante en donde se demuestra lo fuerte que puede ser el efecto de ciertos alimentos sobre nosotros, en ocasiones hasta pueden llegar a ser adictivos. En el estudio se incluyeron las galletas Oreo —dijo él.

—¿Galletas Oreo? ¿De veras? No sé por qué me gusta comerme primero el relleno; tal vez sea un hábito desde la infancia —dijo Rosa, pensando en su niñez y en los momentos de gozo cuando descubría una bolsa de galletas que su madre había traído y puesto en la repisa de la cocina.

—Resulta que hay una base científica que explica su hábito. Cuando a unas ratas de laboratorio se les dio la oportunidad de elegir entre cocaína y galletas Oreo, eligieron las galletas. Los investigadores descubrieron que la parte del cerebro que se asocia con placer y recompensa se activaba con mayor fuerza comiendo galletas Oreo que consumiendo cocaína.[6]

—No me sorprende para nada —dijo ella—, ¡Son adictivas! Yo ya no las compro porque no duran ni un día en nuestra casa, del tamaño que sean.

—Es la combinación de azúcar y grasa, parece, lo que hace que sean tan atractivas, además de que tienen chocolate —le explicó él—. Ahora, adivine: ¿cómo cree que las ratas se comían las Oreos? —preguntó el doctor sonriendo.

—Ay no, ¿me va usted a decir que...?

—Sí, Rosa, se las comían igual que nosotros: primero se comían el relleno.

—¡Entre los parásitos en mi intestino que controlan mis ansias de comer, y las galletas que me pegan más fuerte que las drogas duras, no es de sorprender que sea tan difícil bajar de peso! —exclamó ella, horrorizada.

—¡La compadezco! —Dijo el doctor Arrondo—, hay muchas cosas que nos empujan a engordar. Ahora volvamos a lo que estábamos hablando la última vez. ¿Recuerda haber dicho que quería cambiar su imagen en el espejo?

—Sí, me acuerdo, y entiendo que es necesario arreglar el cuerpo para arreglar el peso; que el sobrepeso es una consecuencia, como mi imagen reflejada en el espejo. Necesito realizar cambios interiores porque la obesidad es un reflejo de mis procesos corporales internos. Pero, ¿por qué yo, y muchas de mis amistades, nos sentimos mal cuando empezamos una dieta?

—Hay muchas razones: una es que sus sistemas corporales tienen que estar sanos y fuertes para manejar bien la pérdida de peso, los sistemas de la mayoría de las personas no lo están.

Por qué perder de peso es traumático para tu cuerpo

—Créalo o no, la pérdida de peso es un acontecimiento traumático para el cuerpo.

«Quemar sus reservas de grasa libera una serie de toxinas que entran al torrente sanguíneo al irse reduciendo el tamaño de las células grasas. Es un evento traumático para el cuerpo ya que las toxinas dañan a sus células. Si los canales de desintoxicación y eliminación de su cuerpo, tales como el hígado, su vesícula, sus riñones y sus intestinos, no están funcionando bien, será más difícil que se sienta bien mientras esté sujeta a un programa para bajar de peso, lo cual hará que sea más difícil alcanzar el éxito.[7]

«Quizás su cuerpo simplemente no quiera o no esté listo para bajar de peso, porque no puede manejar la mayor carga tóxica, —añadió el doctor—. A menudo, la gente que baja de peso tiene mayores niveles de toxinas en la sangre, como por ejemplo los compuestos organoclorados, que incluyen PCB o bifenilos policlorados, que se encuentran en productos comunes del hogar. Las células grasas los liberan cuando se baja de peso. Se trata de agentes ambientales tóxicos que pueden afectar el funcionamiento de hormonas y órganos.[8]

«Su hígado y vesícula tienen que estar felices y funcionando bien para metabolizar las toxinas. En el caso de las mujeres que están menstruando, el hígado les ayuda a descomponer las hormonas femeninas asociadas con el término del último ciclo y prepara al cuerpo para el próximo ciclo menstrual. Si el hígado y el cuerpo no pueden hacerlo bien, pueden aparecer síntomas pre-menstruales.

«El hígado y la vesícula también trabajan juntos para liberar estos metabolitos que van al intestino. Así que su intestino tiene que estar funcionando bien. Si no, estos productos derivados tóxicos podrían ser reabsorbidos y regresarse a la sangre. Aquí se incluyen hormonas en las que su hígado ya ha empleado energía para descomponerlas.[9,10]

—Así que, como puntualizó, no se trata sólo de una cosa —concluyó Rosa—. Se trata de sistemas que funcionan en conjunto.

—Así es, se trata de interrelaciones. Los riñones también trabajan en conjunto para eliminar toxinas, y también los pulmones y la piel.

«Así que para una desintoxicación óptima y eliminación de estas toxinas del cuerpo, entre otras cosas, no debería estar estreñida ni tener el síndrome del intestino permeable, que es otro modo de llamarle al síndrome de intestino de fugas.

«Lo que quiere es eliminar de su cuerpo los restos del alimento digerido, así como los metabolitos tóxicos procesados por el hígado. No quiere que se reabsorban en el último tramo de su intestino por problemas de permeabilidad, tales como los ocasionados por el síndrome del intestino de fugas.

—¿Alguna otra cosa que tenga que pasar para que yo pueda bajar de peso?

—Tenga presente que tus glándulas suprarrenales también tienen que estar funcionando bien cuando coma menos. Tenga cuidado con lo que come y comerá menos sustancias azucaradas. Entre comidas, el cerebro dependerá en parte de las glándulas suprarrenales para asegurarse de que la sangre tenga los niveles adecuados de combustible, día y noche. La estabilidad de los niveles de azúcar también es importante, porque de lo contrario tendrá dificultad en alcanzar los niveles normales de neurotransmisores de bienestar en el cerebro.

«Sin los niveles apropiados de estos neurotransmisores, se le podría antojar un torta o pan o una bolsita de papas fritas para levantarse el ánimo rápidamente. También es importante que su cerebro reciba una buena cantidad de oxígeno para que pueda mantenerse alerta.

«Así que si tiene anemia, que influye en la transportación de oxígeno al cerebro, puede terminar con fatiga cerebral, experimentando, por ejemplo, dificultad para concentrarse. Recuerde, casi siempre es cuando no nos sentimos bien que rompemos nuestros patrones de alimentación saludable, que tanto nos costó adquirir.

—¿Qué me dice de tomar agua para bajar de peso? — Preguntó Rosa—. A veces se me olvida tomar agua, simplemente no siento sed.

Cómo tomar agua para adelgazar: Y cuándo no tomarla

—Nuestros mecanismos de la sed empiezan a bajar de velocidad cuando llegamos a los veinte años, —le explicó el doctor Arrondo—. Así que tenemos que acordarnos de beber aun cuando no tengamos sed. De adultos, si nos da sed en el transcurso del día, normalmente significa que no se tomó agua antes. También hay otras razones, los diabéticos y las personas con insuficiencia cardiaca, entre otras, pueden sentirse más sedientas de lo normal.[11,12,13,14,15]

«El agua ayuda a reducir los niveles de concentración tóxica en el cuerpo. Nos ayuda a mejorar los movimientos intestinales. Si bebe medio litro de agua media hora antes de comer, se ha demostrado que ayuda sustancialmente a bajar de peso y no volver a subirlo.[16,17]

«Mi sugerencia es beber muy poca agua con las comidas. Y recuerde masticar bien la comida. Beba agua media hora antes de las comidas, y espere un par de horas después de haber comido para tomar de nuevo; entre menos agua beba durante las comidas, más podrá masticar. Muchos profesionales de la salud sienten que beber demasiada agua con los alimentos puede interferir con la digestión.[18]

Rosa asintió con la cabeza y dijo:

—Mi hermana mencionó que le habló acerca de cuándo no se debe tomar agua. ¿Se refiere a eso? Es un concepto raro; a mí me parece que deberíamos beber agua siempre, para mantenernos hidratados.

—Como en la naturaleza, todo, incluyendo el agua, es mejor balanceado, y a su tiempo —le respondió el doctor—. ¿Recuerda que hablamos de la importancia de tener unos buenos niveles de acidez en el estómago, no solo para la digestión sino también para matar agentes patógenos? Debe tener niveles que no sean ni tan altos ni tan bajos y que produzcan los ácidos en el momento propicio; piensa en el agua con esa misma perspectiva.

—Lo recuerdo: detalló que con unos niveles de acidez apropiados, nuestro estómago actúa como un centinela contra las bacterias y ayuda a la digestión.[19]

—Correcto, cuando bebe agua, los niveles de acidez se diluyen agudamente. Los diluye tanto como los antiácidos, y más rápidamente; solo que por menos tiempo.[20] Eso significa que si bebemos agua con las comidas, la potencia de la acidez en nuestro estómago disminuye, lo cual es crítico para la digestión.

«Esta dilución debilita la habilidad de la acidez para protegernos contra agentes dañinos en los alimentos, como *h. pylori, e. coli, salmonella* y otros patógenos.[21,22]

«También recuerdo que le habló a mi hermana acerca de la importancia de la masticación, pero ¿qué tiene de importante? ¿No se trata de bajar la comida, ya sea con agua o saliva?

«Concentrémonos primero en la saliva —dijo el doctor—. El cuerpo puede producir hasta 2 litros de saliva diariamente. La saliva ayuda a iniciar la digestión, en particular de algunos carbohidratos, y en menor medida, de las grasas. La saliva tiene propiedades antivirales y antibacterianas, y ayuda a proteger su boca y esófago.[23,24,25,26,27]

«Así que, como puede ver, el agua no constituye un sustituto, ahora veamos la masticación.

La masticación ayuda a producir saliva. Una de las ventajas de masticar bien los alimentos es que los prepara para su digestión. Ayuda a que su sistema digestivo funcione más fácil y eficientemente. Estamos hechos para masticar mucho. Los principales músculos de la masticación, conocidos como músculos maseteros, son los músculos más fuertes por su tamaño.

«Considere que masticar bien implica comer más lentamente. Eso nos ayuda a comer menos porque hay unos receptores mecánicos en el estómago que le informan al cerebro cuánto alimento se ha comido, pero el mensaje tarda en llegar una buena cantidad de minutos.

«Así que masticar cada bocado más veces no solo le realza el sabor, ayuda a la digestión y ayuda a matar patógenos, sino que también ayuda al cerebro a estar más consciente de que se llena más rápidamente. Y también ayuda a activar los centros nerviosos a preparar al sistema digestivo para la digestión.

El doctor hizo una pausa.

—Recuerdo que hace muchos años entré a un restaurante orgánico en Berkeley, California, y vi un anuncio grabado en madera en donde se leía: *Feliz es el hombre que mastica bien.*

—Es verdad que mi hijo y mi marido comen muy rápidamente, y en ocasiones yo también —admitió Rosa—. Supongo que deberíamos hacerlo más lentamente. Yo como rápidamente cuando estoy nerviosa.

—Anteriormente, se quejó que a menudo se le hinchaba el vientre y producía gases después de comer. Esto puede ser el resultado de comer rápidamente y no masticar bien. Si come demasiado rápido, unos veinte minutos después quizás tenga la sensación de que comió demasiado y se sienta incómodamente llena.

—Eso me ha sucedido a menudo —comentó Rosa—. Ahora sé de algo más que me ayudará a bajar de peso y a digerir mejor. También se lo diré a mi familia, son comedores veloces.

—En resumidas cuentas —dijo el doctor—, he aquí dos buenas razones por las que es mejor masticar bien: mejora su salud y le ayuda a bajar de peso.

«Hemos estado hablando de cómo bajar de peso, de los retos que enfrentan las personas para hacerlo y lo que pueden hacer al respecto. ¿Recuerda que dije que a menudo las personas que bajan de peso liberan toxinas que entran en su torrente sanguíneo?

—Sí, no sabía que el perder de peso también soltaba toxinas de las células que el cuerpo tendría que depurar y eliminar —dijo Rosa asintiendo con la cabeza.

—Nos hemos referido varias veces a cómo es que el cuerpo está conectado de maneras que parecen distantes, pero realmente tienen efectos que significan una diferencia para nuestra salud. En este caso, establezcamos, una conexión entre sus células grasas y su tiroides cuando trata de bajar de peso, y veamos cómo esa conexión puede hacerlo más difícil.

«Entonces, como lo apunté anteriormente, cuando las células grasas se encogen durante la baja de peso, se liberan algunas toxinas. Estas toxinas tienen un efecto sobre su glándula tiroides, que aminora su tasa metabólica de descanso, y puede hacer que disminuya el nivel activo de la hormona tiroidea, conocida como T3, en el cuerpo.

—Espere un momento —lo interrumpió Rosa—, si la cantidad de toxinas liberadas por las células grasas aumenta en mi sangre, y esas toxinas hacen que disminuya mi tasa metabólica de descanso, mi tasa de quema de grasa. ¡Eso significa que es aún más difícil bajar de peso!

—Malas noticias, ¿verdad? —Admitió el doctor—. Pero así mismo es, el bajar de peso puede afectar los niveles hormonales tiroideos activos, que a su vez son necesarios para otras funciones, incluyendo la posibilidad de tener un sistema digestivo saludable.

—Ese es otro ejemplo de cómo el cuerpo se conecta a manera de la telaraña que mencioné antes —dijo Rosa.

—Claro, está viendo los patrones del cuerpo con más lucidez, felicidades, Rosa. Ve más claramente por qué es tan importante estar tan saludable y tener sus sistemas funcionando bien antes de embarcarse en un programa para bajar de peso. Quiere tener la capacidad de elegir un programa que su cuerpo pueda apoyar, uno que le proporcione una mejor oportunidad de seguirlo.

Aumenta tu salud para bajar de peso

—Para bajar de peso, primero tiene que mejorar su salud. Todo en la vida, incluyendo las leyes de la naturaleza, funciona en equilibrio.

«Piénselo como si se tratara de niños jugando en un subibaja. Al subir un lado, el otro baja; es más fácil bajar de peso cuando mejora su salud.

—¿También funciona al contrario? —preguntó ella. ¿Entre menos saludable, más fácil será aumentar de peso?

—En muchas instancias, así es; es muy frecuente. ¿Cuénteme, qué sucede cuando no tiene mucha energía, no duerme bien y se siente estresada y cansada?

—Ya veo, es entonces cuando empiezo a consumir comida basura. Se trata de ese factor de fatiga que usted detalló. No le sabría decir cuántas veces mis amistades y yo hemos abandonado un programa para bajar de peso, uno tras otro, porque nos sentíamos cansadas, enfermas, nos dolía la cabeza, nos daban ansias de comer, o cosas por el estilo.

«Lo gracioso es que nos sentíamos mejor por poquito tiempo después de haber dejado la dieta, pero luego sufríamos las consecuencias. Y creo que lo que sucedía, era que al dejar la dieta nuestras células grasas dejaban de encogerse, y dejaban de liberar más toxinas que no podíamos eliminar bien; así que nos sentíamos mejor.

El doctor Arrondo asintió con la cabeza, sonriendo y reacomodándose en su silla mientras Rosa hablaba.

—Voy entendiendo mucho más acerca de la manera en que funciona esto de las conexiones corporales —continuó ella—. ¿Pero qué otra cosa puedo hacer para ayudar a mi familia y a mí misma? Para empezar, hoy en la noche todos vamos a masticar más lentamente y empezaremos a tomar menos agua. Después de todo, dijo que era importante hacer las preguntas correctas y esta lo es.

—Ya lo entendió: hacer las preguntas correctas, como en el cuento del joven doctor de la India, quien primero tenía que hacer las preguntas correctas a fin de recibir la información correcta; es una de las cosas más importantes que puede uno hacer por su salud y por su vida. Es la razón por la que he estado tratando todo esto con un panorama global que le ayudará a dar mejores pasos con respecto a su salud.

«Mi punto es que los pacientes recibirán un mejor servicio si mantienen sus ojos abiertos, inquisitivos y si están dispuestos a ver lo usual de manera diferente —le explicó él.

Rosa reflexionó al respecto; se dio cuenta de que necesitaba participar más en sus decisiones clínicas. Pensó en el concepto del gran panorama que el doctor había estado entretejiendo durante sus pláticas.

Él la interrumpió diciendo: —Cuando de comer se trata, tenemos diferentes cuerpos que responden de maneras diferentes. Sin embargo, existen unos lineamientos generales que a la mayoría de las personas les funcionan. En esto habrá de ser flexible, pues tendrá que adaptarse a lo que mejor le funcione a usted y a su familia.

«Rosa, ¿quiere saber cuál es el mejor plan alimenticio de entre todos los miles de planes alimenticios en el mundo?

La mejor dieta del mundo

—¿Sí, cuál? —preguntó con regocijo. Aparentemente, el doctor Arrondo estaba por darle el equivalente dietético del Santo Grial.

—¡Se trata del plan alimenticio que puedas y quieras seguir!

—Bueno, creo que eso tiene sentido —respondió ella, algo decepcionada. Entonces se dio cuenta de que casi había caído en la trampa de esperar el siguiente plan mágico. «*Los hábitos son difíciles de romper*», se dijo a sí misma.

—No tiene sentido diseñar estrategias alimenticias y de ejercicio que rebasen el nivel de salud de una persona o sus inclinaciones —le explicó el doctor—. Es necesario que seamos prácticos y empecemos por dar pasos pequeños, fáciles. En la medida en que su salud mejora, así como en un entrenamiento para correr un maratón, le será más fácil tomar mejores decisiones.

—Tenga en cuenta que, a diferencia del aforismo Rosa es una rosa, una caloría no es una caloría.

«Con ello quiero decir que sólo porque una sustancia alimenticia sea isocalórica, lo cual significa el mismo número de calorías en comparación con otra, no significa que sea isometabólica. Dicho de otro modo, quizás no tenga los mismos efectos metabólicos con respeto a su peso.[28]

«Los diferentes tipos de alimentos que tienen la misma cantidad de calorías pueden afectar al cuerpo de manera diferente, y pueden influir en sus intentos de bajar de peso.

—¿Puede darme un ejemplo de algo que me afecte para bajar de peso?

—Lo haré —le respondió el doctor—, si come la misma cantidad de calorías en un producto hecho con fructosa, un endulzante común, le llega al cerebro una señal más débil con respecto a sentirse satisfecha que si ingieres la misma cantidad de calorías con otro tipo de azúcar: glucosa.

«Las investigaciones indican que la fructosa, que se encuentra en muchas bebidas dulces y en otros alimentos, puede de hecho estimular el apetito. También causa otros trastornos en la salud, incluyendo la resistencia a la insulina, que rebasan su efecto calórico.[29,30,31,32,33,34] También, la cantidad de calorías en los alimentos no siempre puede considerarse como absoluta, sino que debe tenerse en cuenta en contexto.

«Sabemos que ingerir la misma cantidad de calorías, o aún los mismos alimentos, puede tener diferentes efectos sobre nuestra propensión a desarrollar diabetes, obesidad e inflamación.[35,36]

—Eso se remonta a lo que ha venido diciendo, doctor, acerca de la salud en general. Estoy viendo que un enfoque unidimensional limita nuestro potencial para curarnos, sea que hablemos de una prescripción o hasta de la comida, interesante.

—Es cierto —le respondió—. Estos conceptos básicos afectan a todas las partes de nuestras vidas. Vamos a otro ejemplo: Si una mujer pasa por un incidente estresante, y al día siguiente hace tan solo una comida reconfortante alta en grasa, alentará su tasa metabólica durante siete horas a partir del momento en que terminó de comer, en comparación con alguien que no hubiera estado bajo estrés. Convierta eso en un hábito y cada año cargará con más kilos de grasa.[37]

—Ay, no podría decirte cuántas veces lo he hecho —dijo Rosa con tristeza.

—Y todavía hay más: en este tipo de situaciones, la comida alta en grasa también aumenta sus niveles de insulina más de lo usual. Si existen antecedentes de depresión, aun cuando ese día no hubiera estado deprimida, la cantidad usual de grasa en su sangre, conocida como triglicéridos, también aumentará más de lo usual.

Rosa, quien en dos ocasiones había sufrido de depresión y patrones alimenticios emocionales, permaneció callada asimilando todo.

—¿Cuál cree que sea el mensaje que ha de llevarse acerca de este tema? —preguntó el doctor Arrondo.

Ella respondió lentamente.

—Lo que me viene a la mente es pensar dos veces antes de recurrir a esos tipos de comida para consentirme cuando estoy estresada. Pero, honestamente —continuó ella—, en ocasiones considero que la comida es como una buena amiga; sé que eso suena raro, pero me ha sucedido cuando he discutido con alguien, o cuando mis amistades o mi familia o la gente del trabajo me decepcionan. El sabor de la comida, y cómo me hace sentir, siempre es consistente, nunca me decepciona.

Rosa bajó la mirada mientras se enrojecían sus mejillas. Era un patrón suyo del que no le gustaba hablar.

—Es un gran reto —le respondió el doctor con gentileza—. ¿Se acuerda de que hablamos de cómo la comida influye en su cerebro? Eso es lo que lo hace tan difícil. Los hábitos emocionales asociados con las elecciones de comida son una razón que dificulta bajar de peso.

«La terapia profesional puede ser lo indicado cuando uno está consciente de eso y pareciera que no puede romper con el hábito. Hablar con una amistad acerca de ello también puede funcionar, o escribir un diario acerca de la manera en que se va sintiendo con la dieta, —añadió él.

—Tiene razón —dijo Rosa—. Pero por lo menos puedo empezar por conocer esta información; me ayuda haciéndome consciente de mis patrones. Cuando esté estresada, me ayudará a pensar dos veces antes de pasármela comiendo por algún problema.

¿Cuál es mejor para tu dieta? ¿Índice glucémico o carga glucémica?

—Ahora bien, exploremos las maneras en que los alimentos pueden agruparse. Saber esto es de mucha ayuda para crear un plan de comida saludable y que le ayuda a perder peso. Los que son altos en diferentes tipos de azúcar se consideran como alimentos que tienen un alto valor del índice glucémico. Estos alimentos estimulan la producción de insulina y disminuyen la quema de grasa. Entre más alto sea el valor del alimento, más ejercerá ese efecto.

«El índice glucémico de los alimentos es el que más se conoce —continuó el doctor—, pero si busca en Internet, encontrará información acerca de otros índices, tales como la carga glucémica y el índice insulínico, que son más útiles.

«El índice de carga insulínica es una medida compuesta del índice glucémico y del total de carbohidratos en un alimento. El total de carbohidratos consumidos es importante para tus niveles de azúcar en la sangre y su salud. Yo recomiendo que invierta algo de tiempo en buscarlos; no se tardará. Le servirán de guía para que pueda elegir mejor sus alimentos.

«En general, es mejor consumir alimentos que contengan una carga glucémica baja o un índice insulínico bajo. Eso le funciona bien a la mayoría de las personas.

«Cualquiera que sea el índice que escoja, debe elegir alimentos que disminuyan los niveles de azúcar e insulina en la sangre. No quiere seguir comiendo para aumentar de peso, ¿verdad?

—Sé que se lo está preguntando a mis llantitas, ¿o no? —dijo Rosa sonriendo pícaramente.

—¡De hecho, sí! —dijo el doctor afablemente—. Decirles adiós reduciendo sus niveles de grasa es importante para la salud, no solo para la forma de su cuerpo. La grasa alrededor de la cintura es lo peor para la salud; comer alimentos bajos en carga glucémica puede ayudarla. Si incluyes grasas benéficas en vez de carbohidratos en su alimentación, ello disminuirá su respuesta a la insulina.

«Alimentarnos de grasas que nos favorecen es importante para nuestra salud —comentó él—. El hígado, por ejemplo, fabrica aproximadamente 75% de nuestro colesterol, aun cuando no comiera nada que lo elevara.

«Recuerdo haberme planteado un ayuno de agua durante tres días y cuando lo terminé, vi que mis niveles de colesterol habían aumentado ligeramente, —continuó el doctor—. El cuerpo reacciona así porque el colesterol es necesario por muchas razones. Lo necesitamos para fabricar hormonas sexuales, mantener las membranas celulares saludables, así como para una serie de otras funciones corporales necesarias, incluyendo la curación.

«Un nivel demasiado bajo de colesterol tampoco es bueno.[38,39,40,41,42,43] En un estudio realizado en Italia, los niveles bajos de colesterol se asociaron con la depresión y el suicidio. Ni sequía ni inundación: todo lo necesario en equilibrio.

—No se preocupe por mí, doctor. Por el momento, no haré ningún ayuno de agua —dijo Rosa riéndose—, pero, ¿hay alguna otra manera de bajar de peso?

—Creo que mantener los niveles adecuados de proteína de alta calidad, junto con fibra, es importante. La cantidad puede variar de una persona a otra; comer proteína ayuda a suprimir el apetito. También se requiere de más energía para que su cuerpo la digiera, lo cual quema más calorías. Esto se conoce como el Efecto Térmico, que ayuda a aumentar el total de calorías que su cuerpo quema en un día.

«Asegurarse de que su dieta contenga la cantidad suficiente de fibra tiene otro beneficio: las bacterias en nuestro intestino digieren la fibra, fermentando y liberando el acetato. Los científicos están descubriendo que el acetato es una molécula anti-apetito que le dice al cerebro que deje de comer.[44]

«Quizás recuerde que mencioné que beber medio litro de agua, una hora antes de cada comida, disminuye la cantidad de calorías que la gente normalmente ingiere en 20%. Considere que si le añade fibra a esa agua, como les sugiero a muchos de mis pacientes, obtendrá una ayuda adicional para controlar el apetito, así como muchos otros beneficios para su tracto digestivo y su salud.

«Mencioné fibras solubles e insolubles en la sección de los jugos. Existe otro tipo, conocido como el almidón resistente, que le puede ayudar a bajar de peso y sentirse más llena a pesar de que coma la misma cantidad de alimento.

Un tipo de fibra especial para sanar tus intestinos y adelgazar

—El almidón resistente es un tipo de carbohidrato que se encuentra en semillas, granos integrales no procesados, almidón de maíz alto en amilasa, patatas crudas, harina de banano verde y legumbres, entre otros. Algunas porciones de alimento se convierten en almidones resistentes después de haberse cocinado y refrigerado o enfriado, como el pan y las patatas. No se digiere en el intestino delgado, llegando al intestino grueso en donde actúa como fibra.

«En muchos casos es aconsejable añadir almidón resistente natural a sus alimentos, como podría ser el almidón de casabe, almidón de maíz híbrido y harina de banano verde. El almidón de patata cruda tiene la ventaja de ser muy bajo en carbohidratos digeribles, lo cual es muy bueno si quiere bajar de peso.

«Puede añadir estos productos a las harinas, cereales y pastas. Si se puede, es mejor comer estos almidones resistentes crudos. Ayudan a reducir el número de calorías consumidas, pues tienen entre 50 y 75% de las calorías por kilo que se encuentran en la harina y carbohidratos de rápida digestión.[45] Aumentan la cantidad de bacterias benéficas y facilitan el movimiento de los intestinos.[46,47]

«Para la energía, las células del colon usan en su mayoría ácidos grasos de cadena corta. El almidón resistente ayuda a producir un tipo de ácido graso de cadena corta, el butirato, que es la fuente preferida de energía para estas células, y que ayuda a proteger al colon contra el cáncer y la inflamación.[48]

«El almidón resistente podría ayudar a mejorar la sensibilidad a la insulina.[49] Sin embargo, mientras que los beneficios del almidón resistente para la salud de su intestino son innegables, los resultados de las investigaciones, con respecto a los cambios a largo plazo de la insulina y glucosa con almidón resistente, no han arrojado resultados consistentes.

«Con respecto a la proteína, exploremos cómo su cuerpo la digiere y asimila —continuó el doctor—. La proteína se descompone y digiere en el estómago, que necesita niveles de acidez lo suficientemente altos para hacerlo. Ingerir muchos carbohidratos hará que la digestión de la proteína se haga lenta, así que trata de limitar la cantidad de carbohidratos refinados.[50]

—Casi toda la digestión y asimilación de proteína se realiza en el intestino delgado. Algunos estudios, conducidos con cápsulas endoscópicas, indicaron que el tracto intestinal permanece ácido, a excepción de un pequeño tramo al final del intestino delgado. Entonces, casi toda la digestión sucede en un ambiente ácido, a pesar de las secreciones alcalinas que van al intestino delgado a partir de las glándulas, como el páncreas.[51,52]

«Hemos hablado de que necesitamos que diferentes componentes trabajen juntos para que el cuerpo nos funcione bien. Con toda la atención que le hemos estado dando al estómago en la digestión de proteína, por más útil que sea, el páncreas es el mayor contribuyente en ese proceso digestivo.[53,54]

«Rosa, por eso es tan importante que los niveles de acidez estomacal sean buenos, y que el estómago esté en condiciones saludables, para que ayuden a digerir la proteína. Pero se necesita un equipo; se necesita que otros órganos y glándulas, como el páncreas y el intestino delgado, se coordinen y funcionen bien para la digestión, y se necesita que el hígado ayude a que sean útiles los productos finales de la proteína y los aminoácidos.

—Recuerdo que señaló que la gente mayor tiende a producir menos ácido estomacal —dijo Rosa.

—Así es, algunas investigaciones demuestran que el tipo de proteína mejor absorbido por la gente mayor no se encuentra en la leche, que se absorbe más lentamente, sino en la proteína de suero, que una persona pueda absorber más rápidamente.[55]

—¿Qué hay del desayuno? Yo me lo salto para bajar de peso. Después de todo, entre menos calorías ingiera uno, mejor se está, ¿verdad?

—Necesita poner eso en contexto —le explicó el doctor Arrondo—. Así como una caloría no es una caloría, lo mismo aplica a los tiempos para alimentarse.

«Asegúrese de incluir proteína en su desayuno. Hay estudios que demuestran que las personas que no toman un desayuno, terminan comiendo más en el día para compensarse. Del otro extremo del espectro, se ha demostrado que el ayuno intermitente, que ha sido una tradición en muchas culturas, es benéfico para aquellos que están preparados para llevarlo a cabo, ayudando a los parámetros de los lípidos en la sangre. Además, se ha visto que protege y ayuda a curar las células cerebrales.[56,57,58,59]

«En el caso de los diabéticos que puedan tolerarlo, y deben consultar a su doctor antes de intentarlo, hacer dos comidas al día es más efectivo que seis comidas más pequeñas para controlar el nivel de azúcar, así como el peso. Aquellos que ingirieron dos comidas al día, desayuno y comida principal, también experimentaron un descenso en su contenido de grasa hepática y un aumento en su sensibilidad a la insulina, en comparación con aquellos que ingirieron la misma cantidad de calorías distribuidas durante el transcurso del día.[60]

—Oiga, me di cuenta de que dijo que no había que saltarse ninguna comida, pero que el ayuno intermitente era bueno —dijo Rosa mientras se rascaba la cabeza—. ¡Eso me suena contradictorio!

—Esperaba que se diera cuenta —dijo sonriendo el doctor Arrondo—. De hecho, en su caso, con sus problemas de azúcar en la sangre, no saltarse comidas es algo bueno. Fíjate que noté que el ayuno intermitente era para aquellos que estaban listos para ello.

«Cuando hayas leído bastante material de investigación, te sorprenderás ver que las conclusiones de estudios publicados en revistas científicas bien conocidas son diferentes. Es una parte normal de la curva de crecimiento de la ciencia.

«Cuando Einstein publicó su primera obra sobre la teoría de la relatividad —añadió él—, al inicio se topó con la indiferencia en muchos círculos de científicos. Posteriormente se ganó el Premio Nobel, pero por su descubrimiento del efecto fotoeléctrico, no por su teoría de la relatividad, que cambió al mundo.

«Alguna vez leí una biografía de Einstein en donde se menciona que había solicitado el ingreso a varias instituciones de educación media como maestro de matemáticas. En su aplicación incluyó su artículo sobre la teoría de la relatividad, pero fue rechazado varias veces, ¡y nunca consiguió ese empleo![61]

—Parece que la aceptación plena de una idea toma su tiempo, ¡hasta en el caso de Einstein! —dijo Rosa riéndose.

—Rosa, entre la velocidad de la luz y sus comidas matinales diarias, brincaremos al tema de la fibra, hiló el doctor Arrondo con facilidad—. Cuando coma asegúrese de incluir fibra en cada comida; disminuye el apetito, baja los niveles de azúcar en la sangre, hace que se sientas más satisfecha, y es saludable para su cuerpo.

«Ah, y una cosa más: no trate de matarse de hambre —añadió él—. Si reduce drásticamente su cuenta de calorías durante la dieta, hay evidencia de que el cuerpo lo compensa más tarde reduciendo su tasa metabólica de descanso, que ayuda a determinar cuántas calorías quema al día.[62] Sobre este tema la ciencia no está de acuerdo de manera uniforme.

«Esa es una de las razones que explica porque algunas de sus amistades que han bajado y subido de peso con rapidez, incluso aumentan otro poco. Luego la pasan peor para bajar de peso nuevamente —puntualizó— Las dietas extremas podían resultar en una reducción del 20% en la quema de calorías durante el día

—Desafortunadamente, he hecho eso varias veces —dijo ella, suspirando.

—A la mayoría de las personas les vendría bien consumir unas 500 calorías menos de las que queman diariamente; más si les está yendo bien y se están ejercitando mucho. Primero deben consultar a su doctor, y siempre hay excepciones. Hay unas tablas que podemos ver para averiguar aproximadamente cuántas calorías está quemando en un día normal —dijo el doctor Arrondo.

—Doctor, realmente estoy viendo la importancia de que todo funcione bien y en conjunto para mejorar mi salud y bajar de peso. Es como un automóvil, puede cambiar la transmisión, el aceite y hasta la máquina, pero los cuatro neumáticos tienen que estar inflados, balanceados y alineados para que mi auto se conduzca bien.

—Me alegra que haya mencionado un auto, Rosa. Es una buena metáfora, en particular por los neumáticos. De hecho, ahora que lo menciona, la próxima vez que nos veamos, hablaremos acerca del aire en los neumáticos; creo que nos puede ayudar a ilustrar uno de mis principales puntos acerca de la salud.

—De acuerdo, estoy lista, y aunque no veo qué tendría que ver el aire de mis neumáticos con nada de mi cuerpo, sé que estoy por descubrirlo. ¡Siempre termina haciendo lo mismo!

CAPÍTULO 29

¿Vas a seguir poniéndole aire a ese neumático?

—Mire, doctor —empezó Rosa—, ayer en la noche le dije a José que íbamos a hablar del aire, y él se creyó tan gracioso cuando me dijo que tal vez el debería reclinarse en su silla y escucharme, pues era yo toda una experta en echar aire caliente.

—Y, ¿cómo le respondió? —el doctor Arrondo se quedó con los ojos bien abiertos.

—De manera justa, seguí el ejemplo de mi amiga Olga. No dije nada; pero le cociné la carne un poco más de lo que le gusta. Se dio cuenta y se quejó, así que le dije que probablemente estuvo sobrecocido porque estaba llena de tanto aire caliente. Entendió el mensaje rápidamente y se disculpó.... y yo también.

—Voy a tener más cuidado y recordarle que solo me estoy refiriendo al aire de sus neumáticos, —dijo él juguetonamente.

—Pero, ¿qué tiene que ver eso con mi salud? preguntó Rosa, había estado tratando de descifrarlo.

—Rosa, si se diera cuenta de que uno de sus neumáticos tiene baja la presión del aire, ¿le pondría aire?

—José se ha enojado conmigo por no prestarle atención a los neumáticos —respondió ella—, y termino conduciendo con las llantas un poco desinfladas. Él dice que se consume más gasolina cuando los neumáticos están bajos. Es él quien debiera estar hablando de gases, necesitaría escucharlo hablar de problemas digestivos, pero no vendrá a verlo, a menos que esté desangrándose a morir.

—He notado que los hombres, en general, se esperan a que las cosas se pongan más serias antes de ir al doctor —dijo el doctor en concordancia—. Pero, ¿qué sucedería si un día después de que le pusiera aire a su neumático, te dieras cuenta de que se volvía a bajar? ¿Seguirías poniéndole aire todas las mañanas, o hasta dos veces al día?

—No, hasta yo sabría qué hacer —dijo Rosa, riéndose—. Mi auto no me llevaría lejos si no le pusiera aire a los neumáticos, pero si lo tuviera que estar haciendo una y otra vez, entonces sabría que alguna otra cosa anda mal —añadió ella.

—A eso me refiero; piense en el neumático como una enfermedad o un conjunto de síntomas. Sigue tomando medicamentos todos los días, en ocasiones dos veces al día, pero nada mejora, y si deja de tomarlo, empeora; como la presión baja del aire en los neumáticos si no le pones aire cada mañana. ¿Qué le dice eso acerca de la manera en que está abordando el problema?

—Ya entiendo —dijo Rosa—. Es igual que mi cuerpo y todo lo demás que hemos discutido. Yo podría seguir poniéndole aire al neumático, como si fuera un medicamento por prescripción, todos los días, o podría investigar un poco más profundamente para tratar de encontrar la causa.

—Es correcto; quizás el neumático tenga un clavo, o desarrolló una burbuja. Quizás tenga un defecto de fábrica, o la válvula del aire tenga algún problema.

Prescripciones escritas en el 80% de todas visitas médicas

—El 80% de las veces que un paciente promedio en este país va a visitar al doctor, se le prescribe terapia medicamentosa —añadió él—. Esa es una cifra terriblemente elevada.[1]

«Piénselo: ¿necesitamos medicamentos por prescripción para tratar el 80% de nuestros problemas? ¿Recuerda que mencioné que se cree que hasta el 50% de las prescripciones de antibióticos son innecesarios? Este porcentaje proviene de investigaciones publicadas en el New England Journal of Medicine.[2]

—Me acuerdo de que una de las primeras cosas que me dijo era que el año pasado se habían realizado unas cuatro mil millones de prescripciones y que la cifra sigue aumentando. Detalló que el mes pasado, a la mitad de los norteamericanos se les había dado medicamento por prescripción. Esas cifras se me quedaron grabadas.

Ella pensó en las bandejas que casi toda su familia y amistades llenaban con medicamentos prescritos.

—No me malinterprete —le advirtió el doctor Arrondo—. Yo estoy a favor del uso correcto de los medicamentos por prescripción. De hecho, me alegra que los tengamos, y espero ver las novedades que nos ayuden cuando no haya nada más que hacer. Un paciente y el doctor que lo recete deben considerar con mucho cuidado lo que realmente se necesita y lo que puede dejarse de lado.

«Hoy en día, con tantos medicamentos por prescripción que se emplean y con la complejidad de los efectos secundarios e interacciones, es más importante que nunca que los pacientes se involucren y conozcan los beneficios y peligros que contienen sus frascos de píldoras.

«Cuando de prescripciones excesivas se trata, mis pensamientos van a la aplicación y al contexto —añadió él.

«Rosa, póngase a pensar. Si lo único que tuviera en su caja de herramientas fuera un martillo, ¿qué cree que sucedería cada vez que tuviera que arreglar algo de la casa?

—Seguramente trataría de usarlo para casi todo —le contestó Rosa.

—Y las investigaciones han demostrado que eso es lo que ha sucedido con muchas prescripciones. Se han usado demasiado, siendo que otros enfoques hubieran sido más apropiados, ¡no siempre se debe pegar con el martillo! — Bromeó el doctor—. Desde mi punto de vista, atendemos mejor las necesidades de los pacientes si exploramos clínicamente lo que puede ayudar al cuerpo a responder mejor, cualquiera que sea la condición o enfermedad.

«Eso lo hacemos buscando las conexiones en el funcionamiento de todo nuestro cuerpo. La salud tiene que ver con las interrelaciones que ayudan a otras partes del cuerpo a curarse, o hacen que la recuperación sea más difícil, como hemos visto. Cuando algunas de las partes no funcionan bien, quizás otras tengan que compensar. Es como cuando cuatro personas tratan de levantar un mueble, pero una de ellas es débil. Las otras tres sentirán el estrés de tener que llenar la carencia.

—Ha dado ejemplos de eso en todas nuestras reuniones, pero estoy segura de que hay más —dijo Rosa.

—Hemos traído a luz unos cuantos. Sin embargo, el propósito es darle ideas para que entienda mejor, el alcance de nuestras conversaciones no da para más. Esperemos que en el futuro investigue y siga haciendo preguntas con un espíritu de apertura —anotó el doctor.

«Hablamos un poco acerca de que somos como un jardín; que la salud funciona justo como un jardín —continuó él—. Crecemos hacia la buena salud o tenemos la experiencia de una mala salud, lo cual se asemeja a la dinámica de un jardín.

A ella le gustaba que hiciera analogías entre su cuerpo y la naturaleza; así le resultaba más fácil entender cómo su cuerpo funcionaba. Su cuerpo estaba pasando por cambios graduales y parecía que de una manera muy natural, saludable. Ella tenía que aceptar que estaba empezando a sentir cambios positivos.

—¿Se acuerda que nos referimos al tema de los patrones económicos y sociales estrechamente entrelazados, que son una consecuencia de ciencia y tecnología de la comunicación moderna? —le preguntó él—. Detallé que estos, a su vez, eran un reflejo de un enfoque que nuestras sociedades anteriores usaban y que podían enseñarnos con mayor profundidad a curar nuestros cuerpos. Es hora de que le sigamos la pista a la tecnología, y a nuestro pasado, y empecemos a experimentar nuestros cuerpos a través de este nuevo y a la misma vez antiguo paradigma.

—Admito que al principio yo tenía mis dudas con respecto a todo esto, pero ahora estoy considerando mi salud, y la de mi familia, de manera diferente.

—Eso es maravilloso, Rosa; ahora me gustaría dejarla con una pregunta para que la exploremos en nuestra próxima cita.

—¡Siempre me hace lo mismo! —dijo Rosa, fingiendo disgusto—. Ahora tendré que esperar, pero, ¡me gusta!, me mantiene pensando. En la casa discutimos el contenido de nuestras charlas después de cada visita. ¿Qué me tiene reservado esta vez?

El doctor Arrondo la miró con afecto y le dijo: Pregúntese: ¿cuál es el propósito de estar saludable?

CAPÍTULO 30

¡Me siento bien!

En su próxima cita, pasada algunas semanas, Rosa estaba impaciente por contarle las buenas noticias.

—Espere, doctor, antes de que empecemos, yo quería decirle que estoy respondiendo bien al programa. Francamente, no quería decir mucho porque necesitaba asegurarme de que no me estaba engañando yo sola, y que los cambios eran sostenibles.

«Ya le mencioné que mis dolores de cabeza habían desaparecido —continuó ella—, pero se me había olvidado decirle que mientras dormía a veces sentía hormigueos en los dedos, pero últimamente ya no los he notado.

—Me alegra oírlo —le dijo el doctor Arrondo—. Como le dije antes, los pacientes no comparten todos sus síntomas; después de todo, suceden muchas cosas en sus cuerpos.

—También tengo más energía —dijo Rosa—. Quiero decir que aún preferiría quedarme en la cama cuando suena la alarma, pero solía tener que darle al botón de repetición un par de veces, y tenía que compensarlo poniendo la alarma para más temprano. También quité la ropa de la escaladora —añadió tímidamente—, y he empezado con ese enfoque de la combinación de ejercicios que me sugirió y que me ahorra tiempo; ¡ya pasaron varias semanas y sigo dándole duro!

«Ahora me levanto después de que suena la alarma y me siento alerta. Afortunadamente, no tengo que tomar café para sentirme despierta y energizada.

—¡Felicidades! —le respondió el doctor alegremente—. Algunas personas cambian más rápidamente que otras; depende de cómo sea su capacidad de recuperación y lo pronto que puede el cuerpo empezar a curarse a sí mismo.

—Mi esposo ha notado algunos cambios también. Dice que mi vientre ya no se hincha después de cenar y que se siente más plano. Ya no me inflamo después de comer ni tengo gases. También, mis Olgas se sienten más sueltas alrededor de mi cintura.

«Algunas de las Olgas y vestidos de los que le hablé, no todos, pero algunos, me empiezan a quedar. Mi esposo lo notó, lo cual me puso contenta. También he comenzado a trabajar más en el jardín; se siente bien, menos dolores al agacharme. Trabajar mi jardín me da mucha satisfacción.

«Ya no siento ese cansancio en la tarde ni el antojo de galletas de la máquina expendedora de la oficina —añadió ella—. Quizás de vez en cuando, pero no mucho; ahora me como un par de galletas de vez en cuando. Creo que cuando lo hago, es más por causas emocionales, pues me doy cuenta de que me las como cuando estoy más estresada en el trabajo.

«Pero el comer emocional del que hablamos me sucede cada vez mucho menos que antes. ¡Creo que saber que puedo comer chocolate me ayuda! —dijo riéndose—. Le alegrará saber que he seguido fielmente su sugerencia del chocolate a diario. Hace una diferencia, aunque José no lo entiende; me ve comerlo todos los días y no sabe cómo es que puedo bajar de peso al mismo tiempo.

—Entiendo, muchas de estas maneras de abordar las cosas son contrarias a la intuición —dijo el doctor Arrondo—, simplemente porque siempre se nos ha enseñado otra cosa.

—Eso tiene sentido —dijo ella—. Solo saber que puedo comer chocolate después hace que sea mucho más fácil no comerme esos panes y buñuelos que mi jefe trae, cuando quiere que nos quedemos a trabajar hasta tarde.

«Ah —añadió ella—, y creo que tenía razón, al menos así lo siento, respecto a la baja del azúcar en la sangre y los dolores de cabeza por la tarde. En las últimas dos semanas, no me han dado, y estoy durmiendo mejor. También he cambiado mis patrones alimenticios, que dijo que ayudaría.

«Pero... dormiría mucho mejor si José dejara de roncar. ¡Algunas noches creo que hay un toro bufando en casa!

Rosa recordó el día de su boda, la parte en que el sacerdote dijo: 'en lo bueno y en lo malo', pudo haber dicho 'en lo bueno y en lo ronco', pensó.

—Rosa, es un auténtico placer escuchar lo que dice —sus palabras la trajeron de regreso al presente—. Estamos en la fase inicial de un plan de largo plazo para restaurarle su salud con medios naturales.

«Por medio de exámenes periódicos y el control de los avances, podremos determinar mejor sus siguientes pasos clínicos. Todos somos diferentes y tenemos que ser evaluados y tratados individualmente.

Sanando tu cuerpo: ¡La disciplina y la paciencia hacen la diferencia!

—Otra cosa por la que estoy contento —añadió él—, es que usted es consistente y disciplinada para seguir el programa. Muchos pacientes no se dan cuenta de que sus cuerpos necesitan tiempo para realizar cambios fundamentales después de años de estar minando su salud y sus reservas de recuperación.

«Se rinden antes de darles a sus cuerpos una oportunidad para empezar a curarse.

—Lo sé —dijo ella expresando su acuerdo—. Tengo algunas amistades que son así; me recuerdan a las mariposas: van revoloteando de cosa en cosa, siempre esperando ver lo que hay de nuevo en la TV, pero en realidad nunca se dan el tiempo suficiente para ver cambios permanentes.

«Y me siento culpable porque yo también caía en eso. Francamente, de no ser por los resultados que noté en mi hermana, hubiera sido más difícil continuar hasta empezar a ver cambios; no sé si lo hubiera hecho.

«María me conoce bien, sabe que soy impaciente. Así que antes de que comenzara me dijo que no me sintiera frustrada y que simplemente tuviera paciencia, que me dedicara a mi programa.

«Dijo que a ella así le había funcionado, aunque al principio hubo un breve periodo en que no se había sentido tan bien.

«Creo que es como todo en la vida: pones el tiempo y esfuerzo, igual que con la educación o un buen empleo, y al final obtienes resultados —continuó ella, acordándose de cuando trabajaba de día e iba a la universidad de noche.

Con un hijo pequeño, se le dificultaba mucho más, pero valió la pena.

—Eso me recuerda algo que su hermana mencionó, algo que yo quería explicarle. No sucede muy a menudo, pero lo vemos de vez en cuando, no solo yo, sino también algunos doctores que abordan la curación con medios naturales. En ocasiones el cuerpo puede pasar por lo que se conoce como reacciones curativas, o retroceso, es semejante a lo que se conoce como la reacción de Herxheimer.

—¿Herx quién?

—Se le dio el nombre en honor a un dermatólogo alemán que lo descubrió hace unos 80 años. Aunque el nombre de esta reacción se ha usado para referirse a la reacción inflamatoria, a corto plazo, del cuerpo cuando ingiere ciertos antibióticos para combatir algunas enfermedades, también se emplea para describir algunos síntomas que los pacientes pueden presentar al ir pasando por su ciclo de curación.

«Son temporales y normalmente desaparecen rápidamente —añadió—, y la mayoría de las personas no las sufren. Algunas de las personas que sí pasan por eso pueden experimentar signos de inflamación; a otras les pueden dar dolores de cabeza, y otras pueden sentirse débiles o fatigadas.

—A mí no me dio nada de eso —dijo ella.

—Sí, a la mayoría de las personas no les pasa nada, pero todos somos diferentes. Su hermana sí tuvo una reacción. En ocasiones, si el cuerpo está deshaciéndose de parásitos o desintoxicándose más rápidamente de lo que permite su capacidad de desintoxicación y eliminación, pueden presentarse síntomas a corto plazo.

«¿Recuerda las investigaciones sobre la terapia supervisada del ayuno de agua y cómo bajaba la presión sanguínea alta? Bueno, pues a cada persona incluida en ese estudio se le informó que conforme su cuerpo empezara a desintoxicarse, era probable que experimentaran reacciones similares —le explicó.

«Al comenzar el tratamiento y con el fin de prepararlos con respecto a cualquier tipo de síntoma potencial, yo les digo a mis pacientes que una minoría de pacientes puedan experimentar este tipo de reacción y que si es necesario, nos llamen para ayudarlos. Es tan sencillo como ayudar a que la tasa de desintoxicación y curación del cuerpo disminuya a un ritmo más confortable.

—¿Así que no todas las personas reaccionan más o menos igual a los tratamientos?

Cada persona debe recibir tratamientos individualizados

—No, y eso representa un reto interesante para los doctores; todos somos diferentes, todos hemos tenido experiencias de vida diferentes y nuestros cuerpos reaccionan de manera diferente.

«Somos, afortunadamente, singulares —añadió él.

A Rosa le gustaba oír eso porque sabía que cada paciente debía ser tratado individualmente, aun cuando se presentaran los mismos síntomas. Por la crianza de sus hijos, ella sabía que los niños no se trataban igual, aun cuando las condiciones o circunstancias fueran las mismas. No todas las lágrimas en la tierna mejilla de un niño necesitaban el mismo tipo de cuidado. Ella había experimentado esto con los hijos de sus amistades, así como con los propios.

—Por ende —continuó el doctor Arrondo—, todos necesitamos examinarnos con un par de ojos nuevos, aun cuando un paciente sea del mismo género y edad que el paciente anterior, y presente un cuadro de síntomas similar.

«De hecho, tenemos que adaptarnos según el caso y, en ocasiones, necesitamos probar diferentes terapias clínicas hasta encontrar lo que haga que ese paciente en particular responda mejor.

—Para mí —dijo Rosa—, algo agradable de mi trabajo en contabilidad es que todos los números salen exactamente iguales, si uno los trabaja de la misma manera, como los programas de computación.

—Tiene razón —dijo el doctor—. A diferencia de la matemática o programas de computación, la infinita complejidad del cuerpo humano es un sistema abierto. Cambia al interactuar con su medio ambiente, incluyendo su ambiente interno.

«Le diré en dónde es que veo un buen ejemplo de esto: en el campo de la epigenética. Es el estudio de cómo los genes cambian su modo de funcionar debido a sus respuestas al medio ambiente, sin cambiar su codificación. La nutrición puede ayudar a los genes a expresarse. Si te interesa la nutrición en cuanto a la expresión genética, sería bueno incluir, para ayuda nutricional de base, vitamina B, curcumina, resveratrol y suficientes fuentes de hierro orgánico.

«Existe un campo interesante de la nutrición que es la nutrigenómica —le explicó él— y estudia la interacción individual entre la nutrición y la respuesta de un individuo a los nutrientes que ingiere, con base en sus genes.[1]

—¿Así que lo que como puede afectar el funcionamiento de mis genes?

—No solo eso, sino que además los investigadores han demostrado que la manera en que cuidas de su alimentación, especialmente cuando está expuesta al estrés antes de dar a luz, puede afectar por lo menos a dos generaciones más. Hemos tocado ese tema. Puede resultar en que un nieto o nieta tenga una mayor incidencia de enfermedades metabólicas, tales como diabetes o síndrome metabólico, aun cuando la descendencia pudiera no tener sobrepeso.[2,3,4,5,6,7,8,9]

Su ceño fruncido reveló su preocupación en ese último sentido. Rosa sabía que lo que se había comido de más joven obviamente afectaba su salud, y le preocupaba que los efectos pudieran transmitirse a sus hijos y nietos.

El doctor lo notó y añadió: —Este estrés afecta no solo a la madre, sino también al marido en la manera en que se cuidó a sí mismo.[10] Vamos a explorar más a fondo la dinámica de su cuerpo y su ambiente interno —dijo él.

«Recuerda que cada uno de nuestros cuerpos tiene aproximadamente 37 billones de células, cada una desempeñando aproximadamente 100.000 procesos bioquímicos por segundo —le explicó él—, y sin contar las bacterias, virus y demás parásitos que viven en nuestro interior: hay unos cien billones de bacterias y virus en nuestro cuerpo.[11]

—Impresionante, aún para alguien que trabaja en un despacho contable, ¡esos son muchos ceros!, exclamó Rosa.

—Ningún doctor puede monitorear todas las funciones corporales. Es también por ello que no solo estoy contento de que esté empezando a experimentar cambios positivos en su cuerpo, sino que también siento alivio cuando me lo dicen.

—¿Por qué? ¿No espera que todos mejoren?

—Esa es mi intención, y estoy seguro de que todos los profesionales de la medicina en todas sus disciplinas trabajan muy duro con ese fin. Yo sé que el cuerpo tiene una sorprendente capacidad de curarse a sí mismo cuando las condiciones son las correctas.

—Lo he visto, lo he vivido —añadió pensativo.

¿De dónde viene la sanación?

—Sin embargo, al mismo tiempo reconozco que es el cuerpo el que lleva a cabo la curación y no el doctor. A mi parecer, el doctor hace lo que puede, pero en última instancia, la curación tiene lugar a consecuencia de los efectos de esa fuerza vital que fluye a través de cada uno de nosotros. Y para mí, eso proviene de la fuerza vital universal que proporciona estructura, orden y propósito al universo.

—¿Cómo un jardín de la vida? —preguntó Rosa.

—Sí. Cada uno de nosotros es una pequeña pero importante parte del jardín universal de la vida.

«El mérito más importante de los doctores es el de escuchar, observar y proporcionarle al paciente lo que nosotros creemos que ayudará a realizar los mejores cambios, según el funcionamiento del cuerpo del paciente, que a la vez es un reflejo de la naturaleza. Desde luego, es cosa del paciente el seguir hasta el final, con paciencia y cierta disciplina. Pero necesitamos esperar y ver cómo el sistema de curación del cuerpo responde. Todos somos diferentes.

«¿Responderá rápida o lentamente? —preguntó él—. ¿Responderá de manera que resulte en una curación profunda o solo en cambios superficiales?

«Si el cuerpo no está curándose, hay problemas más profundos que necesitarían considerarse y que quizás estén fuera del alcance clínico. —Él miró por la ventana para luego continuar.

—Es por ello que una de las primeras cosas que les digo a mis pacientes es que si no veo resultados después de un periodo razonable de tiempo, los referiré a alguien que yo crea que los ayudará más, y podemos trabajar en equipo si es necesario.

«En ocasiones, con base en los resultados de los primeros exámenes o pruebas de laboratorio o de imágenes, los refiero a otro doctor inmediatamente. Lo importante es que cada paciente esté con un doctor que satisfaga sus necesidades de salud de la mejor manera. Hay unos doctores excelentes en cada una de las artes de la curación.

«Yo creo que los doctores en cada una de las ramas de la salud, sea que trabajen con medicamentos o remedios naturales, son parte de una hermandad global de curación, aun cuando no estén conscientes de ello.

«Idealmente —continuó él—, trabajaríamos hombro con hombro, asegurándonos de que los pacientes estén bajo el cuidado del doctor más apropiado, y comunicándonos unos con otros, compartiendo y aprendiendo.

«Igual que el presidente, su gabinete y la analogía de la guerra, —recordó Rosa.

—Eso es; parecido a los profundos lazos económicos y de comunicación entre culturas lejanas, los doctores establecerían conexiones con otros doctores que siguen tradiciones de curación diferentes.

—Doctor —dijo Rosa—, uno oye en las noticias lo importante que es la biodiversidad para la salud de nuestro planeta. Siempre hablan de lo necesario que es mantener vivos a los diferentes tipos de plantas y animales, porque todos contribuyen de alguna manera. Creo que eso es parte de lo que usted está hablando, pero a un nivel clínico, entre doctores y sanadores.

—Exactamente, se trata de ampliar la idea de la biodiversidad para que se incluyan los patrones de comportamiento clínico, que incluirían perspectivas en aparente contradicción y competencia entre sí. Démosle un vistazo al arcoíris, por ejemplo —dijo él.

—¡Aquí vamos otra vez! —dijo Rosa riéndose.

—Deme su opinión —empezó diciendo el doctor Arrondo con una sonrisa suave—. ¿Cuál es el color más importante del arcoíris?

—Me gustan unos más que otros, pero creo que todos son igualmente importantes, y necesarios, si no, no habría arcoíris.

—Así es la salud —dijo el doctor—. Cada color en el arcoíris de la salud es válido y útil; cada cosa tiene su lugar y su propósito.

«El doctor que experimenta los resultados más profundos es el que está dispuesto a trabajar, en efecto, con todos los colores disponibles en el espectro de la curación, incluyendo el recurrir a aquellos que poseen un conocimiento más profundo de un color en particular, o aspecto de la salud.

—Me gusta la analogía, doctor, después de todo, los colores del arcoíris se tocan entre sí, no están separados.

¿Por qué tendría que ser diferente la manera en que tratamos a nuestros cuerpos o la manera en que los doctores consideran trabajar con otros que se desenvuelven en distintos campos?

—Rosa, si la conectividad e interacción de las que le he dado ejemplos, entre los sistemas y órganos del cuerpo, la naturaleza y la tecnología moderna, se aplicaran a la comunidad mundial de doctores, los pacientes tendrían una oportunidad óptima para curarse.

—Me parece, doctor, este tema de las respuestas individuales de los pacientes a los programas clínicos parece encajar justo en la pregunta que me pidió que pensara: ¿cuál es el propósito de la buena salud?

—Tiene razón —respondió el doctor—, desafortunadamente, ya no nos queda tiempo, pero me gustaría que habláramos de eso después de su próxima sesión. A propósito, ¿reflexionó sobre la pregunta? —le preguntó.

—Más de lo que usted cree.

CAPÍTULO 31

Tu cuerpo es un jardín

—Definitivamente, lo he estado pensando —dijo Rosa—. También hablé del tema con mi hermana y un par de amigas cercanas. Conversamos a lo grande. Algunas de mis amistades han tenido problemas de salud muy difíciles en sus familias.

«Una de ellas, Diana, a quien he conocido desde la escuela primaria, perdió a su maravilloso marido, que murió de cáncer hace algunos años. Estuvieron casados veinte años, y hacia el final tuvieron una de las mejores relaciones que yo jamás haya visto. Me gustaría que mi relación con José fuera así —dijo ella con un dejo de tristeza en su voz.

«Me recordaban a mis abuelos, quienes estuvieron juntos durante más de 50 años —añadió con nostalgia.

«No sé cómo le hace mi amiga Diana, especialmente con tres hijos; perder a José me destrozaría

Rosa casi empezó a llorar de solo pensar en que pudiera perder a alguien a quien amaba tanto.

—Por favor, continúe —le dijo el doctor Arrondo con dulzura.

—¿Sabe qué me dijo Diana? Fue algo que su esposo le había dicho hacia el final de su enfermedad: que no importaba cuán difícil e injusta pareciera la existencia, siempre había que buscar las cosas que agradecer y mantener un corazón abierto a las bendiciones de la vida.

«Hasta el último momento, en la cama del hospital, él le decía cuán agradecido estaba por haberla tenido a ella y a sus hijos en su vida, él se consideraba un hombre bendecido.

—Tiene una amiga muy especial, Rosa —dijo el doctor—. Sus ojos se llenaban de dulzura cuando escuchaba historias de personas que habían enfrentado momentos difíciles y, a pesar de esto, encontraban motivos de agradecimiento.

—Lo sé —dijo Rosa, dando un respiro—. Su paciencia y su comprensión me han enseñado tanto...

Sus ojos se humedecieron. Él se dio cuenta claramente de que su amiga significaba mucho para Rosa, así como también la habilidad de esa amiga para aceptar con gracia los dolorosos cambios de la vida.

—Cuando le vine a ver por primera vez, doctor, y me empezó a mostrar el amplio panorama de la salud, yo tendía a interrumpirle, preguntándole cómo se relacionaba específicamente con mis problemas, por qué me sentía mal. Yo quería respuestas inmediatas, pues mi dolor no me daba la paciencia que yo necesitaba.

«Hoy, y en estas últimas semanas, desde que empecé a sentirme mucho mejor —continuó—. No me siento tan nerviosa con respecto a la necesidad de una explicación inmediata de mis síntomas y de por qué me estaba sintiendo así.

«Me siento más abierta a la exploración de los aspectos más profundos de la salud y la curación, especialmente después de hablar con Diana otra vez. Hemos hablado de cosas similares antes, pero en esta ocasión la impresión fue mucho más fuerte. Quizás estaba yo más preparada que antes, también estoy reflexionando más hoy en día, mirando a mi alrededor más atentamente, simplemente, dándome cuenta de las cosas de una manera más profunda que antes.

—Entiendo, Rosa, es natural que si su mano está sobre una estufa caliente, lo primero que quiera hacer es retirarla. Todo lo demás es secundario.

—Esa es una buena manera de expresarlo —dijo ella—. Cuando el cuerpo de uno se siente 'arder' por tantas cosas que van mal, es en lo único que puede uno pensar.

—De lo que ha aprendido y a partir de sus experiencias en el tiempo que hemos pasado juntos, ¿qué cree necesario en el proceso de alcanzar una mejor salud?

Pasos más profundos para sanar

—Ahora experimento que somos más que solo la suma de las partes, y que tomar una píldora o dos para cada síntoma no es realmente estar viendo el panorama amplio, no es hacer todo lo que podamos para curarnos.

«Me he dado cuenta de que es obsoleto ver a nuestros cuerpos como máquinas con partes que no están funcionando bien, sin conceder suficiente importancia a la sincronización con la naturaleza. Ahora veo que las comunidades de células y órganos en nuestros cuerpos funcionan en conjunto, como una unidad de salud.

«También estoy aprendiendo que nuestros cuerpos son como esta tela integrada y vital, en la que, como en un jardín, todas las cosas pueden afectarse entre sí.

«Ese primer paso, como solía darlo mi abuelo, es para alejarse un poco y observar, buscando las interrelaciones y factores que contribuyen a crear problemas, para establecer las conexiones y luego dar el siguiente paso.

«Para alguien como yo, eso es difícil de hacer —añadió ella, agitando los brazos en el aire— ¡soy tan impulsiva!

El doctor Arrondo se sonrió y le preguntó—: ¿Qué más, Rosa?

—Déjeme pensar —hizo una pausa y luego dijo—: Ahora entiendo que es más fácil cambiar los malos hábitos cuando mi cuerpo está funcionando mejor.

«De nada sirve tratar de conducir un auto con un neumático desinflado; de manera semejante, tengo que encontrar las razones por las que mi cuerpo está manifestando sus síntomas. Estos síntomas pueden, de hecho, deberse a que el cuerpo está tratando de curarse a sí mismo, como la inflamación crónica de la que hablamos.

—Yo no podía haberlo expresado mejor. Hemos hablado del cuerpo como un todo, con sus sistemas y órganos corporales afectándose unos a otros, y no como partes no relacionadas que han de medicarse, o hasta tratarse mediante suplementos orgánicos naturales, aisladamente. Quiero darle otro ejemplo de esto por medio de una pregunta —continuó el doctor.

—¿Una pregunta? ¡Qué novedad! —exclamó Rosa con una sonrisa amplia.

Él se rio entre dientes.

—Lo sé, siempre hago preguntas, ¿verdad?

—¡Lo acaba de hacer otra vez! —Ambos rieron.

Tu sistema inmunológico: Cómo tu cuerpo lo ayuda

—Pongamos nuestra atención en su sistema inmunológico —dijo el doctor Arrondo—. Yo sé que con el fin de agruparlos, me referí a que nuestros cuerpos tienen doce sistemas. En realidad, todos están conectados y dependen unos de otros.

—¿Cómo aplica eso concretamente a mi sistema inmunológico?

—Generalmente el sistema inmunológico es considerado un sistema separado, pero tenga en cuenta que depende de otros sistemas para que funcione bien. Podría decirse que todos los sistemas funcionan como parte del sistema inmunológico.

«Por ejemplo, es necesario que el estómago funcione bien para crear la acidez estomacal que destruye parásitos y bacterias ingeridas con los alimentos.

«Sus intestinos destruyen microbios patógenos —le explicó él— en tanto que su hígado es necesario para la desintoxicación y producción de enzimas. El bazo sintetiza anticuerpos, y el sistema nervioso interactúa con las células inmunológicas en el intestino.

—¿Y mis pulmones o mis huesos? ¿Qué tienen que ver con el sistema inmunológico? —preguntó ella.

—Los pulmones producen sus propias estrategias de defensa contra microbios, y los huesos del cuerpo crean glóbulos blancos para luchar contra agentes patógenos.

«Como puede ver —continuó él—, no es posible tener una respuesta inmunológica óptima sin que los otros sistemas del cuerpo estén funcionando bien y en conjunto. Incluso las vitaminas y oligoelementos contribuyen a prevenir problemas que pudieran surgir por los efectos de los radicales libres, formando la base de los antioxidantes.

Ella pensó en esto por unos momentos y luego dijo: —Una semilla en mi jardín, igual que mi sistema inmunológico, también necesita ayuda y cooperación de muchas fuentes, para brotar. Lo mismo aplicaría en el caso de mi semilla de la salud.

—Qué gusto que esté acoplándose tan bien a mi analogía del jardín, respondió él, brindándole una sonrisa.

Rosa también estaba contenta; no podía entender por qué había sido tan difícil ver la conexión durante sus primeras citas.

—Doctor —dijo ella—, por algún tiempo he estado pensando mucho en nuestras conversaciones. Hay algo que me está rondando en la cabeza, pero no estoy segura de qué se trata. ¿Recuerda qué compartí, que últimamente he estado reflexionando más?

—Sí, lo recuerdo y fue muy bueno oírlo —respondió el doctor.

—Cuando le hacía una pregunta acerca de mi salud, a menudo me respondía con una pregunta. Pero parecía que su pregunta no era importante para el tema que estábamos tratando. Me estoy dando cuenta de que también en otras ocasiones, empezaba a hablar de temas de salud planteando una pregunta que también parecía irrelevante; pero al final, siempre había una conexión. ¿Por qué hacía eso?

—Rosa, esa es una gran pregunta —dijo él—. No lo hubiera sacado a colación si no lo hubiera preguntado.

Mientras él decía esto, ella recordó la historia del joven doctor que había viajado a la India a estudiar con un tutor que solo le daba lecciones si le hacía preguntas, ¿se trataba de algo semejante?

Él continuó: —¿Se acuerda del tema que elegí cuando vino por primera vez, contándome sus problemas de salud y pidiendo respuestas?

—Sí, dijo que mi cuerpo era como un jardín, que verlo así me ayudaría.

—Cierto, y ¿se acuerda de lo que dije después? Haga memoria cuidadosamente.

—A ver, me acuerdo de que me explicaste que si comenzaba a verme a mí misma y a mi salud de manera diferente, tendría una vida mejor. La razón por la que me acuerdo con tanta claridad es porque me sorprendió; no era la respuesta típica de un doctor.

—Me alegra que lo recuerde; Quizás también recuerde que yo le iba a dar las herramientas para alcanzar una salud mejor, que le ayudarían a obtener resultados diferentes.

—Sí, pensé que se trataría de píldoras, una dieta y un programa de ejercicios; no esperaba mucho —añadió ella, un poco avergonzada.

El doctor asintió comprensivamente. —Está bien, a estas alturas creo que estarás de acuerdo en que has visto cómo las partes y sistemas de su cuerpo, que parecen no estar relacionadas, pueden tener un gran impacto sobre su salud, ¿verdad?

Rosa sintió que algo le resonó a lo lejos cuando el doctor dijo eso, entonces hizo una pausa y le pidió que esperara. Durante lo que parecía una eternidad, ella lo pensó.

Conversaciones sin coincidencias

—Era como si se le hubiera prendido una luz en el cerebro: ¡Eso es! A menudo, doctor, menciona cosas de nuestro cuerpo que no parecen tener importancia para el tema de la salud, pero luego me revelas que, después de todo, están conectadas. Y lo hace realizando preguntas que tampoco parecen tener relevancia, pero al final, realmente sí la tienen. Eso ha sucedido demasiado a menudo para ser una coincidencia —dijo ella desplazándose en su silla, esperando con mucho interés su respuesta.

Al oír eso, el doctor sonrió. —Es maravilloso que usted haya trazado esa conexión; tiene razón, no es una pura coincidencia. Mi intención era facilitar que sucediera lo que acaba de notar.

«Rosa, a través de nuestro tiempo junto, se ha salido de su marco normal de pensamiento para buscar un patrón subyacente, y lo ha encontrado. Es parte de lo que hemos venido haciendo en nuestras conversaciones, ¿verdad? Por medio de la información, las preguntas, respuestas e intercambios, y también los importantes cambios en su salud, empezó a ver la salud de manera diferente.

«Mi intención siempre ha sido ir más allá de simplemente dar información clínica, o un tratamiento específico —explicó él— Por medio de la repetición y la experiencia, he querido ayudarla a reconocer patrones, a ampliar su pensamiento, profundizar sus interrogantes y sus puntos de vista, de ayudarla con su salud, y quizás con su vida.

Rosa lo estaba mirando como si estuviera viendo un rostro nuevo, pero familiar.

Rosa cambia cómo ella ve su salud

—Sí, lo veo —dijo—. Me ha ayudado a ampliar mi manera de ver las cosas. Últimamente, he notado, por ejemplo, durante una conversación, o cuando veo un artículo en una revista sobre temas de salud, no me conformo solo con la información, sino que me pregunto qué más sé del tema y cómo encaja todo.

«Cuestiono más las cosas, sin caer en el cinismo; y no sólo se limita esta dinámica a información sobre la salud, sino que se me está volviendo un hábito con respecto a todo, es difícil de explicar —dijo ella, muy satisfecha.

—Rosa, ese hermoso espíritu abierto a la investigación, con amplitud de pensamiento, expandiendo su manera de ver las cosas, es quizás la señal más perdurable de un jardín de la salud en crecimiento —respondió con igual satisfacción el doctor Arrondo.

Después de una pausa, él le preguntó:

—Creo que le van a gustar algunos de los temas que vienen a continuación, ¿lista?

—¡Vamos!

—De acuerdo, hasta ahora nos hemos enfocado en estos sistemas interconectados de la salud, sobre todo como procesos biológicos. Sin embargo, también hemos explorado componentes emocionales y mentales con respecto a la elección de alimentos, y vimos cómo las emociones pueden afectar al cuerpo, por ejemplo el dolor crónico de espalda baja.

«Cuando hablamos de su esposo y su presión sanguínea alta, notamos que los problemas mentales y emocionales también eran factores importantes que se asocian con la presión alta.

—Sí, sé que sus emociones le han afectado la salud, y sé que me han afectado a mí y a mis dos hijos también, es difícil evitarlo.

«Ahora que ya ha quitado las manos del calor de la estufa, por así decirlo, y se siente más cómoda enfocándose en las cuestiones de la salud que en sus síntomas inmediatos, ¿le gustaría explorar lo que, a niveles más profundos, podría significar estar plenamente saludable?

—Definitivamente, suena muy interesante —contestó ella.

—Primero, retrocedamos unos miles de años —le sugirió él.

—¿De veras? Claro, puesto que ha estado enfatizando la conexión entre la salud, nuestro cuerpo y la sabiduría antigua, considerando que los dos primeros están relacionados, parece que empezaríamos bien de esa manera.

—Hablaremos de los griegos y romanos, Rosa, pero primero otra pregunta: ¿conoce de dónde proviene la palabra 'salud'?

—No lo sé ¿curación? —adivinó ella.

—Proviene de una antigua palabra sajona que significa 'entero.' La raíz de su definición significa 'calidad de entero' o estar entero.

—Doctor, estoy conectando esa definición con lo que ha estado diciendo acerca de ver la salud y el funcionamiento del cuerpo como un todo, como algo entero, en vez de como sistemas separados de órganos o glándulas. A eso ha querido llegar, ¿verdad?

—Es una parte importante, pero hay más.

CAPÍTULO 32

Tu ser esencial: Los significados más profundos de la enfermedad

—Los antiguos griegos creían que cuando uno enfermaba, era porque había perdido la armonía con uno mismo y con la vida. Los síntomas se consideraban como una pérdida de armonía y equilibrio —explicó el doctor Arrondo.

«Este punto de vista acerca de la relación entre el equilibrio del hombre, o armonía interior, y la vida, era compartido por otras antiguas culturas de curación, incluyendo a los americanos nativos, los romanos y también las culturas chamánicas en el mundo.

«La restauración de la salud, por ende, era considerada como la restauración de la armonía e integridad dentro de uno mismo y con la vida: un espejo del estado interior.

—Es muy diferente del enfoque moderno del cuidado de la salud —reflexionó Rosa—. Hoy en día, cuando uno visita al doctor, le dices lo que le ocurre, te mandan algunas pruebas y luego te recetan prescripciones. Sin embargo, parece que usted habla de algo diferente. ¿Se refiere también a mente y espíritu?

—Sigamos explorando y veamos qué surge —dijo el doctor esbozando una sonrisa—. Rosa, ¿cree que todos los aspectos de la vida tienen un propósito, independientemente de lo que pudiera ser ese propósito o sistema de creencias?

—Sí, definitivamente —dijo sentada derechita en su silla; era un tema de la curación que realmente le interesaba, pero nunca había surgido en sus visitas clínicas.

—Bueno, como la enfermedad es parte de la vida y, como usted cree que toda la vida tiene un significado, entonces ¿cuál sería el propósito de la enfermedad?

—Se trata de una pregunta profunda, no estoy segura, ¿qué decían estas culturas antiguas al respecto?

—Una pregunta razonable, pero recuerde que estamos simplemente en tono de exploración, así que realmente no hay respuestas ni sólidas ni rápidas.

—Es como lo que puntualizaste acerca de la filosofía —recordó Rosa.

—Sí, la filosofía no puede demostrarse. Son dinámicas que elegimos, y actuamos de acuerdo con las mismas, esperando obtener experiencias más plenas. Pueden hacer que adquieras un sentido más profundo e íntegro de quién eres y cuál es su relación con su propósito en la vida.

«En muchas de estas culturas antiguas se tenía la creencia de que la parte central de nosotros mismos, quiénes somos realmente, venía a esta vida con un propósito, con metas. En otras palabras, creían que estamos aquí por una razón.

Carl Jung y tu ser esencial

—Creían que una buena salud era el reflejo de este aspecto fundamental del hombre, la esencia de qué somos —continuó él— El hombre más allá de la tecnología, o aquello que el psicólogo suizo Carl Jung llamó el 'Yo'.

«Cuando el hombre no estaba alineado con su propósito más elevado, surgía la enfermedad, como señal y consecuencia. Servía como un indicador de que había perdido su perspectiva más elevada.

—Entonces —intervino ella—, ¿me está diciendo que en lugar de simplemente tratar los síntomas o condiciones como lo hacemos hoy en día, ellos exploraban la enfermedad como un indicador de significados más profundos de la vida?

—Sí, así es —le contestó él—. Transportémonos unos miles de kilómetros y un par de milenios atrás para darte un buen ejemplo. En algún momento, los romanos solían tener templos de curación por todo su imperio. Uno de los requisitos para entrar en esos templos y recibir una curación era que la persona se aceptara, se reconciliara consigo misma, pues se creía que sin ello no habría una verdadera curación.[1]

—¿Qué significa eso de aceptarse y reconciliarse? —preguntó ella.

—Carl Jung habló de salud y curación como un proceso de la inconsciencia que se vuelve consciencia. A ese proceso lo llamó 'individuación'; implicaba la integración de la mente consciente, o ego, y el inconsciente, o aspecto fundamental del hombre: el Yo.

«Creía que la naturaleza de este "Yo" interno fundamental anhelaba lo entero, que equivale al anhelo de Dios. Habló de la enfermedad como el crisol en donde esta transformación sucedía, y que solo en este Yo era que podía suceder la curación y el hombre podía integrarse enteramente.[2]

«Así que como ves, Rosa, estos conceptos, que hemos estado abordando desde nuestra primera reunión acerca de la salud, obviamente afectan nuestros síntomas y funciones biológicas; pero también pueden penetrar más profundamente y tener un mayor impacto sobre nuestras vidas.

—Puedo ver que esta visión más profunda de la salud es importante para la curación —reflejó ella.

—Me parece que es clave para la salud. Al mismo tiempo, no estoy diciendo que el tratamiento clínico de estos síntomas y enfermedades deberían ignorarse. Hemos tenido maravillosos avances tecnológicos en la ciencia de la curación y deberíamos aprovecharlos siempre que podamos.

«Uno de los temas que hemos estado explorando es el de los síntomas y enfermedades como consecuencia o expresión de unos patrones de células o tejidos disfuncionales en nuestro cuerpo —continuó él.

Aclaró que, como jardín, deberíamos considerar al cuerpo como lo hace la naturaleza, como lo solía hacer mi abuelo. De esa manera podíamos descubrir las causas raíz de nuestras enfermedades.

—Si bien entiendo, me está diciendo que hasta estas causas corporales podrían tener raíces más profundas, relacionadas con una pérdida, o disfunción, del equilibrio o la armonía entre el hombre y la naturaleza y sus leyes. ¿Voy bien?

—De nuevo le dio al clavo justo en su reverenda cabeza —le respondió.

—Me satisface escuchar eso —dijo Rosa. Disfrutaba de sentirse validada cuando llegaba a sus propias conclusiones clínicas.

—Una anotación al respecto —continuó él—, es interesante ver cómo el enfoque integral de la salud ha sido considerado en varios quehaceres espirituales en todos los continentes y milenios.

Enseñanzas de culturas antiguas

—En el antiguo sistema *ayurvédico* de curación de la India —le explicó él—, la relación entre el paciente y la naturaleza es fundamental. La intención del doctor es ayudarle al paciente a equilibrar los aspectos físico, emocional y espiritual. En este sistema, el yoga se usa como una herramienta para tratar de equilibrar estos tres aspectos.

«En el Nuevo Testamento, más de una vez, cuando Jesús le dice a alguien que ha sido curado, emplea la frase 'te has hecho completo, entero', refiriéndose a ese concepto de Carl Jung u otros, del cual habíamos hablado, del ser esencial y completo en consciencia.

«En la medicina tradicional china, todos los aspectos de la salud de una persona se emplean para el diagnóstico; no solo lo físico o alimenticio, sino también lo emocional, mental y espiritual. La intención es regresar al equilibrio de las energías que fluyen a través del paciente.

—Eso me recuerda lo que mencionó de la filosofía de la quiropráctica —señaló Rosa.

—Es cierto; todos estos enfoques en diferentes momentos, países y religiones, compartían esos puntos de vista de quiénes somos en esencia: seres espirituales en profunda resonancia con los ritmos de la vida.

—Entonces, ¿significa que las enfermedades eran consideradas como un mensaje de que algo andaba mal con el aspecto espiritual de una persona?

—Yo no lo veo en términos de bien o mal —dijo él—. Creo que se trata más bien de un indicador, de una falta de conexión, una pérdida de expresión más plena con nuestra armonía interior o con las leyes de la naturaleza. Lo percibo como una invitación a explorar los aspectos centrales de nosotros mismos más profundamente.

—En otras palabras —dijo ella—, de lecciones que aprender.

—Así lo entiendo yo; esa pérdida de salud puede ser un indicador para sintonizarse a niveles más profundos, una oportunidad dolorosa para conectarse, reequilibrarse y crecer.

—¿Significa esto que cada vez que alguien se enferma necesita buscar una conexión más profunda con la vida y dentro de sí mismo? —Preguntó Rosa con una aparente preocupación en su rostro para luego decir— Es mucho pedir

—No —la tranquilizó el doctor—, no se preocupe, en varias ocasiones esta pérdida de equilibrio o armonía puede suceder a un nivel muy sencillo.

—Le daré un ejemplo—. ¿Cuántas veces comió algo que su cuerpo simplemente no aceptaba? Bien, la solución era simple: ¡dejar de comer eso!

«En otras ocasiones, también es tan fácil como obtener información acerca de posibles deficiencias alimenticias, o cosas que podemos hacer con nuestro cuerpo para ayudarlo, como el ejercicio. A nivel biológico, el cuerpo es como un laboratorio —continuó él—. Haga la prueba para ver qué le funciona y qué no; recuerda, somos individuos únicos y respondemos de maneras diferentes. Así que no tenemos que hacer tanto alboroto cada vez que nos sentimos mal.

«En ocasiones, es tan sencillo como decirle que no a un tipo de comida y sí a otro que es mejor para uno. O, se puede reflexionar sobre un problema que no se está resolviendo e intuir que ya es hora de cambiar de doctor. La ayuda puede llegar indirectamente, de muchas maneras.

—Vaya, qué alivio: no me gustaría pensar que cada problemita de salud tiene que complicarse tanto; es bonito saber que también hay soluciones sencillas.

—Hay ocasiones en que no es necesario buscar un simbolismo profundo —precisó el doctor Arrondo—. A menudo, un simple dolor de estómago es solo un simple dolor de estómago que da después de comer, digamos, ya tarde en la noche. Si ese es el caso, entonces absténgase de comer pizza a medianoche.

«También hay ocasiones en que una condición o enfermedad no se remedia, rebasando los enfoques clínicos tradicionales.

«Sería entonces conveniente recurrir a los instrumentos de introspección y comprensión profunda disponibles —señaló él—. El contacto con su aspecto más profundo y su relación con la armonía y las leyes de la naturaleza, no solo podría resultar en una mejora en su salud, sino que en caso de gravedad, quizás le salve la vida.

—¿Me está diciendo, doctor, que existe un jardín aún más grande que considerar?

El jardín más grande

—Creo que ese es el caso, Rosa. Cada uno tiene que llegar a sus propias conclusiones.

—¿Es decir, la vida es un jardín, y no es sólo nuestro?

—Para mí, así es —respondió.

—Y para mí también —ella contestó, pensativamente—. Nuestra relación con ese jardín más grande, el jardín de la vida, por así decirlo, ¿puede aparecer en forma de problemas en nuestros cuerpos, en nuestros jardines individuales de salud?

—Eso es lo que muchas culturas antiguas nos han enseñado —dijo el doctor después de salir de sus pensamientos—. Y desde luego, ambos jardines están conectados, y así lo están todos los jardines en nuestro universo.

—Eso me parece bien; pero desde mi punto de vista, el reto es: ¿por dónde empieza una persona cuando tiene un problema que no desaparece, independientemente de cuántos doctores haya visitado o remedios haya probado?

—Rosa, ¿recuerda haber dicho que la vida tenía una razón de ser, un propósito, una estructura?

—Por supuesto —Ahora estaba pensativa, echada intensamente para atrás en su silla.

—Bueno, cuando se han probado todos los enfoques clínicos apropiados, quizás sea el momento de que un paciente considere las herramientas emocionales, mentales y espirituales que tenga para buscar respuestas más allá de su porción de jardín personal.

«¿Y sabe qué? Lo bonito de esto es que no importa el nivel al que quiera explorar; se trata de una experiencia personal y cada persona es diferente —elucidó el doctor—.

Es necesario que encuentre sus propias respuestas, en ocasiones con la ayuda de quienes te rodean.

—¿Cómo? ¿A qué se refiere con las herramientas emocionales, mentales y espirituales? —preguntó Rosa con mucho interés, pero un poco desconcertada.

Recursos para nuestros aspectos mentales y espirituales

—Se trata de elegir los instrumentos, o herramientas para la vida, que puedan ayudarte. Cada quien debe buscar lo que sienta que le funciona mejor. Yo solo te puedo ofrecer sugerencias. Por ejemplo, podrías consultar a un sacerdote o ministro de una religión con quien te sientas a gusto.

—En ocasiones, viajar a nuevas tierras y experimentar las maneras en que otros abordan la vida puede proporcionarnos las comprensiones que necesitamos. Mark Twain dijo que los viajes matan la ignorancia —añadió el doctor—. Yo lo tomo en el sentido más amplio y suave de la palabra. He vivido en cinco países, y creo que mis experiencias en cada uno me han ayudado a convertirme en una persona más redondeada, aunque no se trata de que todos hagamos lo mismo.

«Una persona podría someterse a una terapia con un profesional para explorar lo que podría no ir de acuerdo con su sentido de paz y armonía interiores. En ocasiones, solo hablar con un amigo íntimo que nos escuche puede ser de gran ayuda. Cada enfoque puede ser diferente, a la medida.

—Se trata de tener sentido común, de cierta manera, como lo dijo —comentó Rosa.

—Exactamente; el trabajo corporal (que puede incluir la quiropráctica, el masaje, yoga, tai chi, rolfing y la acupuntura, entre otros) puede ser de ayuda. Como dice el viejo dicho conocido por muchos de aquellos que trabajan con el cuerpo: 'los problemas de la vida hacen nidos en nuestros tejidos.' Existen muchas instancias en que el tipo correcto de trabajo físico terapéutico ayuda a estar más consciente de profundos patrones crónicos, que finalmente se pueden soltar, ayudándose a avanzar en muchos niveles.

«Otras herramientas que pueden ayudarle a una persona a alinearse conscientemente con el equilibrio y la armonía antigua, incluyen la meditación, escribir un diario de los acontecimientos en la vida, anotar sus sueños y ejercicios espirituales de contemplación.

«Algo que funciona bien es escribir un diario de gratitud —continuó él—. Todos los días, simplemente escriba, no importa cuán difícil haya sido el día, por lo menos unas cuantas cosas por las que se sintió agradecida. Entonces asegúrese de leer su diario de la gratitud de vez en cuando.

«Existen muchas otras herramientas, desde luego —añadió él—, algunas de las cuales puede crear por sí misma. Es importante que encontremos el enfoque preciso que nos ayude a abrir el corazón a un mayor entendimiento —dijo el doctor e hizo una pausa antes de continuar.

—Quizás las curaciones más profundas provengan de nuestros corazones

Rosa sonrió, le gustaba esa percepción.

—Gracias, doctor, son conceptos muy profundos que nunca había considerado a fondo. ¿Esto quiere decir que si una persona encuentra esta armonía, su cuerpo sanará?

—Rosa, cada persona es diferente, y sus experiencias de vida, incluyendo las relacionadas con la salud y la curación, serán diferentes. La curación puede llegar de diferentes modos, y quizás no siempre se exprese físicamente.

—Las enseñanzas antiguas tienden a estar de acuerdo en que es más probable que ocurra una curación física una vez que las creencias básicas de la persona se reintegran a sus acciones diarias, y van acordes con su propósito fundamental en la vida. El efecto de eso en la vida de una persona es algo que no se puede predecir.

«Lo que es seguro —añadió él—, es que, en la vida de uno debe realizarse un desplazamiento importante a un nivel más profundo. Eso de por sí, es curación.

—Eso me recuerda al esposo de Diana, que murió de cáncer —dijo ella—. Cambió tanto durante su enfermedad; se volvió más amoroso, más compasivo y más agradecido por los regalos en su vida; conforme iba empeorando, más compasivo y amoroso se volvía.

«Él no era así antes, era como si esta terrible enfermedad física, que no le deseo a nadie, le hubiera ayudado a curar estos otros aspectos no físicos.

«Él había sido un tipo bastante tosco, y tenía una personalidad muy fuerte. Era autosuficiente, fuerte y exigía lo mismo de los demás. Cuando enfermó, perdió esa fuerza física y tuvo que aceptar la ayuda de los que estaban a su alrededor, en su mayoría familiares.

—Suena a que estos actos de bondad le despertaron la compasión hacia los demás —concluyó el doctor Arrondo.

—Sí, precisamente —reflejó Rosa—, él sabía que su sobrevivencia dependía del amor y la compasión que su familia le brindaba gratuita y amorosamente, una y otra vez. Él reconocía, al principio a regañadientes, los sacrificios que ellos hacían por él. Luego aceptó sus actos de amor más abiertamente y, finalmente, con inmensa gratitud y afecto.

«Su corazón se abrió y él aceptó su amor y dedicación, y por ello se volvió un hombre más dulce y considerado.

«Es tan irónico —añadió ella—. Es como si su cáncer de páncreas, esta terrible enfermedad, hubiera sido también un bálsamo curativo para sus problemas mentales y emocionales.

—Es un concepto de raíz, Rosa —dijo el doctor Arrondo—. La salud y la enfermedad, que la mayoría de la gente piensa que son diametralmente opuestas, están más profundamente entrelazadas de lo que comúnmente creemos.

«Un conocimiento más profundo de nosotros mismos, de nuestra esencia, puede significar una gran diferencia en nuestras vida, así como en las vidas de aquellos a quienes nos acercamos y se nos acercan.

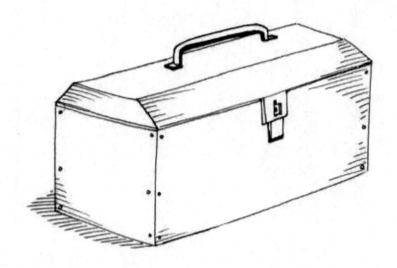

CAPÍTULO 33

Ayuda para una curación profunda: La caja de herramientas de la vida

Al terminar la sesión terapéutica, Rosa lucía una hermosa sonrisa en su rostro; era evidente que estaba lista para otra conversación.

Sentía que tenía una mayor conciencia, una mayor preparación para responder a cualquier reto de salud —y a cualquier otro reto— que surgiera en su vida, nada podía quitárselo.

La voz del doctor Arrondo la trajo de nuevo al presente.

—¿Recuerda cuando hablamos acerca de que era una persona única, y clínicamente debía ser tratada como tal? —preguntó el doctor.

—¿Cómo olvidarlo? ¡Es una de nuestras mejores frases! —Dijo Rosa en son de broma—. Me gustó tanto que se la he estado repitiendo a José. Él se ríe siempre que le comento que mi doctor me dijo que yo era única, ¡así que tienes que tratarme como a una rareza de joya!

El doctor Arrondo se rió. —Y José, ¿qué le responde?

—Mueve su cabeza de un lado al otro lentamente y siempre me dice lo mismo, una y otra vez: «*Ay, sí, eres una rareza de joya, qué si no: ¡un diamante muy en bruto!*»

« Siempre que se molesta por algo, yo trato de hacerlo reír, para aligerar su estrés.

«Dejando las bromas de lado —añadió ella—, he estado hablando con Diana, María y algunas amistades acerca de nuestra última conversación con respecto a la enfermedad y su significado más profundo. Hablamos mucho de la muerte del esposo de mi amiga Diana y su enfermedad.

«Puedo ver que si yo tuviera una enfermedad o un problema que no se resolviera, a pesar de todos mis esfuerzos, también tendría que concederme el tiempo para reflexionar profundamente. Con base en su información, acerca de las perspectivas de las curaciones antiguas y las herramientas de la vida, sería bueno que yo explorara lo que podría decir de mí misma con base en mi condición.

«Así que compartí lo que me dijo, pero nos quedamos preguntándonos: ¿qué más podemos hacer para ver nuestro interior y reconocer nuestros patrones más de cerca?

—No tengo la última palabra —le respondió el doctor Arrondo—, ni nada por el estilo, pero muchas veces ayuda empezar por algo que puede ser tan sencillo como el ejercicio físico, si las circunstancias lo permiten.

«Hace que la energía física fluya —continuó él— y tiene efectos benéficos sobre el cerebro y el cuerpo.

«Cuando uno hace ejercicio, especialmente de alta intensidad, se produce una sustancia conocida como el factor neurotrófico derivado del cerebro, que ayuda a la regeneración de algunas neuronas. También ayuda a que muchas otras neuronas establezcan mejores conexiones entre sí y sobrevivan. Esta sustancia ayuda a la memoria de largo plazo, al aprendizaje y al razonamiento.[1,2,3]

«Es importante el trabajo a nivel físico, aún en el caso de dinámicas mentales, emocionales o espirituales: y yo considero que todas están conectadas.

«Así como la mente afecta al cuerpo, el cuerpo afecta a la mente y a la psique.

—Doctor, eso va con lo que ha estado diciendo acerca de la manera en que una cosa afecta a todo lo demás. Creo que eso abarca hasta las partes más profundas de nuestro ser.

—Y creo que tiene razón —dijo él, sonriendo.

«También puedes orar, meditar o hacer ejercicios espirituales de contemplación. Carl Jung habló de cómo usar la imaginación activa al hacer los ejercicios contemplativos, sugiriendo que uno entable un diálogo interior consciente con uno mismo acerca de sus sueños.

«Pero es necesario encontrar lo que le funcione, pues cada persona es diferente y tiene necesidades diferentes.

«Por ejemplo, si es usted cristiana, quizás le ayudaría la repetición de la oración del Padre Nuestro o alguna otra. Si perteneces a alguna fe oriental, como el hinduismo, existen rituales, ceremonias y meditaciones que implican la repetición de una sola palabra, 'Om', que te podría ayudar.

«Las prácticas de la meditación Zen se han empleado comúnmente durante miles de años —le explicó—. En muchos países, la gente de diferentes religiones se ha beneficiado de esas prácticas.

«Algunas personas meditan de manera secular, como en la Meditación Trascendental.[4] Otras cantan una variedad de palabras, tales como HU, un antiguo nombre de Dios, para desarrollar una relación más sólida con el Espíritu.[5] Yo canto HU todos los días. Otras personas simplemente repiten una palabra o número una y otra vez para entrar en una quietud contemplativa más profunda.

«Yo recuerdo que de niño leía mucho la revista *National Geographic* que mis padres dejaban por toda la casa —dijo él, pensando en su infancia—. Yo leía que por todo el mundo había danzas y círculos de percusionistas que intentaban ponerse en contacto con los aspectos más profundos del hombre. Los derviches giradores lo hacen por medio de sus danzas y oraciones también —añadió él.

Tu salud y tu vida: Un viaje personal

—Lo importante es que encuentres lo que mejor te funcione. Después de todo, este es su propio viaje personal.

—Entiendo, se trata de escuchar a mi mente y a mi cuerpo, alejándome unos pasos para ver lo que se necesita en cada nivel.

—Sí, sonrió el doctor Arrondo—. Otra manera de hacerlo puede ser a través del estudio de tus sueños.

—¿Mis sueños? —preguntó Rosa, quedándose en blanco al respecto.

«El significado de los sueños para el viaje interior del hombre, y sus fuerzas curativas, se ha plasmado en las sabias tradiciones espirituales antiguas en todos los rincones del planeta.

«Ya he señalado a los romanos y sus templos de curación. Poder entrar a un templo de curación suponía un proceso muy selectivo: la invitación para entrar se daba en sueños. En sueños, uno era sometido a un interrogatorio para ver si era un candidato aceptable.

«Una vez que se pasaba por el proceso y finalmente era aceptado en el templo, uno podía quedarse días ahí en la esperanza de que un sueño de sanación lo curara.[6]

«Había un muy famoso doctor que se llamaba Claudio Galeno, cuyas obras dejaron una impresión tan perdurable sobre la medicina occidental que se le llegó a conocer como el padre de la medicina. Galeno dio sus servicios médicos a emperadores romanes y a muchos senadores romanos. Entre sus muchos descubrimientos está que el sistema nervioso, por medio de las células nerviosas en nuestros cuerpos, controla las contracciones musculares.

Lo que Galeno nos puede enseñar

—Galeno creía que los doctores debían ser tanto filósofos como sanadores, combinando la filosofía con la práctica médica. Su singular enfoque de la medicina incluía, de raíz, una mente muy abierta a lo nuevo, y no la rigidez de una sola escuela o estilo de práctica médica.[7]

—¿No es algo que ha estado enfatizando, acerca de la necesidad de nuevos enfoques clínicos para el cuidado de la salud, de ver las cosas de una manera diferente?

—Lo es y he aquí otro ejemplo de cómo los viejos pueden enseñar a los nuevos, si los nuevos están dispuestos a aprender. Con sus descubrimientos de hace 2,000 años, Galeno se convirtió en el doctor más sobresaliente en la historia de la medicina occidental. Aunque su ciencia y sus métodos ya son en parte obsoletos, la frescura y vitalidad de su pensamiento, su apertura a ideas nuevas, lo hacen sobresaliente —dijo el doctor.

—Eso me hace recordar una de las primeras cosas que me explicó: que lo más importante era la expansión de mi punto de vista, de mi consciencia; que todo lo demás era secundario. Este doctor Galeno hizo justo eso, a su manera —razonó Rosa.

—Así es, esto lo llevó a tener una extraordinaria presencia en los anales de la historia médica.

—Me pregunto qué haría él si estuviera vivo y viera los retos con que se enfrenta el cuidado de la salud de nuestro sistema actual —dijo Rosa.

El doctor respondió. —Creo que ejercería presión para que las cosas cambiaran, para que se empezaran a adoptar nuevos enfoques. No era de los que se atienen a las prácticas de sus predecesores en aras de la continuidad.

—Por ejemplo, una de las maneras en que Galeno diagnosticaba a sus pacientes era preguntándoles acerca de sus sueños.[8]

—¿De veras? Ningún doctor me ha preguntado acerca de mis sueños —dijo Rosa—, eso suena a algo que haría un psiquiatra.

—Nos hemos ido en una dirección muy diferente desde los tiempos de Galeno. La seducción de la ciencia y la medicina modernas, con sus muchas maravillas, han provocado que muchos doctores permanezcan ciegos a lo que los ojos de los doctores de la antigüedad consideraban importante para la curación —dijo él.

«A propósito, Galeno se volvió doctor porque su padre soñó que su hijo debía convertirse en doctor. Eso le demuestra la importancia de los sueños en las sociedades antiguas. Hoy en día, hemos perdido esta importante conexión. La sociedad moderna le pone escasa atención a los sueños.

—Yo sueño, pero no recuerdo mucho, y cuando los recuerdo, no parecen tener mucho sentido, —dijo Rosa—. La próxima vez, ¿me podría sugerir algo para recordarlos, específicamente si me pueden servir de guía para resolver mis problemas de salud?

CAPÍTULO 34

Cómo soñar tu camino hacia una mejor salud

Al finalizar la siguiente sesión de Rosa, el doctor Arrondo retomó el tema de la cita anterior.

—Los sueños son un reflejo de su mundo interior, y cómo cada uno de nosotros está en su propio viaje, el significado e importancia de los sueños será singular para cada uno de nosotros. Mi percepción es que depende de cada persona descifrar sus significados —dijo el doctor Arrondo.

—En mi juventud, cuando mis padres me llevaban a ver una película, mi madre me distraía cuando la pareja en pantalla empezaba a besarse. Tardé mucho en descifrar lo que ella estaba haciendo. ¡Aparentemente, pensaba que yo era demasiado joven para ver esas cosas! —exclamó, riéndose entre dientes.

—Los sueños muchas veces se parecen a esta situación. Uno puede demorarse en descifrar su significado, y siempre significan algo.

«Una de las razones por las que parecerían confusos es porque el contenido de nuestro subconsciente, nuestros mundos interiores desprovistos de simbolismos, podrían causarle angustia a nuestra mente consciente.

Tus sueños: una ayuda importante para mejorar tu salud

—Por esa razón, es útil escribir sus sueños en un diario y luego compararlos con lo que ha estado sucediendo en su vida —le explicó él—. Podría obtener comprensiones profundas con respecto al simbolismo, el significado de sus sueños, y puede ayudarla a aclarar las dinámicas interiores de los problemas de salud persistentes. Los sueños son más que meros símbolos, pero es un buen comienzo.

—Ya veo —dijo Rosa—, es como si mi cuerpo estuviera tratando de enviarme un mensaje acerca de mi salud, pero tengo que descifrarlo primero para entenderlo.

—Correcto, cuando se despierte, escriba brevemente lo que recuerde de sus sueños. Nuestra mente tiene un sensor que distorsiona las imágenes de nuestros sueños, de tal manera que el impacto de los sueños sobre nuestra vida de vigilia se atenúa. No se preocupe si al principio no tienen sentido; solo apunte brevemente los puntos importantes de lo que recuerde.

—Entonces, ¿cómo desciframos su significado, y cómo nos ayudan con la salud? —Rosa quería saber más. En el pasado, ella había oído algo sobre el estudio de los sueños, pero nunca le había puesto mucha atención.

—Una cosa que puede hacer es revisar sus sueños una o dos veces al mes y compararlos con lo que ha estado sucediendo en su vida. Con el tiempo, podrá ver patrones;

verá que hay imágenes que se repiten y que reflejan sus símbolos personales: son puertas de entrada al significado de sus mundos interiores.

«Su mundo personal, y los símbolos y el significado de lo que soñaste, es diferente al de otras personas. Por esa razón, lo que alguien más sueña puede tener un significado diferente. Debe interpretar individualmente lo que sus sueños pueden estar tratando de comunicar. Será diferente para otras personas.

«También puede revisarlos para ver si hay alguna conexión entre sus sueños y alguna enfermedad. En ocasiones no es una conexión directa.

—¿Me puede dar un ejemplo?

—Cuando hago algo que no sea saludable para mi cuerpo, a menudo sueño que algo desagradable está sucediéndole a mi cuerpo, aunque parezca no estar relacionado con lo que esté sucediendo en mi vida física. Aprenda a estar al pendiente de este tipo de claves, aprenda a encontrar sus símbolos.

«En lo que a mí respecta —continuó él—, he notado que soñar con un automóvil verde simboliza, a menudo, mi cuerpo físico, mi vehículo físico. Me fijo en la condición del automóvil, en lo que le sucede.

«En ocasiones, tiene uno la sensación, al estar revisando sus sueños, de que quizás sea necesario moverse en otro sentido diferente al del tipo de tratamiento que esté recibiendo, o cambiar de doctor.

«Por eso un diario de sueños puede ser de tanta utilidad, —le explicó él—. Quizás no recurra a la sabiduría de su sueño de ese día, sino más tarde con el beneficio de la mirada en retrospectiva y en el contexto de sus otros sueños en ese periodo, podrá comprender más sobre su enfermedad física o de algún otro problema de la vida.

—Entiendo —dijo ella—. Definitivamente voy a empezar un diario de sueños. Me gustaría saber qué me dicen mis sueños acerca de mi salud y mi vida.

—Le voy a proporcionar un ejemplo más concreto al respecto, —le dijo al empezar a ilustrar el concepto por medio de su propia experiencia—: Durante algunos meses, trabajé en un proyecto con un hombre de negocios. Yo había invertido mucho tiempo y dinero en ello, y tenía la sensación de que él tenía otros intereses. Yo no estaba seguro de si debía continuar trabajando con él o no.

«No estaba seguro de qué hacer. Entonces tuve una experiencia en sueños en donde se me señalaba el camino. En ese sueño, él y yo estábamos en una casa y unas personas nos estaban atacando a flechazos. Yo sabía que querían invadir la casa y hacernos daño. Esta persona estaba conmigo en la casa, pero no estaba haciendo casi nada por defendernos. Yo era el que hacía casi todo.

«Me desperté, reevalué la situación porque yo quería estar seguro de que el sueño estaba en correspondencia con otros indicadores. Siempre empleo mi sentido común al tomar decisiones, veo qué otra información podría ser de utilidad y tomo en cuenta el sueño. Ese sueño me dio la señal de alerta para que hiciera un cambio, y lo hice.

«Unas semanas después, me encontré con que el hombre de negocios estaba a punto de embarcarse en un proyecto muy grande y ambicioso que le hubiera dejado muy poco tiempo para atender a nuestras necesidades.

—Felicidades —dijo ella—, tomó la decisión correcta, y su sueño le ayudó a hacerlo.

—Hablando de autos, se me viene a la mente otra historia, pero siento algo de vergüenza en compartirla. Tiene que ver con el auto usado que compré cuando era estudiante. Me encontraba con muy poco dinero y tenía que ser muy cuidadoso de no comprar cualquier auto, sino que debía estar seguro de que no gastaría mucho dinero en reparaciones hasta que me graduara y empezara a trabajar.

«Vi un pequeño auto color café que me gustó mucho. Era casi demasiado bueno para ser realidad, porque lo era. Pero yo era joven e inexperto y mis emociones empañaban mi juicio.

—Entonces, ¿qué sucedió? ¿Soñó con el auto?

—Sí, pero esta vez fue un sueño muy directo. Poco antes de comprar el auto, tuve un sueño en donde el auto estaba bajo el agua; fue un sueño breve. Sin embargo, no le di importancia, y me apresuré, emocionado, a comprarlo.

—Y ¿cómo te resultó? Déjeme adivinar...

—Así es, fue una compra terrible, —dijo con un suspiro—. Me quedé con el auto durante unos cuatro años más porque no podía comprar otro, pero en esos cuatro años, el costo de las reparaciones fue mayor al costo del auto. Lo llevé al taller tantas veces que me hice amigo del mecánico y de su esposa, que le ayudaba con la administración del pequeño taller.

«Un día le conté al mecánico mi sueño mientras movía la cabeza de un lado al otro en vista de que ya venía otra cuenta por reparaciones. Esta vez el motor estaba empezando a hundirse en su propia estructura de soporte. El mecánico me llevó hasta el auto y me mostró algunas tuercas oxidadas por inundación, lamentándose que pensaba que mi sueño daba justo en el clavo.

«Así que, como ve, Rosa, ya sea por razones económicas o de salud, realmente para cualquier cosa que sea importante, tenemos un maravilloso recurso interior que podemos usar de guía para tomar mejores decisiones: nuestro mundo de los sueños.

CAPÍTULO 35

El porqué de la salud

—En las culturas antiguas, el quehacer espiritual de soñar era un arte, un puente importante entre la vida cotidiana y los mundos interiores —el doctor Arrondo continuó.

«Trabajar con los sueños puede darnos una comprensión más profunda de nuestras vidas. Hay algunos libros que nos pueden ayudar, otros no, con el tema de los sueños.

«Recuerde —continuó él—, usted es diferente a todas las demás personas y su interpretación de los sueños, los símbolos en su vida interior, quizás difiera de otras. Busque libros que la guíen en esta dirección individual y personalizada. Estudie libros sobre los sueños que hayan sido escritos por aquellos que han experimentado la importancia de los sueños a los niveles más profundos; probablemente sean los que la ayuden más.[1,2,3]

«Entender el simbolismo de los sueños, mediante un diario de sueños, y revisarlos de tiempo en tiempo, también la puede ayudar a ver los patrones en su vida. Yo escribo mis sueños todos los días en un diario porque me ayudaa entender la relación entre mis pensamientos y la manera en que vivo mi vida; los reviso cada mes. Diariamente escribo quince afirmaciones, bajo la entrada del sueño de ese día, lo cual me ayuda a centrarme en lo que es importante en mi vida.

—Me doy cuenta de cómo es que eso me puede ayudar a enfocarme en lo que es importante —le dijo Rosa—, ¿qué más hacer?

—Voy a reflexionar en ello —le dijo él deteniéndose—, también he encontrado que los ejercicios contemplativos diarios me ayudan a entender y a experimentar mis sueños con mayor claridad y profundidad de significado.

«Algunos sueños no son simbólicos; son directos, como el del auto. Con el tiempo y la práctica, y recuerda todo esfuerzo significativo requiere disciplina, puedes establecer una mejor conexión con sus mundos interiores por medio de este recurso.

Los ojos de Rosa expresaban su entusiasmo.

—Doctor, me acabo de dar cuenta de que todo de lo que hemos estado hablando hoy se vincula con todas nuestras conversaciones anteriores. Eso es excelente porque ahora parece que hemos llegado al nivel más profundo. Estamos explorando la salud y la enfermedad en cuanto se relacionan con la parte fundamental de nosotros, ¿cierto? —preguntó Rosa.

—Sí, es la dinámica esencial de la vida.

El doctor Arrondo se inclinó hacia adelante, su voz revelando más emoción.

—Esto implica nuestra verdadera esencia, a lo que Carl Jung se refería como el Yo; otra palabra es Alma, o esencia interior. Estamos explorando cómo es que el estado de nuestra salud puede reflejar el equilibrio, la armonía y la satisfacción interior que cada uno de nosotros está luchando por alcanzar.

«¿Recuerda la primera vez que me vino a ver? —le preguntó él—. Exclamó que deseaba sentirse mejor y tener más energía, estaba pensando en una mejor salud en sus propios términos; ciertamente no hay nada de malo en ello.

«Sin embargo, cuando vino a verme más tarde, compartió que tener mejor salud y más energía significaba que podía compartir esos regalos con su familia; estaba empezando a pensar en una mejor salud para ayudar a los demás.

—Me acuerdo bien de eso —dijo Rosa asintiendo con la cabeza—. Es una de las cosas de las que he hablado a fondo con mis amistades. He visto como los problemas de salud de mi esposo, que en gran parte se deben al estrés, han hecho que le sea más difícil compartir su tiempo y energía con nosotros.

«Es como si su luz no brillara tanto como antes, como si se apagara, aunque todavía se viera. Sentimos su amor por nosotros, pero no lo expresa con tanto júbilo ni con tanta fuerza como antes.

Rosa hablaba con una compasión sincera, amaba tiernamente a su esposo.

—Eso me ha puesto realmente triste, especialmente por nuestros dos hijos, —continuó diciendo ella—. He aprendido mucho viviendo con él y viéndolo luchar. También he aprendido mucho de mi amistad y largas conversaciones con Diana y su marido, especialmente en los meses anteriores a su deceso.

«Yo vi el proceso de Diana, que permanecía al lado de su esposo, abatido por el cáncer, desgastándose y finalmente muriendo. Pero por esa experiencia, ambos se volvieron más compasivos y amorosos; ella lo acepta fácilmente, y yo lo he visto.

«Conforme su cuerpo se iba debilitando, él se fortalecía en amor y compasión, llegando a ser una inspiración para aquellos que lo amaban. En ese ejemplo vi como una enfermedad puede transformar los corazones de dos personas y sus familias, aunque yo nunca quisiera pasar por algo tan doloroso.

Rosa estaba a punto de decir algo más, pero se abstuvo, dejando que un prolongado silencio llenara el consultorio. La pálida luz amarilla del ocaso se filtraba por la ventana, suspendiéndose suavemente en el aire.

El doctor se quedó sentado, quieto, esperando pacientemente a que ella terminara.

Rosa dio un profundo respiro, reteniendo las lágrimas que estaban a punto de derramarse por sus mejillas, y habló lenta y quedamente.

—Ya no quiero seguir repitiendo mis patrones, los que me han traído frustración y dolor durante tanto tiempo. Estoy segura de que han afectado mi salud sin que yo me diera cuenta. Francamente —continuó ella—, mirando en retrospectiva, supongo que mi luz se bajó un poco también.

«Sin embargo, me da una profunda satisfacción decir que estoy sintiendo cambios positivos. Quiero seguir adelante, y quiero seguir realizando los cambios que hemos hablado.

«Al sentirme mejor, he notado que ha sido más fácil enfocar mi energía y atención en las necesidades de mi familia y de los demás —dijo recuperando el tono de su voz.

«Y si no puedo estar saludable, en el sentido más profundo de la palabra, signifique lo que signifique, entonces quiero hacer todo lo que esté a mi alcance. Quiero aprender todas las lecciones de la vida que necesite para estar tan saludable y ser lo mejor que pueda; quiero explorar lo que eso significa plenamente. Creo que enriquecería mi vida de maneras que ni me imagino.

«¿Sabe? Anhelo compartir con mi familia y con otras personas lo que he estado aprendiendo acerca de la salud y la curación.

«Sobre todo, quiero servir a mi familia y seres queridos con un cuerpo lleno de tranquilidad, energía, luz y amor.

«Quiero que mi luz brille para mí y para los demás. Es lo que he venido a hacer —dijo ella—, ayudar a los demás, amar.

Al salir Rosa del consultorio, el doctor Arrondo se reclinó en su silla lentamente. Una sonrisa dulce se atravesaba por su rostro mientras miraba por la ventana los tulipanes amarillos y gardenias blancas en el pequeño jardín.

Su mirada se dirigió hacia una robleda en la distancia y hacia las verdes puntas de unos altos pinos que se balanceaban con el viento y penetraban el despejado cielo azul; cada árbol un testimonio silencioso a la belleza y a la maravilla de la naturaleza.

Se quedó pensativo. Tal vez esas verdes puntas danzantes de los pinos, igual que Rosa, estaban haciendo lo que a todos nosotros se nos envió aquí para hacer.

En la salud o en la enfermedad, extender la mano y tocar a los demás a través de nuestro propósito más elevado...

Amar y servir.

Referencias

Capítulo I: La frustración de Rosa

1. Lindsley CW. The top prescription drugs of 2011 in the United States: Antipsychotics and antidepressants once again lead CNS therapeutics. *ACS Chemical Neuroscience.* 2012;3(8):630.
2. World Drug Report 2011. United Nations Office on Drugs and Crime. http://www.unodc.org/documents/data-and-analysis/WDR2011/World_Drug_Report_2011_ebook.pdf.
3. Drugs average 70 side effects. UPI. May 24, 2011. http://www.upi.com/Health_News/2011/05/24/Drugs-average-70-side-effects/UPI-22001306295135/.
4. Mansi I, et al. Statins and New-Onset Diabetes Mellitus and Diabetic Complications: A Retrospective Cohort Study of US Healthy Adults. *Journal of General Internal Medicine.* April 28, 2015.
5. Gu Q, Dillon C, Burt V. Prescription drug use continues to increase: U.S. prescription drug data for 2007–2008. Centers for Disease Control. September 2010. http://www.cdc.gov/nchs/data/databriefs/db42.htm.
6. Why Learn about Adverse Drug Reactions (ADR)? U.S. Food and Drug Administration. http://www.fda.gov/Drugs/DevelopmentApprovalProcess/DevelopmentResources/DrugInteractionsLabeling/ucm114848.htm.
7. Lazarou J, Pomeranz BH, Corey PN. Incidence of adverse drug reactions in hospitalized patients: A meta-analysis of prospective studies. *Journal of the American Medical Association.* April 15, 1998;279:1200–1205.
8. Hopkins, AL. Network pharmacology: The next paradigm in drug discovery. http://www.ncbi.nlm.nih.gov/pubmed/18936753. November 2008;4(11):682–90.
9. Zhao S, Iyengar R. Systems pharmacology: Network analysis to identify multiscale mechanisms of drug action. *Annu Rev Pharmacol Toxicol.* 2012;52:505–21.
10. Hicks LA, Taylor TH Jr, Hunkler RJ. U.S. outpatient antibiotic prescribing, 2010. http://www.nejm.org/doi/full/10.1056/NEJMc1212055. April 2013;368(15):1461–62.
11. Barnett ML, Linder JA. Antibiotic prescribing to adults with sore throat in the United States, 1997–2010. *JAMA Intern Med.* October 3, 2013;174(1):138–40.
12. Ibid.
13. Blaser M. Antibiotic overuse: Stop the killing of beneficial bacteria. *Nature.* August 24, 2011;476(7361):393–94.
14. Hviid A, Svanström H, Frisch M. Inflammatory bowel disease: Antibiotic use and inflammatory bowel diseases in childhood. *Gut.* 2011;60:149–54.
15. Antibiotic/antimicrobial resistance. Centers for Disease Control and Prevention. http://www.cdc.gov/drugresistance/about.html. Updated August 6, 2014.
16. Get smart for healthcare. Centers for Disease Control and Prevention. http://www.cdc.gov/getsmart/healthcare. Updated May 28, 2014.
17. Kennedy P. The Fat Drug. *New York Times.* March 8, 2014. http://www.nytimes.com/2014/03/09/opinion/sunday/the-fat-drug.html?src=me&ref=general&_&_r=0.
18. Ibid.
19. Cox LM, et al. Altering the intestinal microbiota during a critical developmental window has lasting metabolic consequences. *Cell.* August 14, 2014;158(4):705–21.
20. Meeker D, et al. Nudging guideline-concordant antibiotic prescribing: A randomized clinical trial. *JAMA Intern Med.* March 2014;174(3):425–31.
21. Opioid painkiller prescribing: Where you live makes a difference. Centers for Disease Control and Prevention: CDC VitalSigns. http://www.cdc.gov/vitalsigns/opioid-prescribing/index.html. Updated July 1, 2014.
22. Ibid.

23. Ibid.
24. **Vital signs: Overdoses of prescription opioid pain relievers and other drugs among women—United States, 1999–2010.** Centers for Disease Control and Prevention: Morbidity and Mortality Weekly Report (MMWR). 2013;62(26):537–42. http://www.cdc.gov/mmwr.
25. Ibid.
26. Ibid.
27. **Variation in Surgical Procedures.** Dartmouth Institute for Health Policy and Clinical Practice: Dartmouth Atlas of Health Care. 2014. http://www.dartmouthatlas.org/pages/variation_surgery_2.
28. Ibid.
29. Rosenthal, E. **After Surgery, Surprise $117,000 Medical Bill From Doctor He Didn't Know.** September 20, 2014. http://www.nytimes.com/2014/09/21/us/drive-by-doctoring-surprise-medical-bills.html?hp&action=click&pgtype=Homepage&version=LedeSum&module=first-column-region&region=top-news&WT.nav=top-news&_r=0.
30. Keeney BJ, et al. **Early predictors of lumbar spine surgery after occupational back injury: results from a prospective study of workers in Washington State.** *Spine.* (Philadelphia,PA, 1976.) May 15, 2013;38(11):953–64.
31. Ioannidis JA. **Contradicted and initially stronger effects in highly cited clinical research.** *JAMA.* 2005;294(2):218–28.
32. **Therapeutic drug use.** Centers for Disease Control/National Center for Health Statistics. http://www.cdc.gov/nchs/fastats/drugs.htm. Updated May 14, 2014.
33. Prior JA, Silberstein JS, Stang J, eds. *Physical Diagnosis: The History and Examination of the Patient,* 6th ed. St. Louis, MO: Mosby-Year Book; 1981: 7.
34. DeGowin EL, DeGowin RL. *Bedside Diagnostic Examination.* New York, NY: Macmillan; 1965.
35. Simel DL, Rennie D, Keitz SA, eds. *The Rational Clinical Examination.* New York: McGraw-Hill; 2009: xiii.
36. DeGowin EL, DeGowin RL. *Bedside Diagnostic Examination.* New York, NY: Macmillan; 1965.
37. Paauw DS, et al. **Ability of primary care physicians to recognize physical findings associated with HIV infection.** *JAMA.* 1995;274:1380–82.
38. Mangione S, Nieman LZ. **Cardiac auscultatory skills of internal medicine and family practice trainees.** *JAMA.* 1997;278(9):717–22.
39. Ozuah PO, Dinkevich E. **Physical examination skills of US and international medical graduates.** *JAMA.* 2001;286(9):1021.
40. Anderson RC, Fagan MJ, Sebastian J. **Teaching students the art and science of physical diagnosis.** *Am J Med.* 2001;110(5):419–23.
41. Kohn LT, Corrigan JM, Donaldson MS, Committee on Quality of Health Care in America, Institute of Medicine, eds. *To Err Is Human: Building a Safer Health System.* Washington, DC: National Academies Press; 2000.
42. Smith M, et al. *Best Care at Lower Cost: The Path to Continuously Learning Health Care in America.* Washington, DC: National Academies Press; 2012.
43. Campbell EG, et al. **Professionalism in medicine: Results of a national survey of physicians.** *Ann Intern Med.* December 2007;147(11):795–803.
44. Lehnert BE, Bree RL. **Analysis of appropriateness of outpatient CT and MRI referred from primary care clinics at an academic medical center: how critical is the need for improved decision support.** *J Am Coll Radiol* 2010;7:192–97.
45. Rosenthal DI, et al. **Radiology order entry with decision support: initial clinical experiences.** *J Am Coll Radiol* 2006;3:799–806.
46. Bunt CW, et al. **Point-of-Care Estimated Radiation Exposure and Imaging Guidelines Can Reduce Pediatric Radiation Burden.** *J Am Board Fam Med.* May–June 2015;28:343–50.
47. **What Are the Radiation Risks from CT?** U.S. Food and Drug Administration. http://www.fda.gov/Radiation-EmittingProd-

Referencias

ucts/RadiationEmittingProductsandProcedures/MedicalImaging/MedicalX-Rays/ucm115329.htm.

48. Kohn LT, Corrigan JM, Donaldson MS. Committee on Quality of Health Care in America, Institute of Medicine, eds. *To Err Is Human: Building a Safer Health System.* Washington, DC: National Academies Press; 2000.

49. Smith M, et al. *Best Care at Lower Cost: The Path to Continuously Learning Health Care in America.* Washington, DC: National Academies Press; 2012.

50. Campbell EG, et al. **Professionalism in medicine: Results of a national survey of physicians.** *Ann Intern Med.* December 2007;147(11):795–803.

51. Hartzband P, Groopman J. **How Medical Care Is Being Corrupted.** *New York Times.* November 18, 2014. http://www.nytimes.com/2014/11/19/opinion/how-medical-care-is-being-corrupted.html?hp&action=click&pgtype=Homepage&module=c-column-top-span-region&region=c-column-top-span-region&WT.nav=c-column-top-span-region&_r=1.

52. Ibid.

53. Taffel SM, Placek PJ, Liss T. **Trends in the United States cesarean section rate and reasons for the 1980–85 rise.** *Am J Public Health.* 1987;77:955–59.

54. Martin JA, et al. **Births: Final data for 2009.** *Natl Vital Stat Rep.* 2011;60:1–70.

55. Declercq ER, et al. **Listening to Mothers II: Report of the Second National U.S. Survey of Women's Childbearing Experiences.** Conducted January–February 2006 for Childbirth Connection by Harris Interactive in partnership with Lamaze International. *J Perinat Educ.* 2007;16:9–14.

56. Taffel SM, Placek PJ, Liss T. **Trends in the United States cesarean section rate and reasons for the 1980–85 rise.** *Am J Public Health.* 1987;77:955–59.

57. Martin JA, et al. **Births: Final data for 2009.** *Natl Vital Stat Rep.* 2011;60:1–70.

58. Declercq ER, et al. **Listening to Mothers II: Report of the Second National U.S. Survey of Women's Childbearing Experiences.** Conducted January–February 2006 for Childbirth Connection by Harris Interactive in partnership with Lamaze International. *J Perinat Educ.* 2007;16:9–14.

59. Taffel SM, Placek PJ, Liss T. **Trends in the United States cesarean section rate and reasons for the 1980–85 rise.** *Am J Public Health.* 1987;77:955–59.

60. Declercq ER, et al. **Listening to Mothers II: Report of the Second National U.S. Survey of Women's Childbearing Experiences.** Conducted January–February 2006 for Childbirth Connection by Harris Interactive in partnership with Lamaze International. *J Perinat Educ.* 2007;16:9–14.

61. Bergstrom A, et al. **Establishment of intestinal microbiota during early life: A longitudinal, explorative study of a large cohort of Danish infants.** *Applied and Environmental Microbiology.* 2014;80(9):2889.

62. Moon C, et al. **Vertically transmitted faecal IgA levels determine extra-chromosomal phenotypic variation.** *Nature.* 2015.

63. Khafipour E, Ghia JE. **Mode of delivery and inflammatory disorders.** *J Immunol Clin Res.* 2013;1:1004.

64. Hansen CH, et al. **Mode of delivery shapes gut colonization pattern and modulates regulatory immunity in mice.** *J Immunol.* August 1, 2014;193(3):1213–22.

65. Vehik K, Dabelea, D. **Why are C-section deliveries linked to childhood type 1 diabetes?** *Diabetes.* 2012;61(1):36–37.

66. Bergstrom A, et al. **Establishment of intestinal microbiota during early life: A longitudinal, explorative study of a large cohort of Danish infants.** *Applied and Environmental Microbiology.* 2014;80(9):2889.

67. Kohn LT, Corrigan JM, Donaldson MS, Committee on Quality of Health Care in America, Institute of Medicine, eds. *To Err Is Human: Building a Safer Health System.* Washington, DC: National Academies Press; 2000.

68. Smith M, et al. *Best Care at Lower Cost: The Path to Continuously Learning Health Care in America.* Washington, DC: National Academies Press; 2012.

69. Campbell EG, et al. **Professionalism in medicine: Results of a national survey of physicians.** *Ann Intern Med.* December 2007;147(11):795–803.

70. Squires D. **Explaining high health care spending in the United States: An international**

comparison of supply, utilization, prices, and quality. Commonwealth Fund. May 2012. http://www.commonwealthfund.org/~/media/Files/Publications/Issue per-cent20Brief/2012/May/1595_Squires_explaining_high_hlt_care_spending_intl_brief.pdf.

71. **Where Do You Get the Most for Your Health Care Dollar?** Bloomberg: Bloomberg Visual Data. September 18, 2014. http://www.bloomberg.com/infographics/2014-09-15/most-efficient-health-care-around-the-world.html.

72. Yong PL, Saunders RS, Olsen L, eds. *The Healthcare Imperative: Lowering Costs and Improving Outcomes.* Workshop series summary. Institute of Medicine of the National Academies. Washington, DC: National Academies Press; 2010.

Capítulo 3: Cuando más y más no te ayuda

1. Laugier R, et al. **Changes in pancreatic exocrine secretion with age: Pancreatic exocrine secretion does decrease in the elderly.** http://www.ncbi.nlm.nih.gov/pubmed/1812045. 1991;50(3–4):202–11.

2. Morley JE. **The aging gut: Physiology.** *Clin Geriatr Med.* November 2007;23(4):757–67.

3. Grossman MI, Kirsner JB, Gillespie IE. **Basal and histalog-stimulated gastric secretion in control subjects and in patients with peptic ulcer or gastric cancer.** *Gastroenterology.* 1963;45:15–26.

4. Krasinski SD, et al. **Fundic atrophic gastritis in an elderly population. Effect on hemoglobin and several serum nutritional indicators.** *J Am Geriatr Soc.* November 1986;34(11):800–06.

5. Heidelbaugh JJ, et al. **Overutilization of proton pump inhibitors: What the clinician needs to know.** http://www.ncbi.nlm.nih.gov/pubmed/22778788. July 2012;5(4):219–32.

6. Fohl AL, Regal RE. **Proton pump inhibitor-associated pneumonia: Not a breath of fresh air after all?** *World J Gastrointest Pharmacol Ther.* June 2011;2(3):17–26.

7. **Proton pump inhibitors: Use in adults.** Centers for Medicare & Medicaid Services. http://www.cms.gov/Medicare-Medicaid-Coordination/Fraud-Prevention/Medicaid-Integrity-Education/Pharmacy-Education-Materials/Downloads/ppi-adult-factsheet.pdf. Updated June 10, 2014.

8. **Clostridium difficile-associated diarrhea can be associated with stomach acid drugs known as proton pump inhibitors (PPIs).** U.S. Food and Drug Administration: FDA Drug Safety Communication. http://www.fda.gov/drugs/drugsafety/ucm290510.htm. Updated February 15, 2013.

9. Pali-Schöll I, et al. **Antacids and dietary supplements with an influence on the gastric pH increase the risk for food sensitization.** *Clin Exp Allergy.* July 2010;40(7):1091–98.

10. McColl K. **Effect of proton pump inhibitors on vitamins and iron.** http://www.ncbi.nlm.nih.gov/pubmed/19262546. March 2009;104:S5–S9.

11. Frewin R, Henson A, Provan D. **ABC of clinical haematology. Iron deficiency anaemia.** http://www.ncbi.nlm.nih.gov/pmc/articles/PMC2125872/. February 1997;314(7077):360–63.

12. Raffin SB, et al. **Intestinal absorption of hemoglobin iron-heme cleavage by mucosal heme oxygenase.** *J Clin Invest.* December 1974;54(6):1344–52.

13. Barreras RF, Donaldson RM, Jr. **Effects of induced hypercalcemia on human gastric secretion.** *Gastroenterology.* 1967;52:670–75.

14. Levant JA, Walsh JH, Isenberg JI. **Stimulation of gastric secretion and gastrin release by single oral doses of calcium carbonate in man.** *N Engl J Med.* 1973;289:555–58.

15. Reeder DD, Conlee JL, Thompson JC. **Calcium carbonate antacid and serum gastrin concentration in duodenal ulcer.** *Surg Forum.* 1971;22:308–10.

16. Bradley PR, ed. *British Herbal Compendium (Vol. 1): A handbook of scientific information on widely used plant drugs.* Guilford and King's Lynn, Great Britain: Biddles Ltd.; 1992: 109–11.

17. Tan BKH, Vanitha J. **Immunomodulatory and antimicrobial effects of some traditional Chinese medicinal herbs: a review.** *Current Medicinal Chemistry.* June

2004;11(11):1423–30.

18. Ho JW, Jie M. **Pharmacological activity of cardiovascular agents from herbal medicine.** *Cardiovascular & Hematological Agents in Medicinal Chemistry* (formerly *Current Medicinal Chemistry—Cardiovascular & Hematological Agents*). October 2007;5(4):273–77.

19. Patwardhan B. **Ethnopharmacology and drug discovery.** *J Ethnopharmacol.* August 22, 2005;100(1–2):50–52.

20. Raja MKMM, Sethiya NK, Mishra SH. **A comprehensive review on *Nymphaea stellata*: A traditionally used bitter.** *J Adv Pharm Tech Res.* 2010;1(3):311–19.

21. Suryawanshi JAS. **An overview of *Citrus aurantium* used in treatment of various diseases.** *African Journal of Plant Science.* July 2011;5(7):390–95.

22. Aggarwal BB, Shishodia S. Review: **Suppression of the nuclear factor-kappaB activation pathway by spice-derived phytochemicals: Reasoning for seasoning.** *Ann NY Acad Sci.* December 2004;1030:434–41.

23. Kim MH, Kim SH, Yang WM. **Mechanisms of Action of Phytochemicals from Medicinal Herbs in the Treatment of Alzheimer's Disease.** *Planta Med.* October 2014;80(15):1249–58.

24. Jadeja R, Devkar RV, Nammi S. **Herbal medicines for the treatment of nonalcoholic steatohepatitis: current scenario and future prospects.** *Evid Based Complement Alternat Med.* 2014;2014:648308.

25. Wagner AE, Terschluesen AM, Rimbach G. **Health promoting effects of brassica-derived phytochemicals: From chemopreventive and anti-inflammatory activities to epigenetic regulation.** *Oxid Med Cell Longev.* 2013;2013:964539.

26. Aggarwal BB, Shishodia S. Review: **Suppression of the nuclear factor-kappaB activation pathway by spice-derived phytochemicals: Reasoning for seasoning.** *Ann NY Acad Sci.* December 2004;1030:434–41.

27. Kim MH, Kim SH, Yang WM. **Mechanisms of Action of Phytochemicals from Medicinal Herbs in the Treatment of Alzheimer's Disease.** *Planta Med.* October 2014;80(15):1249–58.

28. Jadeja R, Devkar RV, Nammi S. **Herbal medicines for the treatment of nonalcoholic steatohepatitis: current scenario and future prospects.** *Evid Based Complement Alternat Med.* 2014;2014:648308.

29. Wagner AE, Terschluesen AM, Rimbach G. **Health promoting effects of brassica-derived phytochemicals: From chemopreventive and anti-inflammatory activities to epigenetic regulation.** *Oxid Med Cell Longev.* 2013:964539.

Capítulo 4: ¡No lo puedo digerir!

1. Smith AD, et al. **Homocysteine-lowering by B vitamins slows the rate of accelerated brain atrophy in mild cognitive impairment: a randomized controlled trial.** *PLoS One.* September 8, 2010;5(9):e12244.

2. Douaud G, et al. **Preventing Alzheimer's disease–related gray matter atrophy by B-vitamin treatment.** *Proc Natl Acad Sci USA.* June 4, 2013;110(23):9523–28.

3. Bercik P, et al. **The intestinal microbiota affect central levels of brain-derived neurotropic factor and behavior in mice.** *Gastroenterology.* August 2011;141(2):599–609.

4. Rao AV, et al. **A randomized, double-blind, placebo-controlled pilot study of a probiotic in emotional symptoms of chronic fatigue syndrome.** *Gut Pathog.* March 2009;1(1):6.

5. Bercik P, et al. **The anxiolytic effect of *Bifidobacterium longum* NCC3001 involves vagal pathways for gut-brain communication.** *Neurogastroenterol Motil.* December 2011;23(12):1132–39.

6. Khalesi S, et al. **Effect of probiotics on blood pressure: A systematic review and meta-analysis of randomized, controlled trials.** *Hypertension.* Published online before print July 21, 2014.

7. DiRienzo DB. **Effect of probiotics on biomarkers of cardiovascular disease: Implications for heart-healthy diets.** *Nutrition Reviews.* January 2014;72(1):18–29.

8. Fabian E, Elmadfa I. **Influence of daily consumption of probiotic and conventional yoghurt on the plasma lipid profile in young healthy women.** *Ann Nutr Metab.*

2006;50:387–93.

9. Bongers G, et al. **Interplay of host microbiota, genetic perturbations, and inflammation promotes local development of intestinal neoplasms in mice.** *J Exp Med.* March 3, 2014;211(3):457–72.

10. Forli, L, et al. **Dietary vitamin K2 supplement improves bone status after lung and heart transplantation.** *Transplantation.* February 27, 2010;89(4):458–64.

11. Vermeer C, et al. Review: **Beyond deficiency: Potential benefits of increased intakes of vitamin K for bone and vascular health.** *Eur J Nutr.* December 2004;43(6):325–35. Epub February 5, 2004. PubMed PMID: 15309455.

12. Iwamoto J, et al. **Bone quality and vitamin K2 in type 2 diabetes: Review of preclinical and clinical studies.** *Nutr Rev.* March 2011;69(3):162–67.

13. Choi, HJ, et al. **Vitamin K2 Supplementation Improves Insulin Sensitivity via Osteocalcin Metabolism: A Placebo-Controlled Trial.** *Diabetes Care.* 2011;34(9):e147.

14. Varsha MK, et al. **Vitamin K1 alleviates streptozotocin-induced type 1 diabetes by mitigating free radical stress, as well as inhibiting NF-κB activation and iNOS expression in rat pancreas.** *Nutrition.* January 2015;31(1):214–22.

15. Veldhuis-Vlug AG, Fliers E, Bisschop PH. Review: **Bone as a regulator of glucose metabolism.** *Neth J Med.* October 2013;71(8):396–400. 16. Chang L. **Brain responses to visceral and somatic stimuli in irritable bowel syndrome: A central nervous system disorder?** *Gastroenterol Clin North Am.* June 2005;34(2):271–79.

17. Smith AD, et al. **Homocysteine-lowering by B vitamins slows the rate of accelerated brain atrophy in mild cognitive impairment: a randomized controlled trial.** *PLoS One.* September 8, 2010;5(9):e12244.

18. Douaud G, et al. **Preventing Alzheimer's disease-related gray matter atrophy by B-vitamin treatment.** *Proc Natl Acad Sci USA.* June 4, 2013;110(23):9523–28.

19. Hang CH, et al. **Alterations of intestinal mucosa structure and barrier function following traumatic brain injury in rats.** *World J Gastroenterol.* December 9, 2003(12):2776–81.

20. Geissler A, et al. **Focal white-matter lesions in brain of patients with inflammatory bowel disease.** *Lancet.* April 8, 1995;345(8954):897–98.

21. Roman-Garcia P, et al. **Vitamin B12–dependent taurine synthesis regulates growth and bone mass.** *J Clin Invest.* July 1, 2014;124(7):2988–3002.

22. Ibid.

23. Feighner JP, Brown SL, Olivier JE. **Electrosleep therapy: a controlled double blind study.** *Journal of Nervous and Mental Disease.* 1973;157(2):121–28.

24. Pozos RS, et al. **Electrosleep versus electroconvulsive therapy.** In Reynolds DV, Sjorberg AE, eds. *Neuroelectric Research.* Springfield, IL: Charles Thomas; 1971: 221–25.

25. Rosenthal SH, Wulfsohn NL. **Studies of electrosleep with active and simulated treatment.** *Current Therapeutic Research.* 1970;12(3):126–30.

26. Schmitt R, Capo T, Boyd E. **Cranial electrotherapy stimulation as a treatment for anxiety in chemically dependent persons.** *Alcoholism: Clinical and Experimental Research.* 1986;10(2):158–60.

27. Shealy CN, et al. **Depression: a diagnostic, neurochemical profile and therapy with cranial electrical stimulation (CES).** *Journal of Neurological and Orthopaedic Medicine and Surgery.* 1989;10(4):319–21.

28. Weiss MF. **The treatment of insomnia through the use of electrosleep: an EEG study.** *Journal of Nervous and Mental Disease.* 1973;157(2):108–20.

29. Berg K, Siever D. **Audio-Visual Entrainment (AVE) as a treatment modality for seasonal affective disorder.** *Journal of Neurotherapy.* 2009;13(3):166–75.

30. Joyce M, Siever D. **Audio-Visual Entrainment (AVE) Program as a Treatment for Behavior Disorders in a School Setting.** From the appendices of http://mindalive.com/index.cfm/store/product.cf?product=11, by D. Siever. C.E.T. 1997. https://mindalive.com/index.cfm/research/add-adhd/audio-visual-entrainment-ave-program-as-a-treatment-for-behavior-disorders-in-a-school-setting-michael-joyce-dave-siever/.

31. Budzynski T, Budzynski H, Tang J. **Biolight effects on the EEG.** *SynchroMed Report.*

Referencias

1998. Seattle, WA.

32. Berg K, Siever D. **Outcome of medical methods, audio-visual entrainment, and nutritional supplementation for fibromyalgia syndrome: A pilot study.** 1999. Unpublished manuscript.

33. Berg K, et al. **Outcome of Medical Methods, Audio-Visual Entrainment (AVE) and Nutritional Supplementation for the Treatment of Fibromyalgia Syndrome.** http://www.mindmods.com/resources/Study-Fibromyalgia.html. From the appendices of *The Rediscovery of Audio-Visual Entrainment Technology,* by D. Siever. C.E.T. 1997. https://mindalive.com/index.cfm/research/add-adhd/audio-visual-entrainment-ave-program-as-a-treatment-for-behavior-disorders-in-a-school-setting-michael-joyce-dave-siever/.

34. Trudeau D. **A trial of 18 Hz audio-visual stimulation on attention and concentration in chronic fatigue syndrome (CFS).** *Proceedings of the Annual Conference for the International Society for Neuronal Regulation.* 1999.

35. Joyce M, Siever D. **Audio-visual entrainment program as a treatment for behavior disorders in a school setting.** *Journal of Neurotherapy.* 2000;4(2):9–15.

36. Wolitzky-Taylor KB, Telch MJ. **Efficacy of self-administered treatments for pathological academic worry: A randomized controlled trial.** *Behaviour Research and Therapy.* 2010;48:840–50.

37. Alpert JE, Fava M. **Nutrition and depression: the role of folate.** http://www.ncbi.nlm.nih.gov/pubmed/9212690. May 1997;55(5):145–49.

38. Shelby G, et al. **Functional Abdominal Pain in Childhood and Long-term Vulnerability to Anxiety Disorders.** http://pediatrics.aappublications.org/content/early/2013/08/07/peds.2012-2191.abstract. September 1, 2013;132(3):475–82. http://pediatrics.aappublications.org/content/132/3/475.full.

39. Rubio-Tapia A, et al. **Increased prevalence and mortality in undiagnosed celiac disease.** *Gastroenterology.* 2009;137(1):88–93.

40. De Lorgeril M, Salen P. **Gluten and wheat intolerance today: Are modern wheat strains involved?** *Int J Food Sci Nutr.* August 2014;65(5):577–81.

41. Pizzuti D, et al. **Lack of intestinal mucosal toxicity of *Triticum monococcum* in celiac disease patients.** *Scand J Gastroenterol.* November 2006;41(11):1305–11.

42. Vincentini O, et al. **Environmental factors of celiac disease: cytotoxicity of hulled wheat species *Triticum monococcum*, *T. turgidum ssp. dicoccum* and *T. aestivum ssp. spelta*.** *J Gastroenterol Hepatol.* November 2007;22(11):1816–22.

43. Kasarda DD. ***Triticum moncoccum* and celiac disease.** *Scand J Gastroenterol.* September 2007;42(9):1141–42; author reply 1143–44.

44. Spaenij-Dekking L, et al. **Natural variation in toxicity of wheat: Potential for selection of nontoxic varieties for celiac disease patients.** *Gastroenterology.* September 2005;129(3):797–806.

45. De Vincenzi M, et al. **In vitro toxicity testing of alcohol-soluble proteins from diploid wheat *Triticum monococcum* in celiac disease.** *Biochem Toxicol.* 1996;11:313–18.

46. Perry GH, et al. **Diet and the evolution of human amylase gene copy number variation.** *Nature Genetics.* 2007;39(10):1256–60.

47. Lee C, et al. **CNVs vs. SNPs: Understanding Human Structural Variation in Disease.** Technology Webinars, American Association for the Advancement of Science. July 16, 2008. http://webinar.sciencemag.org/webinar/archive/cnvs-vs-snps.

48. Ibid.

49. Samsel A, Seneff S. **Glyphosate, pathways to modern diseases II: Celiac sprue and gluten intolerance.** *Interdiscip Toxicol.* December 2013;6(4):159–84.

50. Carman JA, et al. **A long-term toxicology study on pigs fed a combined genetically modified (GM) soy and GM maize diet.** *J Organ Syst.* 2013;8:38–54.51. Shehata AA, et al. **The effect of glyphosate on potential pathogens and beneficial members of poultry microbiota *in vitro*.** *Curr Microbiol.* 2013;66:350–58.

51. Rao AV, et al. **A randomized, double-blind, placebo-controlled pilot study of a probiotic in emotional symptoms of chronic fatigue syndrome.**

http://www.ncbi.nlm.nih.gov/pubmed/19338686. March 2009;1(1):6.
52. Bercik P, et al. **The anxiolytic effect of** *Bifidobacterium longum* **NCC3001 involves vagal pathways for gut-brain communication.** *Neurogastroenterol Motil.* December 2011;23(12):1132–39.

Capítulo 5: Tu salud por partes

1. Fox, K. **The Smell Report.** Social Issues Research Centre (SIRC). November 20, 2009. http://www.sirc.org/publik/smell_hist.html.
2. Inglis-Arkell E. **These diseases can be diagnosed by smell.** io9. November 12, 2012. http://io9.com/5959395/these-diseases-can-be-diagnosed-by-smell.
3. Bijland LR, Bomers MK, Smulders YM. **Smelling the diagnosis: a review on the use of scent in diagnosing disease.** *Neth J Med.* July–August 2013;71(6):300–307.
4. Balseiro SC, Correia HR. **Is olfactory detection of human cancer by dogs based on major histocompatibility complex-dependent odour components? A possible cure and a precocious diagnosis of cancer.** *Med Hypotheses.* 2006;66(2):270–72.
5. Horvath G, Andersson H, Nemes S. **Cancer odor in the blood of ovarian cancer patients: a retrospective study of detection by dogs during treatment, 3 and 6 months afterward.** *BMC Cancer.* August 2013;13:396.
6. Farrell PM, et al. **Guidelines for diagnosis of cystic fibrosis in newborns through older adults: cystic fibrosis consensus report.** *J Pediatr.* August 2008;153(2):S4–S14.
7. Quinton PM. **Cystic fibrosis: lessons from the sweat gland.** *Physiology.* June 2007;22:212–25.
8. Hart R, Doherty D. **The Potential Implications of a PCOS Diagnosis on a Woman's Long-Term Health Using Data Linkage.** *Journal of Clinical Endocrinology & Metabolism.* 2015;100(3):911–19.
9. Dunaif A, Fauser BC (2013). **Renaming PCOS—a two-state solution.** *J Clin Endocrinol Metab.* 98(11):4325.

Capítulo 6: ¿En qué color está el semáforo de tu salud?

1. Goode E. **Farmers Put Down the Plow for More Productive Soil.** *New York Times.* March 9, 2015. http://www.nytimes.com/2015/03/10/science/farmers-put-down-the-plow-for-more-productive soil.html.
2. **International Classification of Diseases (ICD).** World Health Organization. http://www.who.int/classifications/icd/en/. Updated 2010.
3. **Clinical Laboratory Statistics.** UCSD Lab Medicine. http://ucsdlabmed.wikidot.com/chapter-1. Updated April 19, 2010.
4. Markelonis G, Tae Hwan OH. **A sciatic nerve protein has a trophic effect on development and maintenance of skeletal muscle cells in culture.** *Proc Natl Acad Scie USA.* May 1979;76(5):2470–74.
5. Schwartz SM, Campbell GR, Campbell JH. **Replication of smooth muscle cells in vascular disease.** *Circ Res.* April 1986;58(4):427–44.
6. Kardami E, Spector D, Strohman RC. **Selected muscle and nerve extracts contain an activity which stimulates myoblast proliferation and which is distinct from transferrin.** *Dev Biol.* December 1985;112(2):353–58.
7. Helgren ME, et al. **Trophic effect of ciliary neurotrophic factor on denervated skeletal muscle.** *Cell.* February 1994;76(3):493–504.
8. Oh TH. **Neurotrophic effects of sciatic nerve extracts on muscle development in culture.** *Experimental Neurology.* February 1976;50(2):376–86.
9. Dale JM, et al. **The spinal muscular atrophy mouse model, SMAΔ7, displays altered axonal transport without global neurofilament alterations.** *Acta Neuropathology.* September 2011;122:331–41.
10. Inestrosa NC, Fernandez HL. **Muscle enzymatic changes induced by blockage of axoplasmic transport.** *J Neurophysiol.* November 1976;39(6):1236–45.
11. Moore AZ, et al. **Difference in muscle quality over the adult life span and biological correlates in the Baltimore Longitudinal Study of Aging.** *J Am Geriatr Soc.* February 2014;62(2):230–36.
12. Ward RE, et al. **Peripheral nerve function and lower extremity muscle power in**

older men. *Arch Phys Med Rehabil.* April 2014;95(4):726–33.

13. Yamada M, et al. **Age-dependent changes in skeletal muscle mass and visceral fat area in Japanese adults from 40 to 79 years-of-age.** *Geriatr Gerontol Int.* February 2014;14(Suppl 1):8–14.

14. Tanimoto Y, et al. **Aging changes in muscle mass of Japanese.** *Nihon Ronen Igakkai Zasshi.* 2010;47(1):52–57.

15. Brook RD, et al. **Usefulness of visceral obesity (waist/hip ratio) in predicting vascular endothelial function in healthy overweight adults.** *American Journal of Cardiology.* 88(11):1264–69.

16. Ibid.

Capítulo 7: El poder que te cura

1. Breig A. *Biomechanics of the central nervous system: Some basic normal and pathologic phenomena.* Stockholm: Almqvist and Wiksell; 1960.

2. Shacklock M. *Clinical Neurodynamics Course Manual.* Neurodynamic Solutions NDS. 2007b. Adelaide, Australia.

3. SOTO USA (Sacro Occipital Technique Organization). http://www.sotousa.com/wp.

4. **What Is Network Spinal Analysis?** Wise World Seminars. http://wiseworldseminars.com/network-spinal-analysis.

5. Yogananda P. http://www.amazon.com/Scientific-Healing-Affirmations-Practice-Concentration/dp/0876121458/ref=tmm_hrd_swatch_0?_encoding=UTF8&sr=&qid=. Los Angeles, CA: Self-Realization Fellowship; 1957: 31–32.2.

6. Mann F. *Acupuncture: The Ancient Chinese Healing Art and How It Works Scientifically.* New York, NY: Vintage Books; 1973.

7. Fauci AS, et al. *Harrison's Principles of Internal Medicine*, 17th ed. New York, NY: McGraw-Hill Medical; 2008.

8. Bourane S, et al. **Identification of a spinal circuit for light touch and fine motor control.** *Cell.* 2015;160(3):503.

9. **Spinal cord processes information just as areas of brains do, research finds.** Queen's University: *ScienceDaily.* March 23, 2011. http://www.sciencedaily.com/releases/2011/03/110322151308.htm.

10. Andersen P, Andersson SA. *Physiological Basis of the Alpha Rhythm.* New York, NY: Appleton-Century-Crofts; 1968.

11. Davson H. *A Textbook of General Physiology*, 4th ed. Baltimore, MD: Lippincott Williams & Wilkins; 1970: 559.

12. Destexhe A, Babloyantz A, Sejnowski TJ. **Ionic mechanisms for intrinsic slow oscillations in thalamic relay neurons.** *Biophys J.* October 1993;65(4):1538–52.

13. Wallenstein GV. **A model of the electrophysiological properties of nucleus reticularis thalami neurons.** *Biophys J.* April 1994;66:978–88.

14. Becker RO. **The machine brain and properties of the mind.** *Subtle Energies & Energy Medicine.* 1990;113:79–97.

15. Becker RO. *Cross Current: The Perils of Electropollution.* New York, NY: Tarcher; 1990.

16. Oschman JL. **What is healing energy? Part 3: Silent pulses.** *Journal of Bodywork and Movement Therapies.* April 1997;1(3):179–89.

17. Oschman JL. *Energy Medicine: The Scientific Basis.* London, UK: Churchill Livingstone; 2000.

18. Da Silva FL. **Neural mechanisms underlying brain waves: from neural membranes to networks.** *Electroencephalography and Clinical Neurophysiology.* August 1991;79(2):81–93.

19. Steriade M, Deschenes M. **The thalamus as a neuronal oscillator.** *Brain Research Reviews.* November 1984;8(1):1–63.

20. Hahn G, et al. **Communication through resonance in spiking neuronal networks.** *PLoS Computational Biology.* 2014;10(8).

21. Tchumatchenko T, Clopath C. **Oscillations emerging from noise-driven steady state in networks with electrical synapses and subthreshold resonance.** *Nature Communications.* 2014;5:5512.

22. Ibid.
23. Ibid.
24. Koch RS. **A somatic** component in heart disease. *J Am Osteopath Assoc.* May 1961;60:735–40.
25. Tashiro M, et al. **Cerebral metabolic** changes in men after chiropractic spinal manipulation for neck pain. *Altern Ther Health Med.* Nov–Dec 2011;17(6):12–17.
26. Hülse M. **Cervicogenic** hearing loss. *HNO.* Oct 1994;42(10):604–13. German.
27. Miller JE, Newell D, and Bolton JE. **Efficacy of chiropractic manual therapy on infant colic: a pragmatic single-blind, randomized controlled trial.** *Journal of manipulative and physiological therapeutics.* 2012;35(8):600–7.
28. Takeda Y, Arai S. **Relationship Between Vertebral** Deformities and Allergic Diseases. *Internet Journal of Orthopedic Surgery.* 2003;2(1).
29. Qu L, et al. **Irritable** bowel syndrome treated by traditional Chinese spinal orthopedic manipulation. *J Tradit Chin Med.* Dec 2012;32(4):565–70.
30. Jørgensen LS, Fossgreen J. **Back** pain and spinal pathology in patients with functional upper abdominal pain. *Scand J Gastroenterol.* Dec 1990;25(12):1235–41.
31. Ibid.

Capítulo 8: Calabazas y la presión sanguínea
1. Valderrama AL, et al. **Vital signs: Awareness and treatment of uncontrolled hypertension among adults—United States, 2003–2010.** Centers for Disease Control and Prevention: Morbidity and Mortality Weekly Report. September 7, 2012;61(35);703–9. http://www.cdc.gov/mmwr/preview/mmwrhtml/mm6135a3.htm.
2. Go AS, et al. **Heart disease and stroke statistics—2013** update: A report from the American Heart Association. *Circulation.* 2013;127:e6–e245.
3. World Health Organization. *Global health risks: mortality and burden of disease attributable to selected major risk.* Geneva, Switzerland: WHO Press; 2009.
4. Ohkubo T, et al. **How many times should blood pressure be measured at home for better prediction of stroke risk?** Ten-year follow-up results from the Ohasama study. *J Hypertens.* June 2004;22(6):1099–104.
5. Muller DN, et al. **Immune-related effects in hypertension** and target-organ damage. *Current Opin Nephrol Hypertens.* March 2011;20(2):113–17.
6. Hermida RC, et al. **Around-the-clock ambulatory blood pressure monitoring is required to properly diagnose resistant hypertension and assess associated vascular risk.** *Curr Hypertens Rep.* July 2014;16(7):445.
7. Houston M. *What Your Doctor May Not Tell You About Hypertension: The Revolutionary Nutrition and Lifestyle Program to Help Fight High Blood Pressure.* New York, NY: Hachette Book Group; 2003.
8. Bonetti PO, et al. **Noninvasive identification of patients with early coronary atherosclerosis by assessment of digital reactive hyperemia.** *J Am Coll Cardiol.* 2004;44(11):2137–41.
9. Niiranen TJ, et al. **Office, home, and ambulatory blood pressures as predictors of cardiovascular risk.** http://www.ncbi.nlm.nih.gov/pubmed/24842916. May 2014. pii: HYPERTENSIONAHA.114.03292. (Epub ahead of print.)
10. Rock W, et al. **The association between ambulatory systolic blood pressure and cardiovascular events in a selected population with intensive control of cardiovascular risk factors.** *J Am Soc Hypertens.* April 4, 2014. pii: S1933-1711(14)00448-3.

Capítulo 9: ¿Qué hago con la presión alta?
1. Lopez MJ, et al. **Salt-resistant hypertension** in mice lacking the guanylyl cyclase-A receptor for atrial natriuretic peptide. *Nature.* November 1995;378(6552):65–68.
2. Weinberger, MH. **Salt sensitivity of blood pressure in humans.** *Hypertension.* 1996;27:481–90.
3. Could low salt intake increase mortality risk? *Medical News Today.* September 10, 2013. http://www.medicalnewstoday.com/articles/265814.php.
4. Horikawa C, et al. **Dietary sodium intake and incidence of diabetes complications in Japanese patients with type 2 diabetes: Analysis of the Japan Diabetes Complica-

Referencias

tions Study (JDCS). *Journal of Clinical Endocrinology & Metabolism.* July 22, 2014. http://press.endocrine.org/doi/abs/10.1210/jc.2013-4315?journalCode=jcem.

5. Schmidlin O, et al. Chloride-dominant salt sensitivity in the stroke-prone spontaneously hypertensive rat. *Hypertension.* May 2005;45:867–73.

6. McCallum L, et al. Serum chloride is an independent predictor of mortality in hypertensive patients. *Hypertension.* November 2013;62(5):836–43.

7. Wood, S. Populationwide sodium guidance "makes no sense" in most countries. *Medscape.* http://www.medscape.com/viewarticle/810431. September 4, 2013.

8. Kotchen, TA. Contributions of Sodium and Chloride to NaCl-Induced Hypertension. *Hypertension.* 2005;45:867–73.

9. Watson SE, et al. Abstract 36: Adult hypertension risk is more than quadrupled in obese children. http://hyper.ahajournals.org/cgi/content/meeting_abstract/62/3_MeetingAbstracts/A36. 2013;62:836–43.

10. Whitescarver SA, et al. Salt-sensitive hypertension: contribution of chloride. *Science.* March 30, 1984;223(4643):1430–32.

11. Luft FC, et al. Sodium bicarbonate and sodium chloride: effects on blood pressure and electrolyte homeostasis in normal and hypertensive man. *J Hypertens.* July 1990;8(7):663–70.

12. Mahajan A, et al. Daily oral sodium bicarbonate preserves glomerular filtration rate by slowing its decline in early hypertensive nephropathy. *Kidney Int.* 2010;78(3):303–9.

13. Goraya N, et al. A comparison of treating metabolic acidosis in CKD stage 4 hypertensive kidney disease with fruits and vegetables or sodium bicarbonate. *Clin J Am Soc Nephrol.* March 2013;8(3):371–81.

14. Susantitaphong P, et al. Short- and long-term effects of alkali therapy in chronic kidney disease: a systematic review. *Am J Nephrol.* 2012;35(6):540–47.

15. Schmidlin O, et al. Chloride-dominant salt sensitivity in the stroke-prone spontaneously hypertensive rat. *Hypertension.* May 2005;45:867–73.

16. McCallum L, et al. Serum chloride is an independent predictor of mortality in hypertensive patients. *Hypertension.* November 2013;62(5):836–43.

17. Kotchen, TA. Contributions of sodium and chloride to NaCl-induced hypertension. *Hypertension.* 2005;45:867–73.

18. Whitescarver SA, et al. Salt-sensitive hypertension: contribution of chloride. *Science.* March 30, 1984;223(4643):1430–32.

19. Luft FC, et al. Sodium bicarbonate and sodium chloride: effects on blood pressure and electrolyte homeostasis in normal and hypertensive man. *J Hypertens.* July 1990;8(7):663–70.

20. Yokoyama Y, et al. Vegetarian diets and blood pressure. *JAMA Internal Medicine,* 2014.

21. Neurogenic hypertension: Is the enigma of its origin near the solution? *Hypertension.* 2004;43:154–55. Orig. pub. online December 15, 2003.

22. Ibid.

23. Eric Lazartigues. Inflammation and neurogenic hypertension: A new role for the circumventricular organs? Editorial. *Circulation Research.* 2010;107:166–67.

24. Wu KL, Chan SH, Chan JY. Neuroinflammation and oxidative stress in rostral ventrolateral medulla contribute to neurogenic hypertension induced by systemic inflammation. *J Neuroinflammation.* September 7, 2012;9(1):212.

25. Bakris G, et al. Atlas vertebra realignment and achievement of arterial pressure goal in hypertensive patients: a pilot study. *J Human Hypertens.* May 2007;21(5):347–52.

26. Hyperthyroidism. National Institutes of Health: MedlinePlus. http://www.nlm.nih.gov/medlineplus/ency/article/000356.htm. Updated June 7, 2013.

27. Oparil S, Sripairojthikoon W, Wyss JM. The renal afferent nerves in the pathogenesis of hypertension. *Can J Physiol Pharmacol.* August 1987;65(8):1548–58.

28. Nanba K, et al. A subtype prediction score for primary aldosteronism. *J Hum Hyper-*

tens. Online publication April 3, 2014.

29. Alderman MH, et al. **Pressor responses to antihypertensive drug types.** *Am J Hypertens.* September 2010;23(9):1031–37.

30. Ginty AT, et al. **Depression and anxiety are associated with a diagnosis of hypertension 5 years later in a cohort of late middle-aged men and women.** *J Hum Hypertens.* March 2013;27(3):187–90.

31. Paz García-Vera M, et al. **Differences in emotional personality traits and stress between sustained hypertension and normotension.** *Hypertension Research.* March 2010;33:203–8.

32. Mayo Clinic Staff. **High blood pressure (hypertension): Medications and supplements that can raise your blood pressure.** Mayo Clinic. May 13, 2013. http://www.Mayoclinic.org/diseases-conditions/high-blood-pressure/in-depth/blood-pressure/art-20045245.

33. University of Pennsylvania School of Medicine. **Drinking alcohol provides no heart health benefit, new study shows.** ScienceDaily. July 10, 2014. http://www.sciencedaily.com/releases/2014/07/140710151947.htm.

34. Mayo Clinic Staff. **High blood pressure (hypertension): Alternative medicine.** Mayo Clinic. April 28, 2014. http://www.Mayoclinic.org/diseases-conditions/high-blood-pressure/basics/alternative-medicine/con-20019580.

35. Sheps S. **High blood pressure (hypertension): Can L-arginine supplements lower blood pressure?** Mayo Clinic. April 2, 2014. http://www.Mayoclinic.org/diseases-conditions/high-blood-pressure/expert-answers/l-arginine/faq-20058052.

36. Rodríguez-Moran M, Guerrero-Romero F. **Oral magnesium supplementation improves the metabolic profile of metabolically obese, normal-weight individuals: a randomized double-blind placebo-controlled trial.** *Arch Med Res.* May 2014; pii: S0188-4409(14)00078-2.

37. Panhwar AH, et al. **Distribution of potassium, calcium, magnesium, and sodium levels in biological samples of Pakistani hypertensive patients and control subjects.** *Clin Lab.* 2014;60(3):463–74.

38. Houston M. **The role of nutrition and nutraceutical supplements in the treatment of hypertension.** *World J Cardiol.* February 26, 2014;6(2):38–66.

39. Yokoyama Y, et al. **Vegetarian diets and blood pressure: A meta analysis.** *JAMA Intern Med.* April 2014;174(4):577–87.

Capítulo 10: Varitas inquebrantables

1. Hughes JW, et al. **Randomized controlled trial of mindfulness-based stress reduction for prehypertension.** *Psychosomatic Medicine.* October 2013;75(8):721–28.

2. Cumming DC, Quigley ME, Yen SS. **Acute suppression of circulating testosterone levels by cortisol in men.** *J Clin Endocrinol Metab.* September 1983;57(3):671–73.

3. Opendak M, Gould E. **Adult neurogenesis: a substrate for experience-dependent change.** *Trends in Cognitive Sciences,* 2015.

4. Rosanoff A, Weaver CM, Rude RK. **Suboptimal magnesium status in the United States: are the health consequences underestimated?** *Nutr Rev.* 2012, Mar;70(3):153–64.

5. Heath DL, Vink R. **Traumatic brain axonal injury in animals produced sustained decline in intracellular free magnesium concentration.** *Brain Res.* 1996;738:150–3.

6. Blaylock RL, Maroon J. **Natural plant products and extracts that reduce immunoexcitotoxicity-associated neurodegeneration and promote repair within the central nervous system.** *Surg Neurol Int.* 2012;3:19.

7. Nielsen FH. **Effects of magnesium depletion on inflammation in chronic disease.** *Curr Opin Clin Nutr Metab Care.* 2014 Nov;17(6):525–30.

8. Rosanoff A, Weaver CM, Rude RK. **Suboptimal magnesium status in the United States: are the health consequences underestimated?** *Nutr Rev.* March 2012;70(3):153–64.

9. Chandrasekaran NC, et al. **Effects of magnesium deficiency—more than skin deep.** *Exp Biol Med* (Maywood). October 2014;239(10):1280–91.

10. Rosanoff A, Weaver CM, Rude RK. **Suboptimal magnesium status in the United**

States: are the health consequences underestimated? *Nutr Rev.* March 2012;70(3):153–64.

11. Nielsen FH. Effects of magnesium depletion on inflammation in chronic disease. *Curr Opin Clin Nutr Metab Care.* November 2014;17(6):525–30.

12. Mauskop A, Varughese J. Why all migraine patients should be treated with magnesium. *J Neural Transm.* May 2012;119(5):575–79.

13. Goldhamer AC, et al. Medically supervised water-only fasting in the treatment of hypertension. *J Manipulative Physiol Ther.* June 2001;24(5)335–39.

14. Goldhamer AC, et al. Medically supervised water-only fasting in the treatment of borderline hypertension. *J Altern Complement Med.* October 2002;8(5):643–50.

15. Valderrama AL, et al. Vital signs: Awareness and treatment of uncontrolled hypertension among adults—United States, 2003–2010. Centers for Disease Control and Prevention: Morbidity and Mortality Weekly Report. September 7, 2012;61(35):703–9. http://www.cdc.gov/mmwr/preview/mmwrhtml/mm6135a3.htm.

16. Go AS, et al. Heart disease and stroke statistics—2013 update: a report from the American Heart Association. *Circulation.* 2013;127:e6–e245.

17. Gillum RF, Makuc DM, Feldman JJ. Pulse rate, coronary heart disease, and death: the NHANES I epidemiologic follow-up study. *Am Heart J.* January 1991;121(1 Pt 1):172–77.

18. Gillman MW, et al. Influence of heart rate on mortality among persons with hypertension: The Framingham Study. *Am Heart J.* April 1993;125(4):1148–54.

19. Fox K, et al. Resting heart rate in cardiovascular disease. *J Am Coll Cardiol.* August 28, 2007;50(9):823–30.

20. Cooney MT, et al. Elevated resting heart rate is an independent risk factor for cardiovascular disease in healthy men and women. *Am Heart J.* April 2010;159(4):612–19.

21. Gillum RF, Makuc DM, Feldman JJ. Pulse rate, coronary heart disease, and death: the NHANES I epidemiologic follow-up study. *Am Heart J.* January 1991;121(1 Pt 1):172–77.

22. Gillman MW, et al. Influence of heart rate on mortality among persons with hypertension: The Framingham Study. *Am Heart J.* April 1993;125(4):1148–54.

23. Fox K, et al. Resting heart rate in cardiovascular disease. *J Am Coll Cardiol.* August 28, 2007;50(9):823–30.

24. Cooney MT, et al. Elevated resting heart rate is an independent risk factor for cardiovascular disease in healthy men and women. *Am Heart J.* April 2010;159(4):612–19.

25. Hulbert AH. Life and Death: Metabolic Rate, Membrane Composition, and Life Span of Animals. *Physiological Reviews.* October 2007;87(4):1175–1213. http://physrev.physiology.org/content/87/4/1175.

26. Olshansky, SJ. What Determines Longevity: Metabolic Rate or Stability? July 25, 2009. Discovery Medicine. http://www.discoverymedicine.com/S-J-Olshansky/2009/07/25/what-determines-longevity-metabolic-rate-or-stability/.

27. Aguilaniu H, Durieux J, Dillin A. Metabolism, ubiquinone synthesis, and longevity. May 15, 2014. Genesdev.cshlp.org.

28. Morrison RL, Bellack AS. The role of social perception in social skill. *Behavior Therapy.* January 1981;12(1):69–79.

29. Consoli SM, et al. Differences in emotion processing in patients with essential and secondary hypertension. *Am J Hypertens.* May 2010;23(5):515–21.

30. Baer PE, et al. Behavioral response to induced conflict in families with a hypertensive father. *Hypertension.* July-August 1980;2(4 Pt 2):70–77.

Capítulo 11: Todo está conectado, todo importa

1. Pert CB. *Molecules of Emotion: The Science Behind Mind-Body Medicine.* New York, NY: Simon & Schuster; 1999.

Capítulo 13: Se necesita una aldea

1. Irimia A, Van Horn JD. Systematic network lesioning reveals the core white matter

scaffold of the human brain. *Front Hum Neurosci.* February 11, 2014;8:51.
2. Getting PA. **Emerging principles governing the operation of neural networks.** *Ann Rev Neurosci.* March 1989;12:185–204.
3. Sporns O, et al. **Organization, development and function of complex brain networks.** *Trends in Cognitive Sciences.* September 2004;8(9):418–25.
4. Chatonnet F, Flamant F, Morte B. **A temporary compendium of thyroid hormone target genes in brain.** *Biochim Biophys Acta.* May 31, 2014.
5. Remaud S, et al. **Thyroid hormone signaling and adult neurogenesis in mammals.** *Front Endocrinol* (Lausanne). April 28, 2014;5:62.
6. Schroeder AC, Privalsky ML. **Thyroid hormones, t3 and t4, in the brain.** *Front Endocrinol* (Lausanne). March 31, 2014;5:40.
7. Knudsen N, et al. **Small differences in thyroid function may be important for body mass index and the occurrence of obesity in the population.** *Journal of Clinical Endocrinology & Metabolism.* July 1, 2005;90(7):4019–24.
8. Moulin de Moraes CM, et al. **Prevalence of subclinical hypothyroidism in a morbidly obese population and improvement after weight loss induced by Roux-en-Y gastric bypass.** *Obes Surg.* 2005 Oct;15(9):1287–91.

Capítulo 14: Licuadoras y cerveza

1. American Journal of Clinical Nutrition. 2003.
2. International Journal of Obesity and Related Metabolic Disorders. 1996.
3. Antimicrobial Agents and Chemotherapy. July 1972.
4. Epilepsia. 2008.
5. Dermatitis. 2004.
6. Journal of Pharmacy and Pharmacology. 2007.
7. The Cornucopia Institute. Kant Laboratorium BS.
8. Annals of the New York Academy of Science. December 2005.
9. Foodservice Research International. Vol. 13.

Capítulo 15: Esa pequeña glándula, ¿para qué sirve?

1. Walter, KN, et al. **Elevated thyroid stimulating hormone is associated with elevated cortisol in healthy young men and women.** *Thyroid Research.* October 30, 2012;5(1):13.
2. Karthick N, et al. **Dyslipidaemic changes in women with subclinical hypothyroidism.** *J Clin Diagn Res.* October 2013;7(10):2122–25.
3. Ibid.
4. Moseley KF. **Type 2 diabetes and bone fractures.** *Curr Opin Endocrinol Diabetes Obes.* April 2012;19(2):128–35.
5. Engbring N, Engstrom W. **Effects of estrogen and testosterone on circulating thyroid hormone.** *J Clin Endocrinol Metab.* July 1, 1959;19(7):783–96.
6. Wilber JF, Utiger RD. **The effect of glucocorticoids on thyrotropin secretion.** *J Clin Invest.* November 1969;48(11):2096–2103.
7. Blackwell J. **Evaluation and treatment of hyperthyroidism and hypothyroidism.** *J Am Acad Nurse Pract.* October 2004;16(10):422–25.

Capítulo 16: ¿Son tus síntomas consecuencias?

1. Maruo T, et al. **A role for thyroid hormone in the induction of ovulation and corpus luteum function.** *Horm Res.* 1992;37(Suppl 1):12–18.
2. De Lean A, et al. **Modulation of pituitary thyrotropin releasing hormone receptor levels by estrogens and thyroid hormones.** *Endocrinology.* June 1, 1977;100(6).
3. Clementson CE, et al. **Inflammation is detrimental for neurogenesis in adult brain.** *Proc Natl Acad Sci USA.* November 11, 2003;100(23):13632–37.
4. Cohen IR, et al., eds. ***Advances in Experimental Medicine and Biology.*** New York, NY: Springer Science + Business Media; 1976: 517–27.
5. Lopez-Ramirez MA, et al. **MicroRNA-155 negatively affects blood-brain barrier function during neuroinflammation.** *FASEB J.* June 2014;28(6):2551–65.
6. Ibid.

7. Rensselaer Polytechnic Institute. **Ego city: Cities are organized like human brains.** ScienceDaily. September 19, 2009. http://www.sciencedaily.com/releases/2009/09/090903163945.htm.

Capítulo 17: Semillas de salud

1. Kwan CL, et al. **Abnormal forebrain activity in functional bowel disorder patients with chronic pain.** *Neurology,* October 25, 2005;65(8):1268–77.
2. Meerman EE, Verkuil B, Brosschot JF. **Decreasing pain tolerance outside of awareness.** *J Psychosom Res.* March 2001;70(3):250–57.
3. McDougall JJ. **Arthritis and pain. Neurogenic origin of joint pain.** *Arthritis Res Ther.* 2006;8(6):220.
4. Walton KD, Dubois M, Linas RR. **Abnormal thalamocortical activity in patients with complex regional pain syndrome (CRPS) type I.** *Pain.* July 2010;150(1):41–51.
5. Schulze J, Troeger C. **Increased sympathetic activity assessed by special analysis of heart rate variability in patients with CRPS I.** *Handchir Mikrochir Plast Chir.* February 2010;42(1):44–48.
6. Stefka AT, et al. **Commensal bacteria protect against food allergen sensitization.** *Proceedings of the National Academy of Sciences.* September 9, 2014;111(36):13145–50. (Published online August 25, 2014.)
7. Kostic, AD, et al. **The Dynamics of the Human Infant Gut Microbiome in Development and in Progression toward Type 1 Diabetes.** *Cell Host & Microbe.* February 11, 2015;17(2):260–73.
8. Ibid.
9. Qiao Y, et al. **Effects of resveratrol on gut microbiota and fat storage in a mouse model with high-fat-induced obesity.** *Food Funct.* June 28, 2014;5(6):1241–49.
10. Schnabl B, Brenner DA. **Interactions between the intestinal microbiome and liver diseases.** *Gastroenterology.* May 2014;146(6):1513–24.

Capítulo 18: Los lobos y el panorama más amplio

1. Eaton K, et al. **Abnormal gut fermentation: Laboratory studies reveal deficiency of B vitamins, zinc, and magnesium.** *Journal of Nutritional Biochemistry.* November 1993;4(11):635–38.
2. Henao-Mejia J, Elinav E, Jin C. **Inflammasome-mediated dysbiosis regulates progression of NAFLD and obesity.** *Nature.* February 9, 2012;482:179–85.
3. Amar J, et al. **Intestinal mucosal adherence and translocation of commensal bacteria at the early onset of type 2 diabetes: Molecular mechanisms and probiotic treatment.** *EMBO Mol Med.* September 2011;3(9):559–72.
4. Iannitti T, Palmieri B. **Therapeutical use of probiotic formulations in clinical practice.** *Clinical Nutrition.* December 2010;29(6):701–25.
5. Eaton K, et al. **Abnormal gut fermentation: Laboratory studies reveal deficiency of B vitamins, zinc, and magnesium.** *Journal of Nutritional Biochemistry.* November 1993;4(11):635–38.
6. Brewer GJ. **Copper excess, zinc deficiency, and cognition loss in Alzheimer's disease.** *Biofactors.* 2012;38:107–13.
7. Watt NT, Whitehouse IJ, Hooper NM. **The role of zinc in Alzheimer's disease.** *Int J Alzheimer's Dis.* 2011;2011:971021.
8. Ryan KK, et al. **FXR is a molecular target for the effects of vertical sleeve gastrectomy.** *Nature.* May 8, 2014;509:183–88.
9. Moon C, et al. **Vertically transmitted faecal IgA levels determine extra-chromosomal phenotypic variation.** *Nature.* 2015.
10. Ryan KK, et al. **FXR is a molecular target for the effects of vertical sleeve gastrectomy.** *Nature.* May 8, 2014;509:183–88.
11. Abel R. *The Eye Care Revolution: Prevent and Reverse Common Vision Problems.* New York, NY: Kensington Books; 2004.
12. Liu Y, et al. **Liver-directed neonatal gene therapy prevents cardiac, bone, ear, and eye disease in mucopolysaccharidosis I mice.** *Mol Ther.* 2006;11:35–47.
13. O'Neill DP. **The eye and liver disorders.** *Eye.* 1992;6(4):366–70.

14. Müller A, Rehm WF, Vuilleumier JP. **Studies on the vitamin A level in the liver and serum of cattle in their relationship to the photography of the fundus of the eye.** *Zentralblatt für Veterinärmedizin.* August 1970;17(7):652–62.
15. Mehling WE, Krause N. **Are difficulties perceiving and expressing emotions associated with low-back pain? The relationship between lack of emotional awareness (alexithymia) and 12-month prevalence of low-back pain in 1180 urban public transit operators.** *J Psychosom Res.* January 2005;58(1):73–81.
16. Esteves JE, et al. **Emotional processing and its relationship to chronic low back pain: results from a case-control study.** *Man Ther.* December 2013;18(6):541–46.
17. Carson JW, et al. **Conflict about expressing emotions and chronic low back pain: associations with pain and anger.** *J Pain.* May 2007;8(5):405–11.
18. Middleton P, Pollard H. **Are chronic low back pain outcomes improved with co-management of concurrent depression?** *Chiropr Osteopat.* June 22, 2005;13(1):8.
19. Moore JE. **Chronic low back pain and psychosocial issues.** *Phys Med Rehabil Clin N Am.* November 2010;21(4):801–15.
20. Schofferman J, et al. **Childhood psychological trauma correlates with unsuccessful lumbar spine surgery.** *Spine* (Philadelphia, PA 1976). June 1992;17(6 Suppl):S138–44.
21. Klinghardt D. **Lehrbuch der Psycho-Kinesiologie.** 12. Aufl., Juni 2013, Institut Für Neurobiologie.
22. Schofferman J, et al. **Childhood psychological trauma and chronic refractory low-back pain.** *Clin J Pain.* December 1993;9(4):260–65.
23. Lowes R. **Specialist office visits outpaced primary care in 2013.** Medscape. May 7, 2014. http://www.medscape.com/viewarticle/824733.
24. Bianconi E, Piovesan A, Facchin F. **An estimation of the number of cells in the human body.** *Ann Hum Biol.* November–December 2013;40(6):463–71.
25. **A wolf's role in the ecosystem—the trophic cascade.** Mission: Wolf. http://www.missionwolf.org/page/trophic-cascade/.
26. Ripple, WJ, Beschta RL. **Trophic cascades in Yellowstone: The first 15 years after wolf reintroduction.** *Biol. Conserv.* January 2012;145(1):205–13.
27. Monbiot G. **For more wonder, rewild the world.** Talk presented at TED Global 2013. June 2013, Edinburgh, Scotland. http://www.ted.com/talks/george_monbiot_for_more_wonder_rewild_the_world.
28. Oregon State University News Research and Communications. **Of bears and berries: Return of wolves aids grizzly bears in Yellowstone.** Oregon State University. July 29, 2013. http://oregonstate.edu/ua/ncs/archives/2013/jul/bears-and-berries-return-wolves-aids-grizzly-bears-yellowstone.

Capítulo 21: Un perro enfermo da lecciones sobre cómo bajar de peso

1. Allison DB, et al. **Annual deaths attributable to obesity in the United States.** *JAMA.* 1999;282:1530–38.
2. Ekelund U, et al. **Physical activity and all-cause mortality across levels of overall and abdominal adiposity in European men and women: The European Prospective Investigation into Cancer and Nutrition Study (EPIC).** *Am J Clin Nutr.* January 14, 2015.
3. Ng M, et al. **Global, regional, and national prevalence of overweight and obesity in children and adults during 1980–2013: A systematic analysis for the Global Burden of Disease Study 2013.** *Lancet.* May 28, 2014. pii: S0140-6736(14)60460-8.
4. Ford ES, Maynard LM, Li C. **Trends in Mean Waist Circumference and Abdominal Obesity Among US Adults, 1999–2012.** *JAMA.* 2014;312(11):1151–53.
5. Rawlings AM, et al. **Diabetes in midlife and cognitive change over 20 years: A cohort study.** *Ann Intern Med.* 2014;161:785–93).
6. **Type 2 Diabetes May Shrink the Brain.** WebMD: Diabetes Health Center. http://www.webmd.com/diabetes/news/20140429/type-2-diabetes-May-shrink-the-brain-study-suggests?src=RSS_PUBLIC.
7. Gregg EW, et al. **Trends in lifetime risk and years of life lost due to diabetes in the USA, 1985–2011: A modelling study.** *Lancet Diabetes & Endocrinology.* August 13, 2014.

Referencias

8. Kolata G. **Looking Past Blood Sugar to Survive With Diabetes.** August 20, 2007. http://www.nytimes.com/2007/08/20/health/20diabetes.html?adxnnlx=1411225707 -s8oNCsEcMOKAbxxleIdfog&pagewanted=all.
9. Diabetes Prevention Program Research Group. **10-year follow-up of diabetes incidence and weight loss, in the Diabetes Prevention Program Outcomes Study.** *Lancet.* November 14, 2009;374(9702):1677–86.
10. Basu S, et al. **The relationship of sugar to population-level diabetes prevalence: an econometric analysis of repeated cross-sectional data.** *PLoS One.* 2013;8:e57873.
11. Malhotra A, Noakes T, Phinney S. **It is time to bust the myth of physical inactivity and obesity: you cannot outrun a bad diet.** *Br J Sports Med.* April 22, 2015. pii: bjsports-2015-094911.
12. Feinman RD, et al. **Dietary carbohydrate restriction as the first approach in diabetes management: Critical review and evidence base.** *Nutrition.* January 2015;31(1):1–13.
13. St-Onge M, Janssen I, Heymsfield SB. **Metabolic Syndrome in Normal-Weight Americans: New definition of the metabolically obese, normal-weight individual.** *Diabetes Care.* September 2004;27(9):2222–28.
14. Weiss R, Bremer AA, Lustig RH. Review: **What is metabolic syndrome, and why are children getting it?** *Ann NY Acad Sci.* April 2013;1281:123–40. Epub Jan 28, 2013.
15. American Psychological Association. **Stress in America: Paying With Our Health.** February 4, 2015. http://www.apa.org/news/press/releases/stress/2014/stress-report.pdf.
16. Elia M. **Organ and tissue contribution to metabolic weight.** In: Kinney JM, Tucker HN, eds. *Energy Metabolism: Tissue Determinants and Cellular Corollaries.* New York, NY: Raven Press; 1992: 61–79.
17. Suez J, et al. **Artificial sweeteners induce glucose intolerance by altering the gut microbiota.** *Nature.* September 2014; 514(7521):181–86.
18. Fowler SPG, Williams K, Hazuda HP. **Diet Soda Intake Is Associated with Long-Term Increases in Waist Circumference in a Biethnic Cohort of Older Adults.** The San Antonio Longitudinal Study of Aging. *Journal of the American Geriatrics Society.* March 17, 2015.
19. Padayatty SJ, et al. **Human adrenal glands secrete vitamin C in response to adreno-corticotrophic hormone.** *Am J Clin Nutr.* July 2007;86(1):145–49.
20. Onge MP, et al. **Sleep restriction leads to increased activation of brain regions sensitive to food stimuli.** Institute of Human Nutrition, College of Physicians and Surgeons, Columbia University, New York, NY. *Am J Clin Nutr.* April 2012;95(4):818–24.

Capítulo 22: Obesidad e inflamación: un dúo temible

1. Simpson ER, Brown KA. Review: **Obesity and breast cancer: a tale of inflammation and dysregulated metabolism.** *Mol Endocrinol.* May 2013;27(5):715–25.
2. Kappelman MD, et al. **The prevalence and geographic distribution of Crohn's disease and ulcerative colitis in the United States.** *Clin Gastroenterol Hepatol.* 2007;5:1424–29.
3. Wilcox CS, et al. **Repeated mixing and isolation: measuring chronic, intermittent stress in Holstein calves.** *J Dairy Sci,* Nov 2013;96(11):7223–33.
4. Allen LV, Jr. **Adrenal fatigue.** *Int J Pharm Compd.* Jan–Feb 2013;17(1):39–44.
5. Munsterhjelm K, et al. **Physicians defend Scandlab: Salivary cortisol test can determine adrenal fatigue.** *Lakartidningen.* May 25–31, 2011;108(21):1196–97; discussion 1197–98. Swedish.
6. Nippoldt T. Mayo Clinic office visit. **Adrenal fatigue. An interview with Todd Nippoldt, M.D.** *Mayo Clin Womens Healthsource.* March 2010;14(3):6.
7. Tome ME, McNabb FM, Gwazdauskas FC. **Adrenal responses to chronic and acute water stress in Japanese quail** *Coturnix japonica. Comp Biochem Physiol A Comp Physiol.* 1985;81(1):171–79.
8. Moss HB, et al. **Salivary cortisol responses in prepubertal boys: The effects of parental substance abuse and association with drug use behavior during adolescence.** *Biol Psychiatry.* May 15, 1999;45(10):1293–99.

9. Nieman LK. **Screening for reversible osteoporosis: Is cortisol a culprit?** *Ann Intern Med.* 2007;147(8):582–84.
10. Lupien SJ, et al. **Cortisol levels during human aging predict hippocampal atrophy and memory deficits.** *Nature Neuroscience* 1.1 (1998): 69–73.
11. Randall M. **The Physiology of Stress: Cortisol and the Hypothalamic-Pituitary-Adrenal Axis.** Dartmouth University. February 3, 2011. http://dujs.dartmouth.edu/fall-2010/the-physiology-of-stress-cortisol-and-the-hypothalamic-pituitary-adrenal-axis#.U5POyij5cuA.
12. Chrousos GP. **Stress and disorders of the stress system.** *Nature Reviews Endocrinology.* July 2009;5:374–81.
13. Lupien SJ, et al. **Cortisol levels during human aging predict hippocampal atrophy and memory deficits.** *Nature Neuroscience* 1.1 (1998): 69–73.
14. Randall M. **The Physiology of Stress: Cortisol and the Hypothalamic-Pituitary-Adrenal Axis.** Dartmouth University. February 3, 2011. http://dujs.dartmouth.edu/fall-2010/the-physiology-of-stress-cortisol-and-the-hypothalamic-pituitary-adrenal-axis#.U5POyij5cuA.
15. Nieman LK. **Screening for reversible osteoporosis: Is cortisol a culprit?** *Ann Intern Med.* 2007;147(8):582–84.
16. Vauthier V, et al. **Endospanin 1 silencing in the hypothalamic arcuate nucleus contributes to sustained weight loss of high fat diet obese mice.** *Gene Ther.* July 2014;21(7):638–44.
17. Andrews R, Walker B. **Glucocorticoids and insulin resistance: old hormones, new targets.** *Clinical Science.* 1999;96(6):513–23.
18. Carney DR, Cuddy AJ, Yap AJ. **Power posing: Brief nonverbal displays affect neuroendocrine levels and risk tolerance.** *Psychological Science.* 2010;21(10):1363–68.
19. Ibid.
20. Peper E, Lin, IM. **Increase or decrease depression: How body postures influence your energy level.** *Biofeedback.* 2012;40(3):126–30.
21. Cuddy A. **Boost Power Through Body Language.** HBR Blog Network. *Harvard Business Review.* April 6, 2011.
22. Chen K, et al. **Induction of leptin resistance through direct interaction of C-reactive protein with leptin.** *Nature Medicine.* April 2006;12(4):425–32.
23. Youm Y-H, et al. **The ketone metabolite β-hydroxybutyrate blocks NLRP3 inflammasome–mediated inflammatory disease.** *Nature Medicine,* 2015;21(3):263–69.
24. Boyd DB. **Insulin and cancer.** *Integr Cancer Ther.* December 2003;2(4):315–29.
25. Björntorp P. **Metabolic implications of body fat distribution.** *Diabetes Care.* December 1991;14(12):1132–43.

Capítulo 23: El estrés afecta tus hormonas... ¡y mucho más!

1. Selye H. *The Story of the Adaptation Syndrome.* Montreal, Quebec: ACTA Inc.; 1952.
2. Selye H. *The Stress of Life.* New York: McGraw-Hill; 1956.
3. Selye H. *Stress without distress.* Philadelphia, PA: J. B. Lippincott Co.; 1974.
4. Selye H. **Relation of the adrenal cortex to arthritis.** *Lancet.* June 22, 1946;247(6408):942.
5. Selye H. *The Stress of Life.* New York: McGraw-Hill; 1956.
6. Selye H. *Stress without distress.* Philadelphia, PA: J. B. Lippincott Co.; 1974.
7. Selye H. **Relation of the adrenal cortex to arthritis.** *Lancet.* June 22, 1946;247(6408):942.
8. Selye H. **Factors influencing the production of cardiovascular diseases by anterior pituitary and corticoid hormones.** *Endocrinology.* 1946;39:71.
9. Selye H. *The Physiology and Pathology of Exposure to Stress: A Treatise Based on the Concepts of the General-Adaptation-Syndrome and the Diseases of Adaptation.* Montreal, Quebec: ACTA Inc.; 1950.
10. Selye H. **Factors influencing the production of cardiovascular diseases by anterior pituitary and corticoid hormones.** *Endocrinology.* 1946;39:71.
11. Selye H. *The Physiology and Pathology of Exposure to Stress: A Treatise Based on the Concepts of the General-Adaptation-Syndrome and the Diseases of Adaptation.*

Referencias

Montreal, Quebec: ACTA Inc.; 1950.

12. Giltay EJ, et al. Dispositional optimism and all-cause and cardiovascular mortality in a prospective cohort of elderly Dutch men and women. *Arch Gen Psychiatry*. November 2004;61(11):1126–35.

13. Gallacher D, Gallacher J. Are relationships good for your health? *Student BMJ*. January 2011;19:d404.

14. King KB, Reis HT. Marriage and long-term survival after coronary artery bypass grafting. *Health Psychol*. January 2012;31(1):55–62.

15. Oliver KN, et al. Stigma and optimism in adolescents and young adults with cystic fibrosis. *J Cyst Fibros*. May 1, 2014. pii: S1569-1993(14)00092-7.

16. Popa-Velea O, Purcarea VL. Psychological factors mediating health-related quality of life in COPD. *J Med Life*. March 15, 2014;7(1):100–3.

17. Erlik Y, Meldrum DR, Judd HL. Estrogen levels in postmenopausal women with hot flashes. *Obstetrics & Gynecology*. April 1982;59(4):403–538.

18. Woods NF, et al. Increased urinary cortisol levels during the menopausal transition. *Menopause*. March–April 2006;13(2):212–21.

19. Food and Agriculture Organization of the United Nations: FAO Soils Bulletin 17: Trace Elements in Soil and Agriculture. 1972.

20. Thomas D. The mineral depletion of foods available to us as a nation (1940–2002)—a review of the 6th Edition of McCance and Widdowson. *Nutr Health*. 2007;19(1-2):21–55.

21. Tan ZX, Lal R, Wiebe KD. Global soil nutrient depletion and yield reduction. *J Sustain Agr*. 2005;26(1):123-146.

22. Pacifico D, et al. NMR-based metabolomics for organic farming traceability of early potatoes. *J Agric Food Chem*. November 20, 2013;61(46):11201–11.

23. Gordon B. Manganese nutrition of glyphosate-resistant and conventional soybeans. *Better Crops*. 2007;91(4):12–13.

24. Hunter D, et al. Review: Evaluation of the micronutrient composition of plant foods produced by organic and conventional agricultural methods. *Crit Rev Food Sci Nutr*. July 2011;51(6):571–82.

25. Györéné KG, Varga A, Lugasi A. Review: A comparison of chemical composition and nutritional value of organically and conventionally grown plant derived foods. *Orv Hetil*. October 29, 2006;147(43):2081–90.

26. Mahan DC, Peters JC. Long-term effects of dietary organic and inorganic selenium sources and levels on reproducing sows and their progeny. *J Anim Sci*. May 2004;82(5):1343–58.

27. Gordon B. Manganese nutrition of glyphosate-resistant and conventional soybeans. *Better Crops*. 2007;91(4):12–13.

28. Hunter D, et al. Review: Evaluation of the micronutrient composition of plant foods produced by organic and conventional agricultural methods. *Crit Rev Food Sci Nutr*. July 2011;51(6):571–82.

29. Györéné KG, Varga A, Lugasi A. Review: A comparison of chemical composition and nutritional value of organically and conventionally grown plant derived foods. *Orv Hetil*. October 29, 2006;147(43):2081–90.

30. Akbaba U, Sahin Y, Türkez H. Element content analysis by WDXRF in pistachios grown under organic and conventional farming regimes for human nutrition and health. *Toxicol Ind Health*. October 2012;28(9):783–38.

31. Vanzo A, et al. Metabolomic profiling and sensorial quality of "Golden Delicious," "Liberty," "Santana," and "Topaz" apples grown using organic and integrated production systems. *J Agric Food Chem*. July 3, 2013;61(26):6580–87.

32. Nitika, Punia D, Khetarpaul N. Physico-chemical characteristics, nutrient composition and consumer acceptability of wheat varieties grown under organic and inorganic farming conditions. *Int J Food Sci Nutr*. May 2008;59(3):224–45.

33. Pacifico D, et al. NMR-based metabolomics for organic farming traceability of early potatoes. *J Agric Food Chem*. November 20, 2013;61(46):11201–11.

34. Gordon B. Manganese nutrition of glyphosate-resistant and conventional soybeans. *Better Crops*. 2007;91(4):12–13.

35. Hunter D, et al. Review: Evaluation of the micronutrient composition of plant foods produced by organic and conventional agricultural methods. *Crit Rev Food Sci Nutr.* July 2011;51(6):571–82.

36. Györéné KG, Varga A, Lugasi A. Review: A comparison of chemical composition and nutritional value of organically and conventionally grown plant derived foods. *Orv Hetil.* October 29, 2006;147(43):2081–90.

37. Akbaba U, Sahin Y, Türkez H. Element content analysis by WDXRF in pistachios grown under organic and conventional farming regimes for human nutrition and health. *Toxicol Ind Health.* October 2012;28(9):783–88.

38. Vanzo A, et al. Metabolomic profiling and sensorial quality of "Golden Delicious," "Liberty," "Santana," and "Topaz" apples grown using organic and integrated production systems. *J Agric Food Chem.* July 3, 2013;61(26):6580–87.

39. Nitika, Punia D, Khetarpaul N. Physico-chemical characteristics, nutrient composition and consumer acceptability of wheat varieties grown under organic and inorganic farming conditions. *Int J Food Sci Nutr.* May 2008;59(3):224–45.

40. Vallverdú-Queralt A, et al. A metabolomic approach differentiates between conventional and organic ketchups. *J Agric Food Chem.* November 9, 2011;59(21):11703–10.

41. Ruiz-Aracama A, et al. Application of an untargeted metabolomics approach for the identification of compounds that may be responsible for observed differential effects in chickens fed an organic and a conventional diet. *Food Addit Contam Part A Chem Anal Control Expo Risk Assess.* 2012;29(3):323–32.

42. Kazimierczak R, et al. Beetroot (Beta vulgaris L.) and naturally fermented beetroot juices from organic and conventional production: Metabolomics, antioxidant levels and anticancer activity. *J Sci Food Agric.* May 2, 2014.

43. Asami DK, et al. Comparison of the total phenolic and ascorbic acid content of freeze-dried and air-dried marionberry, strawberry, and corn grown using conventional, organic, and sustainable agricultural practices. *J Agric Food Chem.* 2003;51(5):1237–41.

44. Vrček IV, et al. A comparison of the nutritional value and food safety of organically and conventionally produced wheat flours. *Food Chem.* January 15, 2014;143:522–29.

45. Park YS, et al. Nutritional and pharmaceutical properties of bioactive compounds in organic and conventional growing kiwifruit. *Plant Foods Hum Nutr.* March 2013;68(1):57–64.

46. Palupi E, et al. Review: Comparison of nutritional quality between conventional and organic dairy products: a meta-analysis. *J Sci Food Agric.* November 2012;92(14):2774–81.

47. Hallmann E. The influence of organic and conventional cultivation systems on the nutritional value and content of bioactive compounds in selected tomato types. *J Sci Food Agric.* November 2012;92(14):2840–48.

48. Crinnion WJ. Review: Organic foods contain higher levels of certain nutrients, lower levels of pesticides, and may provide health benefits for the consumer. *Altern Med Rev.* April 2010;15(1):4–12.

49. Chensheng Lu, et al. Organic diets significantly lower children's dietary exposure to organophosphorus pesticides. *Environ Health Perspect.* Feb 2006;114(2):260–63.

50. Repetto R, Baliga SS. Pesticides and the Immune System: The Public Health Risks.

51. Obayashi Y, et al. Interdisciplinary Studies on Environmental Chemistry—Environmental Research in Asia Eds. pp. 211–217. TERRAPUB, 2009.

52. Colborn T, vom Saal FS, Soto AM. Developmental effects of endocrine-disrupting chemicals in wildlife and humans. *Environmental Health Perspectives.* 1993;101(5):378–84.

53. Bretveld RW, et al. Pesticide exposure: The hormonal function of the female reproductive system disrupted? *Reproductive Biology and Endocrinology.* 2006;4:30.

54. Eskenazi B, et al. Prenatal exposure to pesticides can lead to problems with brain development in children. Pesticide toxicity and the developing brain. *Basic Clin Pharmacol Toxicol.* February 2008;102(2):228–36.

55. Furlong CE, et al. Children have higher cumulative rates of pesticides in their bod-

ies. Newborns and children have a greater risk from pesticide exposure than adults. PON1 status of farmworker mothers and children as a predictor of organophosphate sensitivity. *Pharmacogenet Genomics.* March 2006;16(3):183–90.

56. Landrigan PJ, et al. Pesticides and inner-city children: Exposures, risks, and prevention. *Environmental Health Perspectives* 1999;107(Suppl 3):431–37.

57. Garry V, et al. Pesticide appliers, biocides, and birth defects in rural Minnesota. *Environmental Health Perspectives.* 1996;104(4):394–99.

58. Salam MT, et al. Early life environmental risk factors for asthma: Findings from the children's health study. *Environmental Health Perspectives.* 2003;112(6):760.

59. Hernández AF, Parrón T, and Alarcón R. Pesticides and asthma. *Curr Opin Allergy Clin Immunol.* 2011;11(2):90–6.

60. Rui L, Haoru Z, Yining L. Anti-tumor effect and protective effect on chemotherapeutic damage of water-soluble extracts from Hedyotis diffusa. *Journal of Chinese Pharmaceutical Sciences.* 2002;11(2):54–57.

61. Xiaoming L, et al. Effect of Yin Er, Fu Ling and Jiao Gu Lan on the immunological and free radical-clearing functions in mice. *Journal of Beijing Medical University.* 1995;27(6):455–57,473.

62. Klein A, et al. Pathway-focused bioassays and transcriptome analysis contribute to a better activity monitoring of complex herbal remedies. *BMC Genomics.* February 27, 2013;14:133.

63. Liying L, et al. Clinical observation on treating 40 cases of malignant ascites with intraperitoneal perfusion of Bai Hua She She Cao. *Modern Tumour Medicine.* 2004;12(2):147.

64. Xiaoming L, et al. Immune function restoring function and free radical clearing function of Jiao Gu Lan saponin and its compound in aged mice. *Journal of Chinese Gerontics.* 1998;18(12):364–65.

65. Pacifico D, et al. NMR-based metabolomics for organic farming traceability of early potatoes. *J Agric Food Chem.* November 20, 2013;61(46):11201–11.

66. Gordon B. Manganese nutrition of glyphosate-resistant and conventional soybeans. *Better Crops.* 2007;91(4):12–13.

67. Hunter D, et al. Review: Evaluation of the micronutrient composition of plant foods produced by organic and conventional agricultural methods. *Crit Rev Food Sci Nutr.* July 2011;51(6):571–82.

68. Akbaba U, Sahin Y, Türkez H. Element content analysis by WDXRF in pistachios grown under organic and conventional farming regimes for human nutrition and health. *Toxicol Ind Health.* October 2012;28(9):783–38.

69. Vanzo A, et al. Metabolomic profiling and sensorial quality of "Golden Delicious," "Liberty," "Santana," and "Topaz" apples grown using organic and integrated production systems. *J Agric Food Chem.* July 3, 2013;61(26):6580–87.

70. Nitika, Punia D, Khetarpaul N. Physico-chemical characteristics, nutrient composition and consumer acceptability of wheat varieties grown under organic and inorganic farming conditions. *Int J Food Sci Nutr.* May 2008;59(3):224–45.

71. Ruiz-Aracama A, et al. Application of an untargeted metabolomics approach for the identification of compounds that may be responsible for observed differential effects in chickens fed an organic and a conventional diet. *Food Addit Contam Part A Chem Anal Control Expo Risk Assess.* 2012;29(3):323–32.

72. Kazimierczak R, et al. Beetroot (Beta vulgaris L.) and naturally fermented beetroot juices from organic and conventional production: Metabolomics, antioxidant levels and anticancer activity. *J Sci Food Agric.* May 2, 2014.

73. Vrček IV, et al. A comparison of the nutritional value and food safety of organically and conventionally produced wheat flours. *Food Chem.* January 15, 2014;143:522–59.

74. Park YS, et al. Nutritional and pharmaceutical properties of bioactive compounds in organic and conventional growing kiwifruit. *Plant Foods Hum Nutr.* March 2013;68(1):57–64.

75. Palupi E, et al. Review: Comparison of nutritional quality between conventional and organic dairy products: a meta-analysis. *J Sci Food Agric.* November 2012;92(14):2774–81.

76. Hallmann E. The influence of organic and conventional cultivation systems on the nutritional value and content of bioactive compounds in selected tomato types. *J Sci Food Agric.* November 2012;92(14):2840–48.

77. Crinnion WJ. Review: Organic foods contain higher levels of certain nutrients, lower levels of pesticides, and may provide health benefits for the consumer. *Altern Med Rev.* April 2010;15(1):4–12.

Capítulo 24: ¿Qué dicen tus espejos sobre tu salud?

1. Abravanel ED. *Dr. Abravanel's Body Type Diet and Lifetime Nutrition Plan.* New York, NY: Bantam; 1999.

2. Cabot S, Cooper D, Burani JC. *The Body-Shaping Diet.* New York, NY: Warner Books; 1995.

3. Farvid MS, et al. Association of adiponectin and resistin with adipose tissue compartments, insulin resistance and dyslipidaemia. *Diabetes, Obesity and Metabolism.* July 2005;7(4):406–13.

4. Ross R, et al. Adipose tissue volume measured by magnetic resonance imaging and computerized tomography in rats. *J Appl Physiol.* May 1, 1991;70:2164–72.

5. Urbanchek MG, et al. Specific force deficit in skeletal muscles of old rats is partially explained by the existence of denervated muscle fibers. *Journals of Gerontology Series A: Biological Sciences and Medical Sciences.* May 1, 2001;56(5):B191–B197.

6. Elia M. Organ and tissue contribution to metabolic weight. In: Kinney JM, Tucker HN, eds. *Energy Metabolism: Tissue Determinants and Cellular Corollaries.* New York, NY: Raven Press; 1999: 61–79.

7. Donnelly JE, et al. Is resistance training effective for weight management? *Evidence-Based Preventive Medicine.* 2003;1(1):21–29.

8. Srikanthan P, Hevener AL, Karlamangla AS. Sarcopenia exacerbates obesity-associated insulin resistance and dysglycemia: findings from the national health and nutrition examination survey III. *PLoS One.* May 26, 2010;5(5):e10805.

9. Rhéaume C, et al. Contributions of cardiorespiratory fitness and visceral adiposity to six-year changes in cardiometabolic risk markers in apparently healthy men and women. May 1, 2011;96(5):1462–68.

10. Hutchison SK, et al. Effects of exercise on insulin resistance and body composition in overweight and obese women with and without polycystic ovary syndrome. *J Clin Endocrinol Metab,* January 1, 2011;96(1):E48–E56.

11. Srikanthan P, Karlamangla AS. Relative muscle mass is inversely associated with insulin resistance and prediabetes. Findings from the third National Health and Nutrition Examination Survey. *J Clin Endocrinol Metab.* September 2011;96(9)2898–903.

12. Evans WJ, Campbell WW. Sarcopenia and age-related changes in body composition and functional capacity. *J Nutr.* February 1993;123(2 Suppl):465–68.

13. Morley JE. Anorexia, sarcopenia, and aging. *Nutr.* July–August 2001;17(7–8):660–63.

14. Ford ES, Maynard LM, Li C. Trends in mean waist circumference and abdominal obesity among US adults, 1999–2012. *JAMA.* 2014;312(11):1151–53.

15. Briggs DI, et al. Calorie-restricted weight loss reverses high-fat diet-induced ghrelin resistance, which contributes to rebound weight gain in a ghrelin-dependent manner. *Endocrinology.* February 2013;154(2):709–17.

16. Lustig RH. The neuroendocrinology of obesity. *Endocrinol Metab Clin North Am.* September 2001;30(3):765–85.

17. McNay DE, Speakman JR. High fat diet causes rebound weight gain. *Mol Metab.* November 2012;2(2):103–108.

Capítulo 25: ¿Secretos para bajar de peso?

1. Hill AJ. Does dieting make you fat? *British Journal of Nutrition.* August 2004;92(S1):S15–S18.

2. Ibid.

3. Levine JA, et al. Interindividual variation in posture allocation: possible role in human obesity. *Science.* January 2005;307(5709):584–86.

Referencias

4. Ibid.
5. Elia M. Organ and tissue contribution to metabolic weight. In: Kinney JM, Tucker HN, eds. *Energy Metabolism: Tissue Determinants and Cellular Corollaries.* New York, NY: Raven Press; 1992: 61–79.
6. Levine JA, et al. Interindividual variation in posture allocation: possible role in human obesity. *Science.* January 2005;307(5709):584–86.
7. Elia M. Organ and tissue contribution to metabolic weight. In: Kinney JM, Tucker HN, eds. *Energy Metabolism: Tissue Determinants and Cellular Corollaries.* New York, NY: Raven Press; 1992: 61–79.
8. Levine JA, et al. Interindividual variation in posture allocation: possible role in human obesity. *Science.* January 2005;307(5709):584–86.
9. Elia M. Organ and tissue contribution to metabolic weight. In: Kinney JM, Tucker HN, eds. *Energy Metabolism: Tissue Determinants and Cellular Corollaries.* New York, NY: Raven Press; 1992: 61–79.
10. Levine JA, et al. Interindividual variation in posture allocation: possible role in human obesity. *Science.* January 2005;307(5709):584–86.
11. Elia M. Organ and tissue contribution to metabolic weight. In: Kinney JM, Tucker HN, eds. *Energy Metabolism: Tissue Determinants and Cellular Corollaries.* New York, NY: Raven Press; 1992: 61–79.
12. Donnelly JE, et al. Is resistance training effective for weight management? *Evidence-Based Preventive Medicine.* 2003;1:21–29.
13. Ballor DL, Poehlman ET. Exercise-training enhances fat-free mass preservation during diet-induced weight loss: a meta-analytical finding. *Int J Obes Relat Metab Disord.* January 1994;18(1):35–40.
14. Meerman R, Brown AJ. When somebody loses weight, where does the fat go? *BMJ.* 2014;349.
15. Elia M. Organ and tissue contribution to metabolic weight. In: Kinney JM, Tucker HN, eds. *Energy Metabolism: Tissue Determinants and Cellular Corollaries.* New York, NY: Raven Press; 1992: 61–79.
16. Donnelly JE, et al. Is resistance training effective for weight management? *Evidence-Based Preventive Medicine.* 2003;1:21–29.
17. Ballor DL, Poehlman ET. Exercise-training enhances fat-free mass preservation during diet-induced weight loss: a meta-analytical finding. *Int J Obes Relat Metab Disord.* January 1994;18(1):35–40.
18. Keim NL, Barbieri TF, Van Loan M. Physiological and biochemical variables associated with body fat loss in overweight women. *Int J Obes.* April 1991;15(4):283–93.
19. Poirier P, Després JP. Exercise in weight management of obesity. *Cardiol Clin.* August 2001;19(3):459–70.
20. Rosenkilde M, et al. Body fat loss and compensatory mechanisms in response to different doses of aerobic exercise—a randomized controlled trial in overweight sedentary males. *Am J Physiol Regul Integr Comp Physiol.* September 15, 2012;303(6):R571–R579.
21. Smith TJ, et al. Efficacy of a meal-replacement program for promoting blood lipid changes and weight and body fat loss in US Army soldiers. *J Am Diet Assoc.* February 2010;110(2):268–73.
22. Willis FB, Smith FM, Willis AP. Frequency of exercise for body fat loss: a controlled, cohort study. *J Strength Cond Res.* November 2009;23(8):2377–80.
23. Krebs JD, et al. Changes in risk factors for cardiovascular disease with body fat loss in obese women. *Diabetes Obes Metab.* November 2002;4(6):379–87.
24. Lamarche B, et al. Is body fat loss a determinant factor in the improvement of carbohydrate and lipid metabolism following aerobic exercise training in obese women? *Metabolism.* November 1992;41(11):1249–56.
25. Tremblay A, Nadeau A, Bouchard C. Is body fat loss a determinant factor in the improvement of carbohydrate and lipid metabolism following aerobic exercise training in obese women? *Metabolism.* November 1992;41(11):1249–56.
26. Ballor DL, Poehlman ET. Exercise-training enhances fat-free mass preservation during diet-induced weight loss: a meta-analytical finding. *Int J Obes Relat Metab*

Disord. January 1994;18(1):35–40.

27. Tremblay A, Nadeau A, Bouchard C. **Is body fat loss a determinant factor in the improvement of carbohydrate and lipid metabolism following aerobic exercise training in obese women?** *Metabolism.* November 1992;41(11):1249–56.
28. Farnsworth E, et al. **Effect of a high-protein, energy-restricted diet on body composition, glycemic control, and lipid concentrations in overweight and obese hyperinsulinemic men and women.** *Am J Clin Nutr.* July 2003;78(1):31–39.
29. Katch FI, Michael ED Jr., Jones EM. **Effects of physical training on the body composition and diet of females.** American Association for Health, Physical Education and Recreation. *Research Quarterly.* 1969;40(1):99–104.
30. Muth DM. **What are the guidelines for percentage of body fat loss?** ACE Fitness. December 2, 2009. https://www.acefitness.org/acefit/healthy-living-article/60/112/what-are-the-guidelines-for-percentage-of/.
31. Troisi RJ, et al. **Relation of obesity and diet to sympathetic nervous system activity.** *Hypertension.* 1991;17:669–77.
32. Gibala MJ, et al. **Physiological adaptations to low-volume, high-intensity interval training in health and disease.** *J Physiol.* March 1, 2012;590(Pt 5):1077–84.
33. Little JP, Francois ME. **High-intensity interval training for improving postprandial hyperglycemia.** *Res Q Exerc Sport.* December 2014;85(4):451–56.
34. Álvarez C, et al. **Eight weeks of combined high intensity intermittent exercise normalized altered metabolic parameters in women.** *Rev Med Chil.* April 2014;142(4):458–66.
35. Ho SS, Dhaliwal SS, Hills AP, Pal S. **The effect of 12 weeks of aerobic, resistance or combination exercise training on cardiovascular risk factors in the overweight and obese in a randomized trial.** *BMC Public Health.* August 28, 2012;12:704.
36. De Feo P. **Is high-intensity exercise better than moderate-intensity exercise for weight loss?** *Nutr Metab Cardiovasc Dis.* November 2013;23(11):1037–42.
37. Farnsworth E, et al. **Effect of a high-protein, energy-restricted diet on body composition, glycemic control, and lipid concentrations in overweight and obese hyperinsulinemic men and women.** *Am J Clin Nutr.* July 2003;78(1):31–39.
38. Ballor DL, Poehlman ET. **Exercise-training enhances fat-free mass preservation during diet-induced weight loss: a meta-analytical finding.** *Int J Obes Relat Metab Disord.* January 1994;18(1):35–40.
39. Katch FI, Michael ED Jr., Jones EM. **Effects of physical training on the body composition and diet of females.** American Association for Health, Physical Education and Recreation. *Research Quarterly.* 1969;40(1):99–104.
40. Muth DM. **What are the guidelines for percentage of body fat loss?** ACE Fitness. December 2, 2009. https://www.acefitness.org/acefit/healthy-living-article/60/112/what-are-the-guidelines-for-percentage-of/.
41. Pasiakos SM, et al. **Effects of high-protein diets on fat-free mass and muscle protein synthesis following weight loss: a randomized controlled trial.** *FASEB J.* September 2013;27(9):3837–47.
42. Soenen S, et al. **Normal protein intake is required for body weight loss and weight maintenance, and elevated protein intake for additional preservation of resting energy expenditure and fat free mass.** *J Nutr.* May 2013;143(5):591–96.
43. Troisi RJ, et al. **Relation of obesity and diet to sympathetic nervous system activity.** *Hypertension.* 1991;17:669–77.
44. Abbas A, et al. **Adiposity-independent sympathetic activity in black men.** *Journal of Applied Physiology.* June 1, 2010;108:1613–18.
45. Grassi G, et al. **Body weight reduction, sympathetic nerve traffic, and arterial baroreflex in obese normotensive humans.** *Circulation.* 1998;15(97):2037–42.
46. Grassi G, et al. **Sympathetic activation in obese normotensive subjects.** *Hypertension.* 1995;25:560–63.
47. Gudbjornsdottir S, et al. **Sympathetic nerve activity and insulin in obese normotensive and hypertensive men.** *Hypertension.* February 1996;27(2):276–80.
48. Scherrer U, et al. **Body fat and sympathetic nerve activity in healthy subjects.** *Circulation.* 1994;89(6):2634–40.

Referencias

49. National Institute of Child Health and Human Development. **Stress system malfunction could lead to serious, life threatening disease.** NICHD/NIH. July 21, 2006. http://www.nichd.nih.gov/news/releases/pages/stress.aspx.

50. Bakris G, et al. **Atlas vertebra realignment and achievement of arterial pressure goal in hypertensive patients: a pilot study.** *J Human Hyperten.* May 2007;21(5):347–52.

51. Edwards IJ, Deuchars SA, Deuchars J. **The intermedius nucleus of the medulla: a potential site for the integration of cervical information and the generation of autonomic responses.** *J Clin Neuroanatomy.* November 2009;38(3)166–75.

52. Matteoli G, Boeckxstaens GE. **The vagal innervation of the gut and immune homeostasis.** *Gut.* August 2013;62(8):1214–22.

53. Welch A, Boone R. **Sympathetic and parasympathetic responses to specific diversified adjustments to chiropractic vertebral subluxations of the cervical and thoracic spine.** *J Chiropractic Medicine.* September 2008;7(3):86–93.

54. Nance DM, Sanders VM. **Autonomic innervation and regulation of the immune system.** *Brain Behav Immun.* August 2007;21(6):736–45.

55. Jowsey P, Perry J. **Sympathetic nervous system effects in the hands following a grade III postero-anterior rotatory mobilisation technique applied to T4: a randomized, placebo-controlled trial.** *Man Ther.* June 2010;15(3):248–53.

56. Banni S, et al. **Vagus nerve stimulation reduces body weight and fat mass in rats.** *PloS One.* September 28, 2012.

57. McClelland J, et al. **A systematic review of the effects of neuromodulation on eating and body weight: evidence from human and animal studies.** *Eur Eat Disorders Rev.* November 2013;21:436–55.

58. Rubin R, Nazario B. **The skinny on next generation weight loss treatments.** *Medscape Diabetes & Endocrinology.* March 2, 2015.

59. Müller MJ, Bosy-Westphal A, Heymsfield SB. **Is there evidence for a set point that regulates human body weight?** *F1000 Med Rep.* August 9, 2010;2:59. doi: 10.3410/M2-59.

60. Keesey RE, Corbett SW. **Metabolic defense of the body weight set-point.** *Res Publ Assoc Res Nerv Ment Dis.* 1984;62:87–96.

61. Pasquet P, Apfelbaum M. **Recovery of initial body weight and composition after long-term massive overfeeding in men.** *Am J Clin Nutr.* 1994 Dec;60(6):861–63.

62. Speakman JR, et al. **Set points, settling points and some alternative models: theoretical options to understand how genes and environments combine to regulate body adiposity.** *Dis Model Mech.* November 2011;4(6):733–45.

63. Keesey RE, Corbett SW. **Metabolic defense of the body weight set-point.** *Res Publ Assoc Res Nerv Ment Dis.* 1984;62:87–96.

64. Brownell KD, et al. **The effects of repeated cycles of weight loss and regain in rats.** *Physiol Behav.* 1986;38(4):459–64.

65. Lim C-F, et al. **Transport of thyroxine into cultured hepatocytes: effects of mild nonthyroidal illness and calorie restriction in obese subjects.** *Clin Endocrinol* (Oxf). 1994;40:79–85.

66. Croxson MS, Ibbertson HK. **Low serum triiodothyronine (T3) and hypothyroidism in anorexia nervosa.** *J Clin Endocrinol Metab.* 1977;44:167–74.

67. Manore MM, et al. **Energy expenditure at rest and during exercise in nonobese female cyclical dieters and in nondieting control subjects.** *Am J Clin Nutr.* 1991;54:41–46.

68. Lim C-F, et al. **A furan fatty acid and indoxyl sulfate are the putative inhibitors of thyroxine hepatocyte transport in uremia.** *J Clin Endocrinol Metab.* 1993;76:318–24.

69. Lim C-F, et al. **Inhibition of thyroxine transport into cultured rat hepatocytes by serum of non-uremic critically ill patients: effects of bilirubin and nonesterified fatty acids.** *J Clin Endocrinol Metab.* 1993;76:1165–72.

70. Brehm A, et al. **Increased lipid availability impairs insulin-stimulated ATP synthesis in human skeletal muscle.** *Diabetes.* 2006;55:136–40.

71. Tremblay A. **Dietary fat and body weight set point.** *Nutr Rev.* July 2004;62(7 Pt 2):S75–77. Review.

72. Cabanac M, Frankham P. **Evidence that transient nicotine lowers the body weight set point.** *Physiol Behav.* August 2002;76(4–5):539–42.
73. De Castro JM, Paullin SK, DeLugas GM. **Insulin and glucagon as determinants of body weight set point and microregulation in rats.** *J Comp Physiol Psychol.* June 1978;92(3):571–79.
74. Chaput JP, Tremblay A. **The glucostatic theory of appetite control and the risk of obesity and diabetes.** *Int J Obes* (Lond). January 2009;33(1):46–53. doi: 10.1038/ijo.2008.221.
75. Tappy L, Binnert C, Schneiter P. **Energy expenditure, physical activity and body-weight control.** *Proc Nutr Soc.* August 2003;62(3):663–66.
76. Meckling KA, Sherfey R. **A randomized trial of a hypocaloric high-protein diet, with and without exercise, on weight loss, fitness, and markers of the Metabolic Syndrome in overweight and obese women.** *Appl Physiol Nutr Metab.* August 2007;32(4):743–52.
77. Ibid.
78. Brehm BJ, D'Alessio DA. **Benefits of high-protein weight loss diets: enough evidence for practice?** *Curr Opin Endocrinol Diabetes Obes.* October 2008;15(5):416–21.
79. Stiegler P, Cunliffe A. **The role of diet and exercise for the maintenance of fat-free mass and resting metabolic rate during weight loss.** *Sports Med.* 2006;36(3):239–62.
80. Peters JC. **Dietary fat and body weight control.** *Lipids.* February 2003;38(2):123–27.
81. Gosselin C, Cabanac M. **Adrenalectomy lowers the body weight set-point in rats.** *Physiol Behav.* September 1997;62(3):519–23.
82. Uddén J, et al. **Effects of glucocorticoids on leptin levels and eating behaviour in women.** *J Intern Med.* February 2003;253(2):225–31.
83. Farvid MS, et al. **Association of adiponectin and resistin with adipose tissue compartments, insulin resistance and dyslipidaemia.** *Diabetes, Obesity and Metabolism.* July 2005;7(4):406–13.
84. Landsberg L. **Hyperinsulinemia: Possible role in obesity-induced hypertension.** *Hypertension.* January 1992;19(1 Suppl):161–66.
85. Holmberg I, et al. **Absorption of a pharmacological dose of vitamin D3 from two different lipid vehicles in man: comparison of peanut oil and a medium chain triglyceride.** *Biopharm Drug Dispos.* December 1990;11(9):807–15.
86. De Ridder CM, et al. **Body fat mass, body fat distribution, and plasma hormones in early puberty in females.** *J Clin Endocrinol Metab.* April 1, 1990;70(4):888–93.
87. Miller M. **Mayo Clinic study on low estrogen and weight gain unclear.** Healthline. May 10, 2013. http://www.healthline.com/health-blogs/hold-that-pause/mayo-clinic-study-low-estrogen-weight-gain-unclear.
88. Cumming DC, Quigley ME, Yen SS. **Acute suppression of circulating testosterone levels by cortisol in men.** *J Clin Endocrinol Metab.* September 1983;57(3):671–73.
89. Ibid.
90. Bambino TH, Hsueh AJ. **Direct inhibitory effect of glucocorticoids upon testicular lutenizing** hormone receptor and steroidogenesis in vivo and in vitro. *Endocrinology.* June 1981;108(2):2142–48.
91. Brownlee KK, et al. **Relationship between circulating cortisol and testosterone: influence of physical exercise.** *Journal of Sports Science and Medicine.* March 2005;4:76–83.
92. McClelland J, et al. **A systematic review of the effects of neuromodulation on eating and body weight: evidence from human and animal studies.** *Eur Eat Disorders Rev.* November 2013;21:436–55.
93. Miller M. **Mayo Clinic study on low estrogen and weight gain unclear.** *Healthline.* May 10, 2013. http://www.healthline.com/health-blogs/hold-that-pause/mayo-clinic-study-low-estrogen-weight-gain-unclear.
94. Uddén J, et al. **Effects of glucocorticoids on leptin levels and eating behaviour in women.** *J Intern Med.* February 2003;253(2):225–31.
95. Masuzaki H, et al. **Transgenic amplification of glucocorticoid action in adipose tissue causes high blood pressure in mice.** *J Clin Invest.* July 2003;112(1):83–90.
96. Ibid.

Referencias

97. Bambino TH, Hsueh AJ. **Direct inhibitory effect of glucocorticoids upon testicular lutenizing hormone receptor and steroidogenesis in vivo and in vitro.** *Endocrinology.* June 1981;108(2):2142–48.

98. Varughese AG, Nimkevych O, Uwaifo GI. **Hypercortisolism in obesity-associated hypertension.** *Curr Hypertens Rep.* July 2014;16(7):443.

99. De Leo M, et al. **Subclinical Cushing's syndrome.** *Best Pract Res Clin Endocrinol Metab.* August 2012;26(4):497–505.

Capítulo 26: ¿Tus hijos están gordos? ¡Actúa ya!

1. Salans LB, Cushman SW, Weismann RE. **Studies of human adipose tissue. Adipose cell size and number in nonobese and obese patients.** *J Clin Invest.* April 1973;52(4):929–41.

2. **Childhood obesity facts.** Centers for Disease Control. February 27, 2014. http://www.cdc.gov/healthyyouth/obesity/facts.htm.

3. Ibid.

4. Wang S. **Fatty liver disease: more prevalent in children.** *Wall Street Journal.* Updated September 9, 2013. http://online.wsj.com/news/articles/SB10001424127887324549004579064903051692782

5. Spalding KL, et al. **Dynamics of fat cell turnover in humans.** *Nature.* June 5, 2008;453:783–87.

6. Ibid.

7. Ibid.

8. Cunningham S, Kramer M, Narayan V. **Incidence of childhood obesity in the United States.** *N Engl J Med.* January 30, 2014;370:403–11.

9. Kolata G. **Obesity is found to gain its hold in earliest years.** *New York Times.* January 29, 2014. http://www.nytimes.com/2014/01/30/science/obesity-takes-hold-early-in-life-study-finds.html?module=Search&mabReward=relbias percent3Ar&_r=0.

10. Epstein LH, et al. **Randomized trial of the effects of reducing television viewing and computer use on body mass index in young children.** *Arch Pediatr Adolesc Med.* March 2008;162(3):239–45.

11. Vogt MC, et al. **Neonatal insulin action impairs hypothalamic neurocircuit formation in response to maternal high fat feeding.** *Cell.* January 30, 2014;156(3)495–509.

12. de Assis S, et al. **High-fat or ethinyl-oestradiol intake during pregnancy increases mammary cancer risk in several generations of offspring.** *Nat. Commun.* September 11, 2012;3:1053.

13. Martinez-Chacin RC, Keniry M, Dearth RK. **Analysis of high fat diet induced genes during mammary gland development: Identifying role players in poor prognosis of breast cancer.** *BMC Res Notes.* August 18, 2014;7(1):543.

14. Montales MT, et al. **Maternal metabolic perturbations elicited by high-fat diet promote Wnt-1-induced mammary tumor risk in adult female offspring via long-term effects on mammary and systemic phenotypes.** *Carcinogenesis.* September 2014;35(9):2102–112.

15. Vogt MC, et al. **Neonatal insulin action impairs hypothalamic neurocircuit formation in response to maternal high fat feeding.** *Cell.* January 30, 2014;156(3)495–509.

16. Mina TH, Reynolds RM. **Mechanism linking in utero stress to altered offspring behaviour.** *Curr Top Behav Neurosci.* February 28, 2014 (Epub ahead of print).

17. Weinstock M. **The long-term consequences of stress on brain function: from adaptations to mental diseases.** *Neuroscience & Biobehavioral Reviews.* August 2008;32(6):1073–86.

18. Lester BM, Conradt E, Marsit CJ. **Fetal origins of adult disease: epigenetic basis for the development of depression in children.** *Clin Obstet & Gynocol.* September 2013;56(3):556–65.

19. Mina TH, Reynolds RM. **Mechanism linking in utero stress to altered offspring behaviour.** *Curr Top Behav Neurosci.* February 28, 2014 (Epub ahead of print).

20. Weinstock M. **The long-term consequences of stress on brain function: from adaptations to mental diseases.** *Neuroscience & Biobehavioral Reviews.* August 2008;32(6):1073–86.
21. Lester BM, Conradt E, Marsit CJ. **Fetal origins of adult disease: epigenetic basis for the development of depression in children.** *Clin Obstet & Gynocol.* September 2013;56(3):556–65.
22. Rhee KE, McEachern R, Jelalian E. **Parent readiness to change differs for overweight child dietary and physical activity behaviors.** *Journal of the Academy of Nutrition and Dietetics.* June 20, 2014.
23. Lundahl A, Kidwell KM, Nelson TD. **Parental underestimates of child weight: A meta-analysis.** *Pediatrics.* March 1, 2014;133(3):e689–e703.
24. Rhee KE, McEachern R, Jelalian E. **Parent readiness to change differs for overweight child dietary and physical activity behaviors.** *Journal of the Academy of Nutrition and Dietetics.* June 20, 2014.
25. Epstein LH, et al. **Randomized trial of the effects of reducing television viewing and computer use on body mass index in young children.** *Arch Pediatr Adolesc Med.* March 2008;162(3):239–45.
26. Khandaker GM, et al. **Association of serum interleukin 6 and C-reactive protein in childhood with depression and psychosis in young adult life: A population-based longitudinal study.** *JAMA Psychiatry.* 2014;71(10):1121–28.
27. Ibid.
28. Wang X, et al. **Inflammatory markers and risk of type 2 diabetes: a systematic review and meta-analysis.** *Diabetes Care.* January 2013;36(1):166–75.
29. Suglia SF, Kara S, Robinson WR. **Sleep duration and obesity among adolescents transitioning to adulthood: Do results differ by sex?** *Journal of Pediatrics.* 2014.
30. Condezo-Hoyos L, Mohanty IP, Noratto GD. **Assessing non-digestible compounds in apple cultivars and their potential as modulators of obese faecal microbiota in vitro.** *Food Chemistry.* 2014;161:208.
31. Chudnovskiy R, et al. **Consumption of clarified grapefruit juice ameliorates high-fat diet induced insulin resistance and weight gain in mice.** *PLoS One.* 2014;9(10):e108408.

Capítulo 27: Cuando tu salud va en ascenso, tu peso va en . . .

1. World Health Organization. **Obesity: Preventing and Managing the Global Epidemic: Report of a WHO Consultation (WHO Technical Report Series 894).** Geneva, Switzerland: World Health Organization; 2000: 39.
2. Ekelund U, et al. **Physical activity and all-cause mortality across levels of overall and abdominal adiposity in European men and women: The European Prospective Investigation into Cancer and Nutrition Study (EPIC).** *Am J Clin Nutr.* January 14, 2015.
3. Falchi M, et al. **Low copy number of the salivary amylase gene predisposes to obesity.** *Nat Genet.* May 2014;46(5):492–97.
4. Brüning JC, et al. **Role of brain insulin receptor in control of body weight and reproduction.** *Science.* September 22, 2000;289(5487):2122–25.
5. Hunt KF, Cheah YS, Amiel SA. **Brain insulin resistance.** In: Byrne CD and Wild SH: *The Metabolic Syndrome.* Sussex, UK: Wiley-Blackwell; 2011: 139–64.
6. Cheatham RA, et al. **Long-term effects of provided low and high glycemic load low energy diets on mood and cognition.** *Physiol Behav.* September 7, 2009;98(3):374–79.
7. Hanley AJ, et al. **Elevations in markers of liver injury and risk of type 2 diabetes: The insulin resistance atherosclerosis study.** *Diabetes.* October 2004;53(10):2623–32.
8. Kelley DE, et al. **Fatty liver in type 2 diabetes mellitus: relation to regional adiposity, fatty acids, and insulin resistance.** *Am J Physiol Endocrinol Metab.* October 2003;285(4):E906–E916.
9. Ryysy L, et al. **Hepatic fat content and insulin action on free fatty acids and glucose metabolism rather than insulin absorption are associated with insulin requirements during insulin therapy in type 2 diabetic patients.** *Diabetes.* May 2000;49(5):749–58.

Referencias

10. Seppälä-Lindroos A, et al. **Fat accumulation in the liver is associated with defects in insulin suppression of glucose production and serum fatty acids independent of obesity in normal men.** *J Clin Endocrinol Metab.* July 2002;87(7):3023–28.
11. Mielke JG, et al. **A biochemical and functional characterization of diet-induced brain insulin resistance.** *J Neurochemy.* June 2005;93(6):1568–78.
12. Brüning JC, et al. **Role of brain insulin receptor in control of body weight and reproduction.** *Science.* September 22, 2000;289(5487):2122–25.

Capítulo 28: ¡Come chocolate para bajar de peso!

1. Tierney J. **Do you suffer from decision fatigue?** *New York Times Magazine.* August 21, 2011.
2. Baumeister RF. **The Psychology of Irrationality.** In Brocas I and Carrillo JD, *The Psychology of Economic Decisions: Rationality and Well-Being.* Oxford, UK: Oxford University Press; 2003: 1–15.
3. Danziera S, Levav J, Avnaim-Pesso L. **Extraneous factors in judicial decisions.** *Proceedings of the National Academy of Sciences.* 2011;108(17):6889–92.
4. Brooks SJ, et al. **A debate on current eating disorder diagnoses in light of neurobiological findings: Is it time for a spectrum model?** *BMC Psychiatry.* 2012;12(76).
5. Baeken C, Claes S, De Raedt R. **The influence of COMT Val Met genotype on the character dimension cooperativeness in healthy females.** *Brain and Behavior.* 2014,4:515–20.
6. Schroeder JA, et al. **Nucleus accumbens C-Fos expression is correlated with conditioned place preference to cocaine, morphine and high fat/sugar food consumption.** Neuroscience Conference, 2013; Annual Meetings/Neuroscience 2013 Abstracts. (Unpublished.)
7. Pelletier C, et al. **Associations between weight loss-induced changes in plasma organochlorine concentrations, serum T(3) concentration, and resting metabolic rate.** *Toxicol Sci.* May 2002;67(1):46–51.
8. Ibid.
9. Ibid.
10. Ziegler TR, et al. **Increased intestinal permeability associated with infection in burn patients.** *Arch Surg.* 1988;123(11):1313–19.
11. Ledingham JG, et al. **Effects of aging on vasopressin secretion, water excretion, and thirst in man.** *Kidney Int Suppl.* August 1987;21:S90–S92.
12. Stachenfeld NS, et al. **Mechanism of attenuated thirst in aging: role of central volume receptors.** *Am J Physiol.* January 1997;272(1 Pt 2):R148–R157.
13. Rolls BJ, Phillips PA. Review: **Aging and disturbances of thirst and fluid balance.** *Nutr Rev.* March 1990;48(3):137–44.
14. Farrell MJ, et al. **Effect of aging on regional cerebral blood flow responses associated with osmotic thirst and its satiation by water drinking: A PET study.** *Proc Natl Acad Sci USA.* January 8, 2008;105(1):382–87.
15. Kenney WL, Chiu P. Review: **Influence of age on thirst and fluid intake.** *Med Sci Sports Exerc.* September 2001;33(9):1524–32.
16. Vij VA, Joshi AS. **Effect of "water induced thermogenesis" on body weight, body mass index and body composition of overweight subjects.** *J Clin Diagn Res.* September 2013;7(9):1894–96.
17. Davy BM, et al. **Water consumption reduces energy intake at a breakfast meal in obese older adults.** *J Am Diet Assoc.* July 2008;108(7):1236.
18. Batmanghelidi F. *Your Body's Many Cries for Water.* Vienna, VA: Global Health Solutions; 2008.
19. Smith JL. Review: **The role of gastric acid in preventing foodborne disease and how bacteria overcome acid conditions.** *J Food Prot.* July 2003;66(7):1292–303.
20. Karamanolis G, et al. **A glass of water immediately increases gastric pH in healthy subjects.** *Dig Dis Sci.* 2008.
21. Tennant SM, et al. **Bacterial infections: Influence of gastric acid on susceptibility to infection with ingested bacterial pathogens.** *Infect Immun.* February 2008;76(2):639–45.

22. Morihara M, et al. **Assessment of gastric acidity of Japanese subjects over the last 15 years.** *Biol Pharm Bull.* March 2001;24(3):313–15.

23. Malamud D, et al. Review: **Antiviral activities in human saliva.** *Adv Dent Res.* April 2011;23(1):34–37.

24. Luo H, et al. **Isolation, purification and antibacterial activities of salivary histidine-rich polypeptides.** *Hua Xi Kou Qiang Yi Xue Za Zhi (West China Journal of Stomatology).* August 1999;17(3):227–29, 232. Chinese.

25. Lange J. **Some humoral factors in human saliva having antiinfectious activities due to chemical properties.** *Tandlaegebladet.* October 1967;71(10):918–31. Danish.

26. Nauntofte B, Jensen JL. **Salivary secretion.** In: Yamada T, et al., eds. ***Textbook of Gastroenterology***, 3rd ed. Philadelphia, PA: Lippencott Williams, Wilkins Publishers: 1999: 263–78.

27. Pedersen A, et al. **Saliva and gastrointestinal functions of taste, mastication, swallowing and digestion.** *Oral Diseases.* 2002;8:117–29.

28. Pacific Health Laboratories. **A calorie is not a calorie.** Training Peaks. December 20, 2012. http://home.trainingpeaks.com/blog/article/a-calorie-is-not-a-calorie.

29. Burmeister MA, et al. **Central glucagon-like peptide 1 receptor-induced anorexia requires glucose metabolism-mediated suppression of AMPK and is impaired by central fructose.** *Am J Physiol Endocrinol Metab.* April 1 2013;304(7):E677–E685.

30. Yadav H, et al. **Epigenomic derangement of hepatic glucose metabolism by feeding of high fructose diet and its prevention by Rosiglitazone in rats.** *Dig Liver Dis.* July 2009;41(7):500–8.

31. Maiztegui B, et al. **Islet adaptive changes to fructose-induced insulin resistance: beta-cell mass, glucokinase, glucose metabolism, and insulin secretion.** *J Endocrinol.* February 2009;200(2):139–49.

32. Teff KL, et al. **Endocrine and metabolic effects of consuming fructose- and glucose-sweetened beverages with meals in obese men and women: influence of insulin resistance on plasma triglyceride responses.** *J Clin Endocrinol Metab.* May 2009;94(5):1562–69.

33. Daly ME, et al. **Dietary carbohydrates and insulin sensitivity: A review of the evidence and clinical implications.** *Am J Clin Nutr.* 1997;66:1072–85.

34. Hollenbeck CB. **Dietary fructose effects on lipoprotein metabolism and risk for coronary artery disease.** *Am J Clin Nutr.* November 1993;58(5 Suppl):800S–809S.

35. Kallus SJ, Brandt LJ. **The intestinal microbiota and obesity.** *J Clin Gastroenterol.* 2012 Jan;46(1):16–24.

36. Krych Ł, et al. **Gut microbial markers are associated with diabetes onset, regulatory imbalance, and IFN-γ level in NOD Mice.** *Gut Microbes.* February 2015;3:0.

37. Kiecolt-Glaser JK, et al. **Daily stressors, past depression, and metabolic responses to high-fat meals: a novel path to obesity.** *Biological Psychiatry.* 2014.

38. Nago N, et al. **Low cholesterol is associated with mortality from stroke, heart disease, and cancer: The Jichi Medical School Cohort Study.** *J Epidemiol.* 2011;21(1):67–74.

39. Simko V, Ginter E. **Understanding cholesterol: High is bad but too low may also be risky—is low cholesterol associated with cancer?** *Bratisl Lek Listy.* 2014;115(2):59–65.

40. Koton S, et al. **Low cholesterol, statins and outcomes in patients with first-ever acute ischemic stroke.** *Cerebrovasc Dis.* 2012;34(3):213–20.

41. Chung YH, et al. **Statins of high versus low cholesterol-lowering efficacy and the development of severe renal failure.** *Pharmacoepidemiol Drug Saf.* June 2013;22(6):583–92.

42. Ginter E, Kajaba I, Sauša M. **Addition of statins into the public water supply? Risks of side effects and low cholesterol levels.** *Cas Lek Cesk.* 2012;151(5):243–47.

43. Zhang J. **Epidemiological link between low cholesterol and suicidality: a puzzle never finished.** *Nutr Neurosci.* November 2011;14(6):268–87.

44. Frost G, et al. **The short-chain fatty acid acetate reduces appetite via a central homeostatic mechanism.** *Nature Communications.* May 2014.

45. Behall KM, Howe JC. **Resistant starch as energy.** *J Am Coll Nutr.* June

1996;15(3):248–54.

46. Cummings H, Macfarlane GT, Englyst HN. Prebiotic digestion and fermentation. *Am J Clin Nutr.* 2001;73(2 suppl):415S–420S.

47. Phillips J, et al. Effect of resistant starch on fecal bulk and fermentation-dependent events in humans. *American Journal of Clinical Nutrition.* July 1995;62(1):121–30.

48. Greer JB, O'Keefe SJ. Microbial induction of immunity, inflammation, and cancer. *Front Physiol.* 2011;1:168.

49. Johnston KL, et al. Resistant starch improves insulin sensitivity in metabolic syndrome. *Diabetic Medicine.* 2010;27:391–97.

50. Gorissen SH, et al. Carbohydrate coingestion delays dietary protein digestion and absorption but does not modulate postprandial muscle protein accretion. *J Clin Endocrinol Metab.* June 2014;99(6):2250–58.

51. Watson WC, Paton E. Studies on intestinal pH by radiotelemetering. *Gut.* 1965;6:606–12.

52. Fallingborg J. Review: Intraluminal pH of the human gastrointestinal tract. *Dan Med Bull.* June 1999;46(3):183–96.

53. Evans DF, et al. Measurement of gastrointestinal pH profiles in normal ambulant human subjects. *Gut.* August 1988;29(8):1035–41.

54. Beck IT. The role of pancreatic enzymes in digestion. *Am J Clin Nutr.* 1973;26:311–25.

55. Dangin M, et al. The rate of protein digestion affects protein gain differently during aging in humans. *J Physiology.* June 1, 2003;549:635–44.

56. Barnosky AR, et al. Intermittent fasting vs. daily calorie restriction for type 2 diabetes prevention: A review of human findings. *Transl Res.* June 12, 2014.

57. Manzanero S, et al. Intermittent fasting attenuates increases in neurogenesis after ischemia and reperfusion and improves recovery. *J Cereb Blood Flow Metab.* May 2014;34(5):897–905.

58. Vasconcelos AR, et al. Intermittent fasting attenuates lipopolysaccharide-induced neuroinflammation and memory impairment. *J Neuroinflammation.* May 6, 2014;11:85.

59. Azevedo FR, Ikeoka D, Caramelli B. Effects of intermittent fasting on metabolism in men. *Rev Assoc Med Bras.* March–April 2013;59(2):167–73.

60. Kahleová H, et al. Eating two larger meals a day (breakfast and lunch) is more effective than six smaller meals in a reduced-energy regimen for patients with type 2 diabetes: a randomised crossover study. *Diabetologia.* May 2014.

61. Isaacson W. *Einstein: His Life and Universe.* New York, NY: Simon & Schuster; 2008.

62. Steen S, Oppliger RA, Brownell KD. Metabolic effects of repeated weight loss and regain in adolescent wrestlers. http://www.ncbi.nlm.nih.gov/pubmed/3214488. July 1,1988;260(1):47–50.

Capítulo 29: ¿Vas a seguir poniéndole aire a ese neumático?

1. Hicks LA, Taylor TH, Hunkler RJ. U.S. outpatient antibiotic prescribing, 2010. *N Engl J Med.* April 11, 2013;368:1461–62.

2. Caverly TJ, et al. Too much medicine happens too often: the teachable moment and a call for manuscripts from clinical trainees. *JAMA Intern Med.* 2014;174(1):8–9.

Capítulo 30: ¡Me siento bien!

1. Choi SW, Friso S. Epigenetics: A new bridge between nutrition and health. *Adv Nutr.* November 2010;1:8–16.

2. Vickers MH. Developmental programming and adult obesity: The role of leptin. *Curr Opin Endocrinol Diabetes Obes.* February 2007;14(1):17–22.

3. Waterland RA, et al. Methyl donor supplementation prevents transgenerational amplification of obesity. *International Journal of Obesity.* September 2008;32(9):1373–79.

4. Soubry A, et al. Newborns of obese parents have altered DNA methylation patterns at imprinted genes. *Int J Obes.* October 25, 2013.

5. Dubovsky S. **Emerging Perspectives: Epigenetics—a mechanism for the impact of experience on inheritance?** *NEJM* Journal Watch. October 18, 2010. http://www.jwatch.org/jp201010180000001/2010/10/18/emerging-perspectives-epigenetics-mechanism.
6. Khalyfa A, et al. **Effects of late gestational high-fat diet on body weight, metabolic regulation and adipokine expression in offspring.** *Int J Obes (Lond).* November 2013;37(11):1481–89.
7. Haig D. **The (dual) origin of epigenetics.** Cold Spring Harbor Symposia on Quantitative Biology. Cold Spring Harbor, NY. June 6, 2004. http://www.oeb.harvard.edu/faculty/haig/Publications_files/04EpigeneticOrigins.pdf.
8. Painter RC, Roseboom TJ, Bleker OP. **Prenatal exposure to the Dutch famine and disease in later life: An overview.** *Reprod Toxicol.* September 2005;20(3):345–52.
9. Heijmans BT, et al. **Persistent epigenetic differences associated with prenatal exposure to famine in humans.** *Proc Natl Acad Sci USA.* November 4, 2008;105(44):17046–49.
10. Soubry A, et al. **Paternal obesity is associated with IGF2 hypomethylation in newborns: Results from a Newborn Epigenetics Study (NEST) cohort.** *BMC Med.* 2013;11:29.
11. Bianconi E, et al. **An estimation of the number of cells in the human body.** *Ann Hum Biol.* November–December 2013;40(6):463–71.

Capítulo 32: Tu ser esencial: Los significados más profundos de la enfermedad

1. Sanford JA. *Healing and Wholeness.* Mahwah, NJ: Paulist Press; 1997.
2. Jung C. *Memories, Dreams, Reflections.* New York, NY: Pantheon Press; 1961.

Capítulo 33: Ayuda para una curación profunda: La caja de herramientas de la vida

1. De Almeida AA, et al. **Differential effects of exercise intensities in hippocampal BDNF, inflammatory cytokines and cell proliferation in rats during the postnatal brain development.** *Neurosci Lett.* October 11, 2013; 553:1–6.
2. Tuon T, et al. **Physical training prevents depressive symptoms and a decrease in brain-derived neurotrophic factor in Parkinson's disease.** *Brain Res Bull.* September 28, 2014; 108C:106–12.
3. Berretta A, Tzeng YC, Clarkson AN. **Post-stroke recovery: The role of activity-dependent release of brain-derived neurotrophic factor.** *Expert Rev Neurother.* November 2014;14(11):1335–44.
4. **Transcendental meditation: What is the TM technique?** Transcendental Meditation. 2014. http://www.tm.org/.
5. **Miracles in your life.** Video. Eckankar. Updated June 4, 2014. http://www.eckankar.org/Video/play.php?name=Miracles+in+Your+Life.
6. Sanford JA. *Healing and Wholeness.* Mahwah, NJ: Paulist Press; 1997.
7. Pergameni CG. Hatzopoulos O, ed. *That the Best Physician Is Also a Philosopher, with a Modern Greek Translation.* Athens, Greece: Odysseas Hatzopoulos & Co.: Kaktos Editions; 1992.
8. Oberhelman SM. **Galen, on diagnosis from dreams.** *J Hist Med Allied Sci.* January 1983;38(1):36–47.

Capítulo 35: El porqué de la salud

1. Jung C. *Memories, Dreams, Reflections.* New York, NY: Pantheon Press; 1961.
2. Klemp H. *The Art of Spiritual Dreaming.* Chanhassen, MN: Eckankar; 1999.
3. Sanford JA. *Dreams: God's Forgotten Language.* Philadelphia, PA: J. B. Lippincott; 1968.

Referencias

Más referencias bibliográficas sobre la quiropráctica y tu salud

Henderson CN. The basis for spinal manipulation: chiropractic perspective of indications and theory. *J Electromyogr Kinesiol*. October 2012;22(5):632–42.

Kangilaski J. Chiropractic can involve more than spinal manipulation. *Forum Med*. November 1978;1(8):33–35.

Hawk C, et al. Chiropractic care for nonmusculoskeletal conditions: a systematic review with implications for whole systems research. *J Altern Complement Med*. June 2007;13(5):491–512. Review.

Orlin JR, Didriksen A. Results of chiropractic treatment of lumbopelvic fixation in 44 patients admitted to an orthopedic department. *J Manipulative Physiol Ther*. February 2007;30(2):135–39.

Melin T, Söderström A. No proven connection between chiropractic neck manipulation and stroke. *Lakartidningen*. May 30–June 3, 2007;104(22):1713; discussion 1713–14.

Gouveia LO, Castanho P, Ferreira JJ. Safety of chiropractic interventions: a systematic review. *Spine* (Phila Pa 1976). May 15, 2009;34(11):E405–13.

Ndetan H, et al. The Role of Chiropractic Care in the Treatment of Dizziness or Balance Disorders: Analysis of National Health Interview Survey Data. *J Evid Based Complementary Altern Med*. September 11, 2015. pii: 2156587215604974.

Mandolesi S, et al. Preliminary results after upper cervical chiropractic care in patients with chronic cerebro-spinal venous insufficiency and multiple sclerosis. *Ann Ital Chir*. May–June, 2015;86(3):192–200.

Pettigrew J. Utilizing chiropractic for optimal pregnancy and birth outcomes. *Midwifery Today Int Midwife*. Summer 2014;(110):56–57.

Peterson CK, Mühlemann D, Humphreys BK. Outcomes of pregnant patients with low back pain undergoing chiropractic treatment: a prospective cohort study with short term, medium term and 1 year follow-up. *Chiropr Man Therap*. April 1, 2014;22(1):15.

Weigel PA, et al. The comparative effect of episodes of chiropractic and medical treatment on the health of older adults. *J Manipulative Physiol Ther*. March–April, 2014;37(3):143–54.

Alcantara J, Alcantara JD, Alcantara J. Chiropractic treatment for asthma? You bet! *J Asthma*. June 2010;47(5):597–58.

Pickar JG. Neurophysiological effects of spinal manipulation. *Spine J*. September–October 2002;2(5):357–71. Review.

DeMaria A, et al. A weight loss program in a chiropractic practice: a retrospective analysis. *Complement Ther Clin Pract*. May 2014;20(2):125–29.

Peterson CK, Bolton J, Humphreys BK. Predictors of improvement in patients with acute and chronic low back pain undergoing chiropractic treatment. *J Manipulative Physiol Ther*. September 2012;35(7):525–33.

Marchand AM. Chiropractic care of children from birth to adolescence and classification of reported conditions: an Internet cross-sectional survey of 956 European chiropractors. *J Manipulative Physiol Ther*. June 2012;35(5):372–80.

Hurwitz EL. Epidemiology: spinal manipulation utilization. *J Electromyogr Kinesiol*. October 2012;22(5):648–54.

Spinal manipulation and exercise trump drugs for neck pain. *Harvard Women's Health Watch*. April 2012;19(8):6–7.

Miller JE, et al. Contribution of chiropractic therapy to resolving suboptimal breastfeeding: a case series of 114 infants. *J Manipulative Physiol Ther*. October 2009;32(8):670–74.

Goertz CM, et al. Adding chiropractic manipulative therapy to standard medical care for patients with acute low back pain: results of a pragmatic randomized comparative effectiveness study. *Spine* (Phila Pa 1976). April 15, 2013;38(8):627–34.

Smith DL, Cramer GD. Spinal Manipulation Is Not an Emerging Risk Factor for Stroke Nor Is It Major Head/Neck Trauma. Don't Just Read the Abstract! *Open Neurol J*. 2011;5:46–47.

Daligadu J, et al. **Alterations in cortical and cerebellar motor processing in subclinical neck pain patients following spinal manipulation.** *J Manipulative Physiol Ther.* October 2013;36(8):527–37.

Noudeh YJ, Vatankhah N, Baradaran HR. **Reduction of current migraine headache pain following neck massage and spinal manipulation.** *Int J Ther Massage Bodywork.* 2012;5(1):5–13. Epub 2012 Mar 31.

Bryans R, et al. **Evidence-based guidelines for the chiropractic treatment of adults with headache.** *J Manipulative Physiol Ther.* June 2011;34(5):274–89.

Ogura T, et al. **Cerebral metabolic changes in men after chiropractic spinal manipulation for neck pain.** *Altern Ther Health Med.* November–December 2011;17(6):12–17.

Kovanur Sampath K, et al. **Measureable changes in the neuro-endocrinal mechanism following spinal manipulation.** *Med Hypotheses.* October 10, 2015.

Stochkendahl MJ, et al. **Chiropractic treatment vs. self-management in patients with acute chest pain: a randomized controlled trial of patients without acute coronary syndrome.** *J Manipulative Physiol Ther.* January 2012;35(1):7–17.

Marchand AM. **A Literature Review of Pediatric Spinal Manipulation and Chiropractic Manipulative Therapy: Evaluation of Consistent Use of Safety Terminology.** *J Manipulative Physiol Ther.* August 27, 2012.

Cecchi F, et al. **Predictors of functional outcome in patients with chronic low back pain undergoing back school, individual physiotherapy or spinal manipulation.** *Eur J Phys Rehabil Med.* September 2012;48(3):371–78. Epub May 8, 2012.

Haavik H, Murphy B. **The role of spinal manipulation in addressing disordered sensorimotor integration and altered motor control.** *J Electromyogr Kinesiol.* October 2012;22(5):768–76.

Lehman G. **Kinesiological research: The use of surface electromyography for assessing the effects of spinal manipulation.** *J Electromyogr Kinesiol.* Oct 2012;22(5):692–96.

Leininger BD, Evans R, Bronfort G. **Exploring patient satisfaction: a secondary analysis of a randomized clinical trial of spinal manipulation, home exercise, and medication for acute and subacute neck pain.** *J Manipulative Physiol Ther.* October 2014;37(8):593–601.

Senna MK, Machaly SA. **Does maintained spinal manipulation therapy for chronic nonspecific low back pain result in better long-term outcome?** *Spine* (Phila Pa 1976). August 15, 2011;36(18):1427–37.

Herzog W, et al. **Vertebral artery strains during high-speed, low amplitude cervical spinal manipulation.** *J Electromyogr Kinesiol.* October 2012;22(5):740–46.

Walker BF, et al. **A Cochrane review of combined chiropractic interventions for low-back pain.** *Spine* (Phila Pa 1976). February 1, 2011;36(3):230–42.

Posadzki P. **Is spinal manipulation effective for pain? An overview of systematic reviews.** *Pain Med.* June 2012;13(6):754–61. doi: 10.1111/j.1526-4637.2012.01397.x. Epub 2012 May 23.

Roy RA, Boucher JP, Comtois AS. **Heart rate variability modulation after manipulation in pain-free patients vs patients in pain.** *J Manipulative Physiol Ther.* May 2009;32(4):277–86.

Bolton PS, Budgell B. **Visceral responses to spinal manipulation.** *J Electromyogr Kinesiol.* October 2012;22(5):777–84.

Vieira-Pellenz F, et al. **Short-term effect of spinal manipulation on pain perception, spinal mobility, and full height recovery in male subjects with degenerative disk disease: a randomized controlled trial.** *Arch Phys Med Rehabil.* September 2014;95(9):1613–19.

Castro-Sánchez AM, et al. **Short-term effectiveness of spinal manipulative therapy versus functional technique in patients with chronic non-specific low back pain: a pragmatic randomized controlled trial.** *Spine J.* September 8, 2015. pii: S1529-9430(15)01363-7.

Plaza-Manzano G, et al. **Changes in biochemical markers of pain perception and stress response after spinal manipulation.** *J Orthop Sports Phys Ther.* April 2014;44(4):231–39.

Southerst D, et al. **The effectiveness of manual therapy for the management of muscu-**

Referencias

loskeletal disorders of the upper and lower extremities: a systematic review by the Ontario Protocol for Traffic Injury Management (OPTIMa) Collaboration. *Chiropr Man Therap.* October 27, 2015;23:30.

Koppenhaver SL, et al. Association between history and physical examination factors and change in lumbar multifidus muscle thickness after spinal manipulation in patients with low back pain. *J Electromyogr Kinesiol.* October 2012;22(5):724–31. doi: 10.1016/j.jelekin.2012.03.004. Epub 2012 Apr 18.

Tuchin P. A replication of the study 'Adverse effects of spinal manipulation: a systematic review.' *Chiropr Man Therap.* September 21, 2012;20(1):30. doi: 10.1186/2045-709X-20-30.

Molina-Ortega F, et al. Immediate effects of spinal manipulation on nitric oxide, substance P and pain perception. *Man Ther.* October 2014;19(5):411–17.

Nougarou F, et al. Physiological responses to spinal manipulation therapy: investigation of the relationship between electromyographic responses and peak force. *J Manipulative Physiol Ther.* November–December 2013;36(9):557–63. doi: 10.1016/j.jmpt.2013.08.006.

O'Neill S, Ødegaard-Olsen Ø, Søvde B. The effect of spinal manipulation on deep experimental muscle pain in healthy volunteers. *Chiropr Man Therap.* September 7, 2015;23:25.

Whedon JM, et al. Risk of stroke after chiropractic spinal manipulation in Medicare B beneficiaries aged 66 to 99 years with neck pain. *J Manipulative Physiol Ther.* February 2015;38(2):93–101.

Achalandabaso A, Plaza-Manzano G, Lomas-Vega R, Martínez-Amat A, Camacho MV, Gassó M, Hita-Contreras F, Molina F. Tissue damage markers after a spinal manipulation in healthy subjects: a preliminary report of a randomized controlled trial. *Dis Markers.* 2014;2014:815379. doi: 10.1155/2014/815379. Epub 2014 Dec 25.

Yuan WA, et al. Effect of spinal manipulation on brain functional activity in patients with lumbar disc herniation. *Zhejiang Da Xue Xue Bao Yi Xue Ban.* March 2015;44(2):124–30, 137.

Aoyagi M, et al. Response to Letter to the Editor Re: "Determining the level of evidence for the effectiveness of spinal manipulation in the upper limb: A systematic review meta-analysis." *Man Ther.* May 8, 2015. pii: S1356-689X(15)00071-5.

Petersen T, Christensen R, Juhl C. Predicting a clinically important outcome in patients with low back pain following McKenzie therapy or spinal manipulation: a stratified analysis in a randomized controlled trial. *BMC Musculoskelet Disord.* April 1, 2015;16:74.

Reed WR, et al. Neural responses to the mechanical characteristics of high velocity, low amplitude spinal manipulation: Effect of specific contact site. *Man Ther.* March 27, 2015. pii: S1356-689X(15)00061-2.

Niazi IK, et al. Changes in H-reflex and V-waves following spinal manipulation. *Exp Brain Res.* April 2015;233(4):1165–73.

Schneider M, et al. Comparison of spinal manipulation methods and usual medical care for acute and subacute low back pain: a randomized clinical trial. *Spine* (Phila Pa 1976). February 15, 2015;40(4):209–17.

Bronfort G, et al. Spinal manipulation and home exercise with advice for subacute and chronic back-related leg pain: a trial with adaptive allocation. *Ann Intern Med.* September 16, 2014;161(6):381–91.

Rodine RJ, Vernon H. Cervical radiculopathy: a systematic review on treatment by spinal manipulation and measurement with the Neck Disability Index. *J Can Chiropr Assoc.* March 2012;56(1):18–28.

Maiers M, et al. Adverse events among seniors receiving spinal manipulation and exercise in a randomized clinical trial. *Man Ther.* April 2015;20(2):335–41.

Bronfort G, et al. Spinal manipulation, medication, or home exercise with advice for acute and subacute neck pain: a randomized trial. *Ann Intern Med.* January 3, 2012;156(1 Pt 1):1–10.

Coronado RA, et al. Changes in pain sensitivity following spinal manipulation: a systematic review and meta-analysis. *J Electromyogr Kinesiol.* October 2012;22(5):752–

67.

McMorland G, et al. **Manipulation or microdiskectomy for sciatica? A prospective randomized clinical study.** *J Manipulative Physiol Ther.* October 2010;33(8):576–84.

Wiberg JM, Nordsteen J, Nilsson N. **The short-term effect of spinal manipulation in the treatment of infantile colic: a randomized controlled clinical trial with a blinded observer.** *J Manipulative Physiol Ther.* October 1999;22(8):517–22.

Alcantara J, Alcantara JD, Alcantara J. **The chiropractic care of infants with colic: a systematic review of the literature.** *Explore* (NY). May–June 2011;7(3):168–74.

Lucassen P. **Colic in infants.** *BMJ Clin Evid.* February 5, 2010;2010. pii: 0309.

Strunk RG, Hawk C. **Effects of chiropractic care on dizziness, neck pain, and balance: a single-group, preexperimental, feasibility study.** *J Chiropr Med.* December 2009;8(4):156–64.

Hawk C, et al. **Best practices recommendations for chiropractic care for infants, children, and adolescents: results of a consensus process.** *J Manipulative Physiol Ther.* October 2009;32(8):639–47.

Hawk C, Cambron J. **Chiropractic care for older adults: effects on balance, dizziness, and chronic pain.** *J Manipulative Physiol Ther.* July–August 2009;32(6):431–37.

Stuber K, Sajko S, Kristmanson K. **Chiropractic treatment of lumbar spinal stenosis: a review of the literature.** *J Chiropr Med.* June 2009;8(2):77–85.

Williams NH, et al. **Psychological response in spinal manipulation (PRISM): a systematic review of psychological outcomes in randomised controlled trials.** *Complement Ther Med.* December 2007;15(4):271–83.

Boline PD, et al. **Spinal manipulation vs. amitriptyline for the treatment of chronic tension-type headaches: a randomized clinical trial.** *J Manipulative Physiol Ther.* March–April 1995;18(3):148–54.

Oliphant D. **Safety of spinal manipulation in the treatment of lumbar disk herniations: a systematic review and risk assessment.** *J Manipulative Physiol Ther.* March–April 2004;27(3):197–210. Review.

Rogers CM, Triano JJ. **Biomechanical measure validation for spinal manipulation in clinical settings.** *J Manipulative Physiol Ther.* November–December 2003;26(9):539–48.

Giles LG, Muller R. **Chronic spinal pain: a randomized clinical trial comparing medication, acupuncture, and spinal manipulation.** *Spine* (Phila Pa 1976). July 15, 2003;28(14):1490–1502; discussion 1502–3.

Hawk C, et al. **Feasibility study of short-term effects of chiropractic manipulation on older adults with impaired balance.** *J Chiropr Med.* December 2007;6(4):121–31.

Bove G, Nilsson N. **Spinal manipulation in the treatment of episodic tension-type headache: a randomized controlled trial.** *JAMA.* November 11, 1998;280(18):1576–79.

Bolton PS, Budgell BS. **Spinal manipulation and spinal mobilization influence different axial sensory beds.** *Med Hypotheses.* 2006;66(2):258–62.

Stuber KJ, Smith DL. **Chiropractic treatment of pregnancy-related low back pain: a systematic review of the evidence.** *J Manipulative Physiol Ther.* July–August 2008;31(6):447–54.

Nilsson N, Christensen HW, Hartvigsen J. **The effect of spinal manipulation in the treatment of cervicogenic headache.** *J Manipulative Physiol Ther.* June 1997;20(5):326–30.

Langenfeld A, et al. **Prognostic Factors for Recurrences in Neck Pain Patients Up to 1 Year After Chiropractic Care.** *J Manipulative Physiol Ther.* September 2015;38(7):458–64.

Hestbaek L, et al. **Low back pain in primary care: a description of 1250 patients with low back pain in danish general and chiropractic practice.** *Int J Family Med.* 2014;2014:106102.

Seaman DR, Palombo AD. **An overview of the identification and management of the metabolic syndrome in chiropractic practice.** *J Chiropr Med.* September 2014;13(3):210–19.

Goto V, et al. **Chiropractic intervention in the treatment of postmenopausal climacter-**

Referencias

ic symptoms and insomnia: A review. *Maturitas*. May 2014;78(1):3–7.

Sherrod C, Johnson D, Chester B. Safety, tolerability and effectiveness of an ergonomic intervention with chiropractic care for knowledge workers with upper-extremity musculoskeletal disorders: a prospective case series. *Work*. 2014;49(4):641–51.

Walker BF, et al. Outcomes of usual chiropractic. The OUCH randomized controlled trial of adverse events. *Spine* (Phila Pa 1976). September 15, 2013;38(20):1723–29.

Alcantara J, Alcantara JD, Alcantara J. The chiropractic care of patients with cancer: a systematic review of the literature. *Integr Cancer Ther*. December 2012;11(4):304–12.

Thorman P, Dixner A, Sundberg T. Effects of chiropractic care on pain and function in patients with hip osteoarthritis waiting for arthroplasty: a clinical pilot trial. *J Manipulative Physiol Ther*. July–August 2010;33(6):438–44.

Zhang J, Snyder BJ, Vernor L. The effect of low force chiropractic adjustments on body surface electromagnetic field. *J Can Chiropr Assoc*. March 2004;48(1):29–35.

Alcantara J, Ohm J, Kunz D. The chiropractic care of children. *J Altern Complement Med*. June 2010;16(6):621–26.

Shaw L, et al. A systematic review of chiropractic management of adults with Whiplash-Associated Disorders: recommendations for advancing evidence-based practice and research. *Work*. 2010;35(3):369–94.

Van Poecke AJ, Cunliffe C. Chiropractic treatment for primary nocturnal enuresis: a case series of 33 consecutive patients. *J Manipulative Physiol Ther*. October 2009;32(8):675–81.

Welch A, Boone R. Sympathetic and parasympathetic responses to specific diversified adjustments to chiropractic vertebral subluxations of the cervical and thoracic spine. *J Chiropr Med*. September 2008;7(3):86–93.

Christensen KD, Buswell K. Chiropractic outcomes managing radiculopathy in a hospital setting: a retrospective review of 162 patients. *J Chiropr Med*. September 2008;7(3):115–25.

Sandell J, Palmgren PJ, Björndahl L. Effect of chiropractic treatment on hip extension ability and running velocity among young male running athletes. *J Chiropr Med*. June 2008;7(2):39–47.

Borggren CL. Pregnancy and chiropractic: a narrative review of the literature. *J Chiropr Med*. June 2007;6(2):70–74.

Hoskins W, et al. Chiropractic treatment of lower extremity conditions: a literature review. *J Manipulative Physiol Ther*. October 2006;29(8):658–71. Review.

Smith DL, Dainoff MJ, Smith JP. The effect of chiropractic adjustments on movement time: a pilot study using Fitts Law. *J Manipulative Physiol Ther*. May 2006;29(4):257–66.

Dimmick KR, Young MF, Newell D. Chiropractic manipulation affects the difference between arterial systolic blood pressures on the left and right in normotensive subjects. *J Manipulative Physiol Ther*. January 2006;29(1):46–50.

Tu cuerpo es un jardín

Índice

Índice

filosofía clínica integrada, 228
fitonutrientes, 284
fitoplancton, 215
fitoquímicos, 285–287
    en hierbas curativas, 289
flora intestinal
    amamantamiento, 34
    en recién nacidos, 34
folato
    deficiencia de, 68
    para tratar, depresión, 72
fracturas óseas, 182
fructosa, 373–374
frustración
    falta de energías, 39
    de la paciente Rosa, 11, 454
    patrones que traen, 454
    resultados de sangre o imágenes no
        muestran nada, 7
fuerza vital
    curación relacionada, 403
    del universo, 102, 403
    nombres de otras culturas, 103
    primera intención de muchos quiro-
        prácticos, 116
    Yogananda opina, 104
fumar cigarrillos
    bajar de peso relacionado, 317
    presión sanguínea alta relacionada,
        130, 141

Galeno, Claudio, 439–440
galletas Oreo, componentes de, 362–363
gallinas, 286
ganado, engorda con uso de antibióticos,
    25
ganglios, 104
garganta irritada, antibióticos para, 23
gases, por comer rápidamente y no masti-
    car bien, 369
genciana, para tratar, problemas digesti-
    vos, 55
genes beta-defensin, 76
genética
    condiciones que afectan al estómago,
        61
    dificultades de perder peso, 315–320
    epigenética, 318, 401
    estilo de vida relacionado, 318
    influencia en bajar de peso, 316
    nutrición relacionada, 401–402
    obesidad infantil, 334, 335, 338
    presión sanguínea alta relacionada,
        130
    pruebas de, 75
    variaciones del número de copias
        (CNV, por sus siglas en inglés),
        75–76
genomas, 75
gimnasio, membresía en, 81

glándula tiroides. *Véase* tiroides
glándulas suprarrenales
    ayudar al cuerpo a bajar de peso, 321
    buen funcionamiento, 258
    cuándo no está funcionando bien,
        258–259
    cuándo se baja de peso, 365
    efectos en el sueño, 259
    funciones, 258
    hormona antiinflamatoria, 261
    inflamación cerebral relacionada, 194
    origen del cortisol, 253
glifosato, intolerancia al gluten relaciona-
    da, 76
glucosa, 245
    dormir mal relacionado, 263
    fructosa comparada, 373
gluten, 73–77
    función tiroidea afectada, 185
gordura flaca, 96
grasa
    dietas alta en grasa y aumento en pun-
        tos de ajuste, 319
    impacto en la insulina, 374
    importancia de bajar, 299
grasa, mala salud y masa muscular reduci-
    da, 298
grasa abdominal
    cómo disminuir con ejercicio, 312
    para disminuir, 377
grasa corporal, cómo afectar, 314
grasa saludable, 176
grasa visceral, 96–97
    grasa abdominal y IMC, 298–299
griegos antiguos, 421
guerra, respuesta del presidente, 225, 404

hábitos alimenticios
    comida como droga, 348
    cómo estar consciente de, 375
    diabetes relacionada, 348
    difíciles de romper, 372–373
    padres e hijos, 336
hambre, no sentir
    controlar, 315
    no matarse de hambre, 382–383
    sin dieta especial, 235
hambre, sensación de
    cómo disminuir, 272
    hipotálamo relacionado, 320
    inflamación crónica relacionada, 320
harina de banano verde, 379
hemorroides, para tratar, fibra insoluble,
    174
hernias, 61
herramientas de la vida, 435
    herramientas emocionales, mentales y
        espirituales, 428–431
hidrocloruro de betaína, para tratar, pro-
    blemas digestivos, 55

Índice

Índice